Saïdeh Pakravan

Azadi

Protestations
dans les rues
de Téhéran

ROMAN

Belfond

À mes fils, Ali et Taghi,
qui connaîtront un jour un Iran meilleur

Le mot persan *azadi* signifie « liberté ». C'est aussi le nom du monument blanc bien connu et de la grande place investie par des centaines de milliers de manifestants protestant contre la fraude électorale des élections présidentielles de l'été 2009. Ce roman est fondé sur des événements qui ont eu lieu à Téhéran à la suite de ces élections. Étant donné le contexte historique et politique, un certain nombre de personnalités connues y apparaissent. *Azadi* reste, toutefois, une œuvre de fiction et les personnages principaux sont imaginaires. Toute ressemblance avec des personnes réelles est pure coïncidence.

© Belfond, 2015.

Publié en accord avec l'Agence littéraire Writers First

Belfond | un département **place des éditeurs**

place
des
éditeurs

Hossein

La nuit tombe sur ce mercredi de troubles et d'agitation alors que Massoud et moi faisons un dernier tour sur la place Baharestan à présent vide de manifestants. Les quelques traînards que l'on voit encore sont sans doute de simples passants ou des badauds qui veulent profiter du spectacle jusqu'à la dernière minute. Nous avons reçu l'ordre de vérifier les rues adjacentes avant de retourner au *Sepah,* le quartier général des Gardiens de la Révolution.

— Nous cherchons quoi ? demande Massoud qui traîne les pieds.

Il est sans doute aussi fatigué que moi mais c'est surtout un enfant gâté, un *batcheh naneh* qui essaie de s'en sortir en en faisant le moins possible. Je ne réponds pas. Qu'est-ce que j'en sais, moi, ce que nous cherchons ? Nous le verrons bien quand nous le trouverons. De la pagaille, du désordre, des gens qui prennent la fuite ou au contraire qui arrivent en courant.

Les choses ont l'air de se calmer, on devrait bientôt pouvoir retourner au convoi de patrouille de Toyotas SUV qui nous attendent sur Djomhouri. Nous traversons la place Baharestan et remontons le long de Mohammad Khomeyni jusqu'au métro mais il ne s'y passe rien et nous revenons sur nos pas. La troisième rue à gauche mène à un petit square, son entrée bloquée par une barricade de fortune. Avec Massoud qui s'impatiente, je jette un coup d'œil aux briques et aux morceaux de blocs de béton rapportés du chantier que je vois plus loin, aux pneus incendiés – dont l'un fume encore – et aux deux grands cadres de fenêtres bleus arrachés à un bâtiment.

Puis je vois le corps.

— Hé, s'exclame Massoud qui l'a vu aussi mais je lève la main pour l'empêcher de s'approcher. Je n'ai pas envie qu'il soit là.

— Retourne à la voiture, je te rejoins tout de suite. Je t'appelle si j'ai besoin d'aide.

Je n'ai pas la moindre autorité sur lui, sauf celle que me donne le fait d'être un peu plus âgé et d'être entré au *sepah* un an plus tôt. Sans lui laisser le temps de se rebiffer, j'élève la voix, *boro*, va !

Il jette encore un coup d'œil sur le corps puis sur moi et repart. J'enjambe la barricade et m'accroupis près du corps de la fille – évanouie, ou blessée, ou morte, je n'en sais rien. Je lui touche la main, l'appelle *khahar*, soeur, plusieurs fois, mais elle ne répond pas.

Une image d'un passé lointain me revient et s'impose à moi avec tant de force que le présent est aboli. Juste avant le *eyd*, notre nouvel an, des parents sont arrivés nous rendre visite à Abadan. La maisonnée est occupée par les préparatifs et par le grand nettoyage de printemps. Les pièces ont été repeintes, l'excitation du *eyd* est dans l'air – l'achat de vêtements de fête, les courses dans les pâtisseries, la cuisine où l'on s'affaire à préparer quantité de plats, à la fois pour la célébration *eyd* et pour accueillir nos invités.

Mon oncle, sa femme et leurs deux enfants arrivent, bien entendu les bras chargés de cadeaux pour tout le monde. À moi, mon oncle tend un paquet emballé dans du papier-cadeau. Je l'ouvre en tremblant d'impatience, espérant trouver un jouet électronique. Au lieu de quoi je vois plusieurs poissons mécaniques à remonter en plastique coloré. Cachant ma déception, je remercie et reçois une tape amicale sur la joue, accompagnée de conseils de bien travailler à l'école et d'être généralement vertueux. Je pars en courant avec mes cousins et deux autres garçons de mon âge qui viennent d'arriver pour participer à l'agitation générale et à la distribution abondante de gâteries. Nous remontons les poissons et les mettons dans le petit bassin octogonal au milieu de la cour mais comme ils n'arrêtent pas de heurter la margelle, nous sortons pour utiliser le *djoub*, le caniveau peu profond qui coule au milieu de la rue. De toute façon, nous finissons toujours par nous retrouver dans la rue.

Pris par notre jeu, nous courons le long du *djoub*, utilisant de longs bâtons pour faire filer droit nos jouets cliquetants, un autre groupe d'enfants criards se joignant à nous. Nous ne remarquons pas une moto qui arrive par derrière. Elle nous dépasse, continue jusqu'au bout de la rue et disparaît. Au bout d'un moment, je vois que mon meilleur ami Mohammad qui courait avec nous n'est plus là. Me retournant, je le vois allongé sur le sol un peu plus loin et comprends tout de suite qu'il a été heurté par la moto. Oubliant le jeu, je cours vers lui. Il est sur le dos, les yeux fermés, la lèvre supérieure un peu remontée sur les dents. Une émotion inconnue me prend, un sentiment de frayeur mais aussi de paix profonde, de fatigue, je ne sais plus, comme si je voulais moi aussi m'allonger à ses côtés et m'endormir. Dans son évanouissement, son visage est illuminé de l'intérieur comme le serait celui d'un ange. Puis je sors de mon espèce de transe et secoue Mohammad jusqu'à ce qu'il revienne à lui. Des années durant, je crois, je garde cette image de mon ami devenu aussi évanescent qu'un visiteur spirituel venu d'un autre monde.

La même émotion me prend à la vue de cette fille étendue sur le sol. Je me retrouve comme quand je me tenais debout au-dessus de Mohammad, le croyant mort. Je suis emporté par le sentiment contradictoire d'être à la fois terrifié et en paix. Son foulard tombé de ses épais cheveux noirs, l'éclat de ses dents blanches entre ses lèvres entrouvertes, ses yeux fermés, avec leur frange de cils épais plus longs que je n'en ai jamais vu, sa peau vidée de toute couleur, elle est, comme le Mohammad de mon enfance, éclairée de l'intérieur. Elle aussi a le visage d'un ange.

Je ne peux pas la laisser là mais je ne peux pas non plus rester avec elle. Massoud attend dans la voiture et nous devons rentrer au QG. Je lui touche à nouveau la main, puis lui prends le bras et la secoue un peu.

— *Khahar, khahar*, ma sœur, je dis. Lève-toi, il faut te lever.

Elle ne bouge pas mais n'a pas l'air blessée, pour autant que je puisse le dire, à part une bosse sur le côté du front. Ses jeans et son tee-shirt qui paraissent sous son *manto* – son court pardessus – ne portent pas de traces de sang. Je lui prends le bras et la secoue à nouveau, puis elle bouge et tente de se relever. Je lui lâche le bras et elle retombe en arrière, les yeux ouverts à présent. Elle sursaute en me voyant, se rassied et commence à supplier.

— *Agha*, monsieur, laissez-moi partir. Je n'ai rien fait,

j'étais venue rendre visite à mon oncle et j'ai été prise dans le *choloughi*, l'agitation.

— C'est sûr, je réponds, ironique. Je te crois. Et comme par hasard, la maison de ton oncle se trouve juste là, en plein milieu des manifs. De toute façon, tu ne peux pas rester là. Dis-moi où il habite et je t'y conduirai.

Muette, elle évite mon regard. D'une main, elle tâte derrière elle pour trouver son foulard qu'elle ajuste sur ses cheveux.

Raha

— Ne te penche pas comme ça, Raha. *Khodaye nakardeh*, Dieu ne le veuille, tu vas tomber.

J'entends la voix de Banou, la nourrice qui m'a élevée. Je l'entends comme si c'était hier alors que ça fait bien dix ans qu'elle me grondait comme ça chaque fois que je m'approchais trop près du rebord du balcon. Ce balcon l'obsédait. Depuis que mes parents avaient vendu notre maison et que nous avions emménagé dans cet immeuble, Banou avait peur pour moi. Dès le premier jour, elle avait détesté l'appartement. Jusque-là, nous avions toujours vécu dans une maison et ça lui déplaisait d'être dans un immeuble où il y avait d'autres gens. Les pièces avaient beau être spacieuses et lumineuses, son travail se trouver allégé maintenant qu'il n'y avait plus d'escalier à monter et à descendre toute la journée, elle avait l'impression que nous avions régressé dans le monde. À ses yeux, le seul point positif de ce changement était que nous habitions encore Elahieh, notre quartier de Chemiran, au nord de Téhéran.

D'aussi loin que je m'en souvienne, Banou s'était inquiétée pour moi, mais encore plus depuis le déménagement. Non seulement ce balcon lui apportait des visions de moi

tombant vers une mort certaine – et sans doute horrible –
trente étages plus bas, mais elle m'imaginait coincée dans
l'ascenseur à une heure où il n'y avait personne pour me
sauver ou croyait voir le bus de l'école qui m'emmenait
tous les matins heurter le parapet d'un pont sur l'autoroute,
ou parkway, qu'elle prononçait *parkvi*, et s'écraser en bas.
Plus tard, quand j'eus atteint mes douze, treize ans, elle
restait réveillée la nuit, m'imaginant enlevée et victime
d'un viol collectif perpétré par les gosses qui remontaient
des quartiers pauvres du sud de la ville à trois, et parfois
quatre, sur une moto cabossée pour se balader dans nos
belles rues bordées d'arbres.

— Tu ne les connais pas, disait Banou, furieuse, quand
je me moquais d'elle et répliquais qu'ils ne me faisaient
pas peur. Moi, je les connais, cette poignée de *lat-o-lout*,
de voyous. Crois-moi, je les connais. N'oublie pas que je
viens des mêmes quartiers.

Ma Banou est morte il y a des années. Elle ne m'a
jamais vue atteindre l'âge adulte. Que dirait-elle si elle
me voyait maintenant, accroupie dans une rue latérale
derrière Baharestan avec Kian, Arjang, Mazyar, Atossa,
tous les *batchéha*, les copains ? C'est sûr qu'elle nous attra-
perait, Atossa et moi, elle qui se sert d'une lime à ongles,
et moi d'un canif que les garçons nous ont donné pour
arracher des morceaux de béton du trottoir déjà démoli.
La lame du couteau n'est pas assez grande pour servir à
quelque chose, pareil pour la lime, alors nous attrapons
ce que nous pouvons et jurons lorsque nous nous cassons
les ongles. Nous mettons en tas les morceaux que nous
parvenons à détacher et les tendons aux garçons quand
ils reviennent en courant chercher d'autres projectiles à
lancer sur les Gardiens qui se tiennent en rangs à l'autre

bout de Baharestan, habillés en noir, portant des casques et des boucliers, comme une armée d'insectes dans un dessin animé, sauf qu'ici personne ne rit.

Peut-être que nous n'accomplissons pas grand-chose, Kian, moi et les autres, mais au moins nous ne restons pas passifs. Quand les premières manifs ont éclaté, tout de suite après l'annonce des résultats des élections, c'était comme un jeu pour nous. Mais plus maintenant. Les semaines précédentes, je ne fais pas trop attention à la campagne parce que je travaille sur notre grand projet de classe à l'université : redessiner un centre sportif. À la maison, la télé reste allumée, avec les mêmes débats qui ne mènent à rien. Les candidats sont assis autour d'une table portant de grands arrangements floraux, comme à un enterrement, ils lancent des chiffres ou des agendas législatifs et quand la discussion ne va nulle part, reprennent leurs slogans imbéciles. Ahmadinéjad a l'air d'un petit singe, d'une caricature d'homme des cavernes. Moussavi a les cheveux et la barbe blancs, Karroubi porte un turban et Rezaï est le plus banal du monde, sinon rien, ni le discours, ni le raisonnement, ni le soutien pour le *nezam* – l'ordre existant – ne les différencie les uns des autres. Karroubi m'a l'air plus honnête que les autres mais finalement, tout ce qu'ils font c'est répéter les mêmes arguments et j'ai du mal à m'y intéresser Ahmadinéjad vante ses réalisations – que personne ne peut vérifier – à la tête du gouvernement et en promet d'autres tandis que ses rivaux mettent en doute ses assertions et promettent aussi un avenir éclatant.

Mes parents et amou Djamchid suivent ces débats avec une extrême attention et si je fais un commentaire ou pose une question sans rapport avec le programme, mon père fait « chut », comme si les déclarations et les remarques des candidats étaient trop importantes pour qu'on en rate un seul mot. Je n'apprécie pas beaucoup Moussavi. D'après ce que j'ai entendu, trop de gens sont morts quand il était Premier ministre pendant la guerre avec l'Irak et c'était aussi la pire époque des exécutions de masse dans les prisons, mais je ne sais pas dans quelle mesure l'on peut le tenir pour personnellement responsable. Et puis, ce n'est pas un leader – ni d'ailleurs un orateur. Son mot préféré est *tchiz* – chose. On ne sait jamais de quoi il parle et je me demande s'il ne reste pas exprès dans le vague pour qu'on ne puisse pas, plus tard, lui rappeler des promesses électorales non tenues.

Ahmadinéjad, quant à lui, a son expression habituelle, à la fois rusée et suffisante, comme s'il était toujours persuadé d'avoir bien roulé son monde. Il s'exprime de façon plus cohérente que les autres mais sur un mode populiste irritant. Ma mère se fâche rien qu'à le regarder, le traitant de *sousk* – cafard – ou fait des remarques sur ses yeux rapprochés, disant qu'ils sont si petits que c'est comme s'il n'en avait pas du tout ou bien que Darwin n'avait pas eu à chercher bien loin pour son chaînon manquant.

Je ne peux pas le supporter. Aucun d'entre nous ne le peut. Malgré cela, mon père dit à ma mère qu'il n'entend pas et qu'elle devrait garder ses remarques pour elle et il se verse un autre whisky, frustré, je suppose, par ces candidats qui font semblant de participer à un débat ouvert et sincère, ou par ma mère, ou par son propre sentiment d'impuissance – que la plupart des gens de son âge partagent. C'est différent pour les jeunes. Nous savons que l'Iran finira bien par changer un jour, il ne peut pas rester comme il est aujourd'hui.

Ma mère n'aime pas voir mon père boire autant. Elle

lui dit qu'il va tomber raide mort et laisser sa famille se débrouiller toute seule et qu'est-ce qu'elle a fait au bon Dieu pour qu'il la punisse ainsi. Invoquer le nom de Dieu est purement théorique parce que personne dans cette famille ne croit de près ou de loin aux abstractions.

Ces jours-ci, des discussions éclatent entre nous sans raison. Nous nous en prenons les uns aux autres, cherchons qui rendre responsable, disons que tout est la faute des Américains parce qu'ils n'ont pas aidé Khatami à établir une base plus solide, puis non, c'est de la faute des Israéliens (un soir, un invité dit carrément que le plan ultime d'Israël c'est de tuer tous les Iraniens et de prendre l'Iran pour eux-mêmes), et puis non, c'est la faute de… et ça continue encore et encore. Mes parents deviennent nostalgiques quand ils parlent de la présidence de Khatami mais mon oncle Djamchid dit que Khatami est aussi nocif que les autres, pire même, parce qu'il a rendu le régime plus acceptable. Moi, je finis par voter pour Karroubi. Puis nous nous rendons compte que ce n'était pas la peine de voter, les élections étaient truquées.

Kian

Toute la journée du vendredi, c'est comme une explosion dans ma tête. Bien que tout soit aussi moche que d'habitude, qu'il y ait toute cette agitation et que personne ne sache où on va, il est en train de se passer quelque chose. Quelque chose de si rare qu'au début je ne reconnais même pas qu'il s'agit d'espoir. Puis arrive ce soir où on a les premiers résultats, et puis c'est le samedi, avec Khamenei qui confirme Ahmadinéjad comme vainqueur. Je me frappe le front de la main et hurle, « *na ! na !* » non ! jusqu'à ce que ma mère, tout aussi furieuse que moi, me dise sèchement de me calmer.

La déception est incroyable. Jusque-là, ç'avait été un jour fabuleux, même si je n'étais pas trop content que Raha ne vote pas pour Moussavi. Sans doute que nous avions été naïfs de croire que nos votes pouvaient compter, d'oublier le régime sous lequel nous vivons. Nous avions fait la queue pendant des heures, les gens discutant entre eux et même avec des inconnus, comme si ce vendredi marquait le début d'une nouvelle ère de confiance et de bonne volonté. Je tenais la main de Raha sans avoir peur qu'un *ma'mour*, un représentant de l'ordre, arrive et nous traîne au *kalantari* – commissariat – le plus proche.

Pourtant, l'oncle de Raha, amou Djamchid, nous avait mis en garde la veille au soir, quand nous étions tous en train de dîner.

— Ça ne sert à rien de voter. Dans ce pays, les gens ne comptent pas.

Raha, toujours prête à discuter, s'emporte, malgré sa mère qui lui fait signe de ne rien dire ou nous allons y passer la nuit.

— Je ne peux pas penser comme ça, dit-elle.

— Heureusement, et tant mieux pour toi, dit son oncle. Tu es jeune. Je voudrais pouvoir t'encourager et te dire que quelque chose de bien sortira de ces élections mais j'en doute. Le problème avec tous les pays du monde sauf une poignée de démocraties occidentales est que quel que soit le progrès qu'on croit avoir fait, on finit toujours par revenir là où on était avant, si ce n'est bien plus bas encore.

Nasrine fait une grimace et marque sa désapprobation en commençant à débarrasser la table. Ma mère se lève aussi.

— Laissez, Homa, lui dit le père de Raha. Je vais aider Nasrine.

Nasrine qui se mordille les lèvres se tourne vers amou Djamchid.

— Tu admires l'Occident au point d'oublier que tu es iranien.

— *Abada*, pas du tout. Bien sûr que je me sens iranien, c'est bien pour cela que *ghosseh mikhoram*, cela me fait de la peine de voir la différence historique avec l'Occident. Là-bas, les événements font aller les pays de l'avant. Ici, le temps peut toujours repartir dans l'autre sens.

Le père de Raha, qui évite d'habitude de se mêler de ces discussions, dit que l'Occident a réussi sur les ruines de pays comme le nôtre.

— Ce n'est pas vrai, dit Djamchid. Ils nous ont peut-être exploités mais ils seraient arrivés là où ils sont avec ou sans ça.

Je ne fais pas attention à cette digression, toujours les mêmes arguments et les mêmes accusations. Raha, rouge d'émotion, dit à son amou Djamchid :

— Nous devons quand même essayer.

— Tu es une telle enfant, lui dit son oncle.

La discussion se poursuit comme toujours ces jours-ci. Dans la voiture, ma mère qui conduit ressort les mêmes arguments que je déteste parce que, bien que ne supportant pas le régime, elle en répète parfois la propagande. Ces jours-ci, son grand truc c'est qu'Ahmadinéjad n'a pas forcément tort sur tout.

— Tu sais pourquoi l'Iran n'a pas le droit d'avoir un programme nucléaire ? Parce que ça mettrait Israël en danger. C'est la seule chose qui terrifie les Américains. À cause de l'Holocauste, Israël doit pouvoir faire ce qu'il veut dans cette partie du monde et nous devons tout accepter.

— Je vous en prie, *madar* ! On croirait entendre Ahmadinéjad !

Comme il faut s'y attendre, elle passe au mode récriminations, avec une liste qui devient accablante quand elle additionne toutes ses raisons d'être insatisfaite de la vie. Devoir élever son fils toute seule est tout en haut de la liste, suivi par ses horaires trop chargés à l'hôpital, d'incessants soucis financiers, et finalement tout ce qui ne va pas en Iran. Pourquoi est-ce que nous avons perdu la face dans le monde et n'avons plus de *aberou* ou de *heyssiat* – bonne réputation et honneur – et qu'est-ce que les Iraniens ont fait pour mériter cela ? Son portable qui sonne met fin à cette conversation comme il met fin en général à toutes les conversations. C'est l'hôpital. Qui d'autre appellerait à cette heure ?

En fait, l'oncle Djamchid avait raison. Les résultats donnent Ahmadinéjad comme le grand gagnant, bien que je ne connaisse personne qui ait voté pour lui. Tout le monde a voté pour Moussavi, sauf Raha et son amou Djamchid et ma mère qui ont voté pour Karroubi, disant qu'il a beau être un mollah, il a moins mauvaise réputation que Moussavi.

Toute la journée du vote, ma mère opère à l'hôpital et les une ou deux fois où nous nous parlons, elle dit qu'elle craint ne pas pouvoir arriver à temps, puis on annonce que les bureaux de vote resteront ouverts deux heures de plus, puis, dans certains districts, on ajoute encore deux heures, donc elle y arrive. Et à onze heures du soir, tac, les résultats sont annoncés. Ahmadinéjad est vainqueur, loin devant Moussavi. Ils veulent nous faire croire qu'on a manuellement compté quarante-trois millions de votes en quelques heures ?

Les gens deviennent fous. Tous ceux que je connais sont en ligne ou au téléphone. Entre le soir et le lendemain matin, je reçois cinquante-cinq messages, je ne peux pas le croire. Des textos, des tweets, ça n'arrête pas. Tout le monde est furieux, disant, vous avez vu ça ? Est-ce que nous allons accepter ces résultats sans réagir ? Tout comme si, parce que pendant quelques heures ou quelques jours, nous avons cru être engagés dans un vrai processus démocratique, nous avons acquis le droit de penser et de dire notre colère à voix haute.

Il n'arrive pas grand-chose le samedi qui suit les élections.

Comme nous ne savons jamais quand l'internet va être coupé, nous essayons tout le temps de nous connecter par tous les moyens. Nous attrapons des images, des clips, des textos, nous sommes partout. Sur YouTube, nous regardons les nouvelles, sur Twitter ou Facebook, nous glanons des renseignements sur les manifs. L'internet est accessible un moment et bloqué le suivant. Pour les nouvelles, ce n'est pas un problème. Les journalistes étrangers ne sont pas autorisés à faire de reportages, mais c'est comme si chaque manifestant s'était transformé en reporter et nourrit les médias à l'étranger, qui nous renvoient tout de suite les nouvelles. Quand l'internet est bloqué, nous recevons la télé par satellite. Il y a toujours moyen de savoir ce qui se passe.

Après que Khamenei ait annoncé les résultats, les gens se mettent à klaxonner, certains, je pense, partisans d'Ahmadinéjad. Le soir, les cris d'*allah-o-akbar* résonnent depuis les toits en terrasse, les émissions télé se font entendre depuis toutes les maisons, pour la plupart de La Voix de l'Amérique ou de la BBC en persan, comme si les gens s'en foutaient soudain que les forces de l'ordre sachent qu'ils écoutent ces émissions soi-disant interdites. Le dimanche après les élections, tout le monde est dans la rue. Encore des tweets et des textos toute la journée. Au bout de quelques heures, ils disent tous la même chose : Azadi. Ce qui désigne non seulement la liberté que nous croyions atteindre sans y réussir mais la place avec le grand monument blanc au milieu. Et une heure pour la manif qui doit y avoir lieu le lendemain.

J'appelle Raha. Nous sommes tous les deux enthousiastes, excités, certains que si assez de monde se réunit pour protester, le gouvernement devra céder et organiser de nouvelles élections.

— Tout le monde y va, dit-elle. Tout Téhéran y va !

Le lundi matin, ma mère me dit qu'elle n'a pas dormi de la nuit, avec des appels de l'hôpital sur un malade avec une infection post-opératoire. Elle est fatiguée mais ne travaille pas aujourd'hui et s'est arrangée pour venir avec nous sur la place Azadi, avec ma tante Pari qui va passer nous prendre tout à l'heure. Le mari de celle-ci ne participera pas, il s'entend comme larrons en foire avec les gens du gouvernement et d'après ma mère qui n'aime pas son beau-frère, « larron » est bien le mot qui convient. Étant donné les montagnes de fric qu'il amasse à travers les contrats qu'ils lui font avoir, il est chaud partisan du régime et ne prendrait aucun risque. Quant à moi, je voudrais bien participer à la manif avec Raha et les autres mais ma mère me veut avec elle et dit que je pourrai les retrouver là-bas. J'ai beau avoir vingt-deux ans et être en fac depuis trois ans, je dis *tchachm madar*, bien mère.

Nous partons avec Pari djoun dès qu'elle arrive. Ça va nous prendre un temps fou d'arriver à la place Azadi. Même dans notre quartier où il ne se passe pas grand-chose d'habitude, il y a beaucoup de monde. La foule augmente au fur et à mesure que nous avançons. Dès que nous quittons Dezachib, nous sommes pris dans des embouteillages monstres. C'est comme si les dix millions d'habitants de Téhéran avaient pris leurs voitures et se retrouvaient dans la rue en même temps. Quand nous arrivons au centre-ville, le bruit des klaxons devient assourdissant, avec les voitures qui essaient tant bien que mal d'arriver à Azadi, portant des portraits de Moussavi et quelques-uns de Karroubi. Leurs occupants sont assis sur les toits des voitures ou sortent la tête par les fenêtres, ils rient, se font des grands signes de la main, scandent des slogans.

— Qu'est-ce qu'ils disent ? demande ma mère.

— *Marg bar diktator*, mort au dictateur, dit Pari.

— Lequel ? demande ma mère.

Pari garde sa main appuyée sur le klaxon. Comment c'est supposé nous faire avancer plus vite, je ne vois pas. Il n'y a pas de parking et bien sûr, aucun endroit dans la rue où se garer. Ma mère dit qu'on aurait dû venir en métro mais il est trop tard pour ça et de toute façon le métro aussi doit être bondé. Nous patientons dans la voiture arrêtée. Un groupe de jeunes portant des bandanas verts nous dépasse en courant, parvenant à se frayer un chemin dans la foule. Une fille aux cheveux découverts, sauf son bandana, donne une tape sur mon bras qui pend hors de la fenêtre et m'envoie un baiser.

— *Rah bedeh, mamani*, laisse-moi passer, beau gosse !

— *Kessi djeloto naguerefteh*, personne ne te retient, je lui crie.

Elle se retourne vers moi en riant, faisant voler sa chevelure. Ma mère et Pari, qui a enfin lâché son klaxon, la regardent se fondre dans la foule.

— On va voir combien de temps elle va s'en tirer comme ça, dit ma tante, de ce ton qui rend désagréables même ses remarques les plus anodines.

Les radios des voitures sont au maximum, une cacophonie de rap politique ou de bulletins d'information secoue les véhicules, et même le sol autour de nous, s'ajoutant aux cris et aux rires. Il y a là une exubérance, un sentiment de triomphe qui nous enveloppent comme une vague. Les gens ont l'air de bien s'amuser, comme si ça ne comptait pas du tout que nous ayons perdu les élections parce que nous allons gagner la bataille principale.

Un groupe de femmes en *tchador*, le voile noir qui les couvre de la tête aux pieds, sont debout sur le trottoir, lançant des poignées de bonbons à l'intérieur des voitures en criant, *tabrik*, félicitations, et *doroud bar rahbar*, longue vie au Guide suprême. Ce sont là des partisans de Khamenei et d'Ahmadinéjad. Les gens ne les prennent pas au sérieux et plaisantent avec elles, tout en ouvrant les bonbons et en rejetant les emballages dans la rue, répondant aux femmes, *tamoum chod, madar*, c'est fini, petite mère, mais elles font semblant de ne pas entendre les railleries.

— Tu te souviens du jour où le chah est parti ? dit Pari. Là aussi on distribuait des bonbons dans la rue.

— J'étais toute jeune, dit ma mère, c'était il y a trente ans. Mais je me rappelle encore la tristesse dans les yeux des gens.

— *Boro baba*, tu parles, dit Pari. Tu fais toujours ta romantique ! Moi aussi, j'étais très jeune, mais je me souviens que les gens étaient fous de joie !

— Regarde où ça nous a menés, dit ma mère, puis elle doit répondre au téléphone.

— Je n'aime pas Moussavi, dit Pari quand ma mère raccroche. *Az khodachouné*, il est des leurs. Il n'aurait même pas pu se présenter sans l'approbation du Guide. Et tu as vu comment sa femme s'habille ! Un *tchador* sur un foulard ? Et elle est supposée être une artiste ? J'ai entendu dire qu'il y a trente ans elle portait des minijupes et passait ses nuits à boire et à fumer avec ses copains intellectuels.

Le portable de ma mère sonne à nouveau. Elle répond

et dit à la personne qu'elle la rappellera puis se tourne vers sa sœur.

— Et alors ? Ces choses-là n'étaient pas un péché à l'époque. Et puis c'est toi qui as voté pour Moussavi ou du moins, c'est ce que tu dis. Moi j'ai voté pour Karroubi, tu te rappelles ?

Pari, avec ses lunettes de soleil Valentino perchées sur sa tête, par-dessus son foulard turquoise, agite ses longs ongles rouges, écartant l'allusion qu'elle a peut-être voté pour Ahmadinéjad, vu la proximité de son mari avec les sbires du gouvernement. Je ne comprends pas comment ma mère peut avoir une sœur qui lui ressemble si peu.

C'est impossible de continuer en voiture, nous sommes encore beaucoup trop loin. Mais comme nous passons une rampe de parking, Pari voit un préposé qu'elle reconnaît et tourne dans sa direction, lui demandant de trouver une place pour la voiture.

— Tu y arriveras, Hassan Agha, lui dit-elle avec un sourire éclatant qui promet un gros pourboire.

Nous avançons à pied tout en sachant que ça va prendre des heures. Ça ne me gêne pas, en fait je m'amuse bien. Les gens sont sympas les uns avec les autres, il y a même un type qui s'excuse de m'avoir bousculé. Le reste du temps, il faut bien le dire, les gens sont les pires des *hamal*, malotrus. Quand la cousine de ma mère qui habite les États-Unis était venue nous rendre visite, elle nous racontait que la première fois où elle avait pris un taxi ici, le chauffeur lui avait dit avoir tout de suite compris qu'elle arrivait de l'étranger tant il la trouvait polie. Nous marchons dans ce flot de gens qui s'écoule le long de l'avenue Azadi. Plus tard, quand je vois les vidéos prises de haut, je comprends de quoi nous faisions partie ce jour-là, une foule sans fin.

Les quelques partisans d'Ahmadinéjad sont loin derrière, oubliés. Tout le monde ici manifeste pour la démocratie. Le fait que nous puissions marcher comme ça, ensemble, sans crainte, est un plaisir incroyable.

Contrairement aux accusations des médias pro-gouvernementaux qui disent que les manifestants sont des gosses de riches, de jeunes branchés, cette foule immense est hétéroclite : des employés de bureau, des femmes en *tchador*, des personnes âgées, des provinciaux dont certains ont l'air d'être arrivés tout droit de leurs fermes, et aussi des gens bien habillés, des artistes, des intellectuels, des hommes et des femmes d'affaires. Ma mère me dit que tous les employés de son hôpital qui ne devaient pas impérativement rester travailler ont demandé et obtenu la permission de participer à la manif sans que le bureau du *bassij* s'en mêle. Dans les immeubles de bureau que nous passons, les employés sont aux fenêtres, agitant des drapeaux verts. On dirait que tous les habitants de Téhéran sont là, avançant vers la place Azadi, dans une atmosphère bon enfant de jubilation, comme s'ils étaient en train de vivre la meilleure journée de leur vie. L'intensité de l'émotion que ça provoque en moi est très forte, je sais que je m'en souviendrai toujours. Je serre le bras de ma mère et quand elle se tourne vers moi, je vois que ses yeux sont pleins de larmes. Qui sait pourquoi nous pleurons aussi bien quand nous sommes heureux que quand nous sommes tristes ?

J'espère que je pourrai retrouver les autres dans cette masse de gens. Quand nous arrivons enfin sur la place Azadi. Raha et Atossa sont là avec Mazyar, juste au pied de la tour où ils ont dit qu'on se verrait. C'est bien la journée des miracles.

Nous voulons nous souvenir de ce grand moment où nous sommes témoins du changement dans l'histoire de notre pays. Nous prenons des photos devant le monument éclatant de blancheur qui s'élève sur un fond de ciel bleu, avec tout autour cette multitude criant des slogans optimistes, s'étreignant, toutes ces mains levées formant le V de la victoire. Raha me tient le bras, le visage ruisselant de larmes, et répète sans arrêt, On a gagné, on a gagné !

Davantage de manifs les jours suivants. Tout en courant, je scande avec les autres, *natarsim, natarsim, ma hameh ba ham hastim*, n'ayons pas peur, nous sommes tous ensemble. Aujourd'hui, je suis venu équipé avec des mouchoirs et aussi d'un briquet pour allumer du papier et me protéger d'éventuels gaz lacrymogènes. Quoi d'autre ? Je porte mon bandana vert, bien que ma mère m'ait demandé de ne pas le faire. Ça sert à quoi de participer si nous ne nous montrons pas solidaires ? La semaine dernière, alors qu'il y avait encore des journalistes étrangers dans les rues, un reporter nous a demandé s'il pouvait nous interviewer. Dès que nous disons d'accord, son cameraman se met à nous filmer. Il nous demande pour qui nous allons voter, j'ai à peine le temps de répondre Moussavi que Raha se plante devant moi en riant et dit Karroubi. Je me place de nouveau devant elle, et alors nous nous sommes mis à nous marrer, le reporter, son cameraman et nous deux. Je dis, ne l'écoutez pas, tout le monde vote pour Moussavi. Le reporter nous demande si Ahmadinéjad a une chance et nous répondons non. J'ajoute que tout le monde en Iran est jeune et tous les jeunes veulent qu'Ahmadinéjad s'en aille, que Moussavi nous donnera davantage de liberté et un meilleur gouvernement.

Quand les gars sont partis, Raha me dit que j'ai tort à propos de Moussavi, qu'il fait partie du système, ou le Guide suprême ne l'aurait pas autorisé à se présenter.

— Et Karroubi n'était pas approuvé par le Guide suprême ? je demande. Aucun de ces mecs n'oserait se montrer en public, et encore moins se présenter, s'il n'avait pas été approuvé par Khamenei.

Elle n'est pas contente mais ne trouve pas de contre-argument.

Le lendemain de la grande manif, Atossa et Mazyar nous appellent. Nous nous retrouvons à notre café habituel et nous lançons dans une autre de nos bruyantes discussions. Non que ce soit un problème, tout le monde ici est en train de faire la même chose, de discuter à tue-tête. En plus, les gens ne regardent même pas par-dessus leur épaule, ils parlent sans crainte de Moussavi, Ahmadinéjad, les Gardiens ceci, le Guide cela. Si je meurs là, en cet instant, et me retrouve en enfer, c'est exactement ce que j'y trouverai : des gens qui essaient de se couvrir la voix les uns les autres, voulant imposer leur point de vue malgré des raisonnements absurdes. Ce bruit permanent, ce *choloughi*, cette agitation, toujours les mêmes noms, les mêmes têtes à la télé avec les mêmes barbes et les chemises boutonnées jusqu'au col, le *velayate faghih*, ou la Tutelle du juriste, le *rahbar*, ou Guide suprême, je ne peux même plus entendre ces mots. Je veux une vie, j'ai des examens qui arrivent, je veux changer mon PC contre un Mac, je veux choisir un film à regarder avec les *batchéha* – les copains –, aller à la Caspienne sans être arrêté par les Gardiens ou les rondes de morale publique, je veux discuter avec Raha de la maison qu'elle dessinera pour nous quand nous serons mariés, des voyages que nous ferons à l'étranger, et ne plus vivre avec ce poids, comme un nuage toxique qui empêche de respirer.

Avec tout ce stress, je n'ai même pas le temps de penser à nous. Toutes nos discussions tournent à la bagarre. Raha est furieuse après moi depuis des jours à cause de l'histoire du vernis à ongles. On est chez Pejman à regarder *Quantum of Solace* qu'il a téléchargé sur un de ces sites pirates où on trouve tous les films. Quand Daniel Craig commence une de ses grandes fusillades, je dis, *akh djoun*, formidable, voilà le genre de mec qu'il nous faut ici.

— Genre quoi ? dit-elle. Américain ?

— Il n'est pas américain, il est anglais.

— Encore pire, dit-elle.

— On se fout d'où il vient. Ce que je veux dire c'est que c'est un mec comme ça qui nous débarrassera de ces *achghal*, ces ordures.

Sa voix prend ce ton aigu qu'elle a souvent ces jours-ci. Des fois, ça me fait rire quand elle s'énerve et que sa voix sort comme ça, toute fluette et pointue, mais là je ne ris pas. En fait, elle m'irrite tant que j'ai envie de la secouer.

— De quoi tu parles ? dit-elle. Tu ne crois pas que les étrangers ont fait assez de tort à ce pays ?

— C'est quoi ce *mozakhraf*, ces conneries ? je dis en me levant d'un bond. On croirait entendre ces petits vieux pleurnichant toujours sur leur sort, notre pauvre pays, regardez ce que les Anglais et les autres nous ont fait ! Je dis que nous avons besoin de mecs durs, qui peuvent établir de nouvelles règles !

Elle essaie de crier avec cette voix qui ne sort même pas. En fait, elle veut être aussi insultante que possible, elle sort des arguments illogiques dans le seul but de se montrer la plus forte.

— Ce que tu veux, c'est ce que tout le monde veut, sans avoir le courage de le dire à voix haute. Tu veux que les Américains lancent des bombes sur l'Iran et fassent tomber le régime, et puis qu'ils nous disent comment mener notre vie pour qu'eux, pendant ce temps, continuent à exploiter nos richesses !

Moi aussi, je m'énerve, pendant que Mazyar, Atossa et les autres essaient de nous calmer.

— Parce que toi, tu ne veux pas ça ? je dis, furieux. Regarde-toi, regarde comment tu t'habilles, ton maquillage ! Pourquoi est-ce cool de regarder un James Bond ? Pourquoi est-ce que tu ne cherches pas un film sur l'Imam Hossein à Karbéla ?

Pejman, qui a mis sur « pause » quand on a commencé à s'engueuler, n'arrête pas de dire, C'est bon, on peut regarder le film ?

Mais je continue :

— Et comment tu décides ce qui est acceptable et ce qui ne l'est pas ? C'est okay de porter des fringues de marque mais pas okay de vouloir des valeurs occidentales ? Toi-même, tiens, si quelqu'un te disait, Raha, tu peux vivre à Los Angeles ou à Kaboul, tu choisirais quoi ?

Elle me lance froidement :

— Je choisirais Téhéran. Chez moi, c'est ici et pas ailleurs !

— C'est bon, je crie. Va donc t'acheter un nouveau vernis !

Je regrette mes paroles à la minute où je les lâche, je ne sais même pas d'où c'est sorti. Raha serre les lèvres pour ne pas fondre en larmes. Je retourne m'asseoir à côté d'elle sur le sofa et lui prends la main mais elle la retire. Je la reprends et chuchote à son oreille que je suis un *ahmagh*, un imbécile, et que je ne crois pas un mot de ce que j'ai dit. Je vais lui chercher un coca, la force à prendre un *baghlava* et fais des grimaces jusqu'à ce qu'elle ne puisse pas s'empêcher de rire.

Pejman remet le film et nous regardons la suite.

Hossein

Je n'ai pas beaucoup dormi depuis les élections vendredi dernier. Le lendemain, nous sommes au QG du *sepah pasdaran* – les Gardiens de la Révolution. Les résultats sont confirmés. Nous les acclamons et applaudissons – il est clair que le président a écrasé Moussavi : soixante-trois et quelques pour cent des voix contre trente-quatre et quelques pour Moussavi, les deux autres candidats si loin derrière qu'ils auraient même pu ne pas se présenter. La victoire est nette et les résultats vont devoir être acceptés sans aucune *jarrobahs* – discussion. Mais tout le monde autour de moi n'a pas l'air aussi convaincu. J'entends un ou deux *sepahi* – Gardiens – dire, sans même baisser la voix, que c'est sûr, il va y avoir des problèmes. Je leur demande pourquoi, un des mecs dit *khob digueh* – je dis ça comme ça – et détourne le regard. Il aurait peut-être préféré que Rezaï gagne, pour que le président soit quelqu'un de haut placé dans la hiérarchie des Gardiens.

Le dimanche, nous recevons nos ordres et tout de suite notre convoi de SUV descend jusqu'à la place Sepah, au-dessous de Gholhak. Je suis assis devant, à côté de Massoud, plutôt endormi puisque je me suis levé avant l'aube. Le *khob digueh* du Gardien continue à me gêner, quoique je ne voie pas pourquoi il y aurait un problème. Les élections sont les élections. Les gens ont voté, il y a un gagnant et il y a des perdants. Comme l'a si bien dit le président Ahmadinéjad, dans tout match de foot, il faut bien qu'une équipe perde afin que l'autre gagne. C'est logique, non ? Je suis anxieux sans en comprendre la raison. Massoud me regarde une ou deux fois, me dit, *tcheteh* – qu'est-ce que t'as ? –, la deuxième fois il me dit – *tcheh margueteh* – t'as quoi, bon sang ? – parce que je serre le poing et suis en train de me mordre les articulations sans même me rendre compte de ce que je fais. Je laisse ma main retomber sur mes genoux mais le sentiment d'être dans un état second, irréel, ne change pas. J'ai peut-être fait un rêve précurseur de troubles à venir. Ou bien c'est l'agitation que je vois dans la rue qui me travaille. Au lieu de la circulation habituelle des gens allant au travail, des ondes semblent se propager à travers la foule. On court, des groupes se forment, des slogans s'élèvent. Massoud klaxonne pour écarter des piétons qui marchent carrément au milieu de la rue mais ils ne sont pas pressés de s'éloigner de la voiture et les regards qu'ils nous lancent n'ont rien d'amical. Massoud dit, Qu'est-ce qu'ils ont, tous ?

Ce n'est pas la première fois. Ça fait depuis qu'Agha Chahrvandi m'a encouragé à joindre les Gardiens que je me demande si je n'aurais pas dû prendre une autre direction. Est-ce que nous avons jamais un choix ou la vie décide-t-elle pour nous ?

Notre convoi coupe à travers Vali Asr, et là nous trouvons les forces de l'ordre largement déployées. L'avenue bordée de platanes grouille sur toute sa longueur de policiers portant leur armure en caoutchouc et leurs casques noirs. Ils tiennent leurs gourdins au-dessus de leur tête et foncent vers les centaines de jeunes hurlants qui se dispersent comme ces merles s'élevant soudain en masse pour aller se poser sur les arbres et les fils électriques. Les groupes détalent pour aller se reformer plus loin et revenir affronter les forces de l'ordre. Plus tard, sur Doktor Fatemi, il y en a des milliers, de plus en plus, un océan de jeunes avec pratiquement autant de filles que de garçons. Ils s'égosillent, lancent des slogans, l'air est noir, une épaisse fumée s'élevant de véhicules en feu, de motos et de pneus qui brûlent. Je suis épuisé mais tremble d'excitation de la tête aux pieds.

Notre convoi, une dizaine de SUV avec quatre *sepahi* dans chaque véhicule, continue vers le sud. Nous répondons à nos portables, appelons le QG quand les instructions ne sont pas claires. Les gens s'attaquent aux forces de l'ordre, il y a des bagarres sur Enghelab, il paraît qu'il règne une grande agitation à l'université de Téhéran. Des ambulances filent, sirènes hurlantes. Nous dépassons des motos renversées et en feu, puis un groupe de garçons et de filles courant tout droit sur les forces de l'ordre qui se tiennent sur le côté de la place avec leur équipement antiémeute. Les gosses hurlent à pleins poumons, lancent des pierres et reviennent en courant. Je sens les gaz lacrymogènes, mais assez loin pour que cela ne nous gêne pas. Juste à côté de notre véhicule, deux *bassidji* en civil assènent un coup de gourdin sur la tête d'un jeune qui hurle et tente de se protéger avec les mains, le sang ruisselant sur son visage. Puis un autre lui porte un méchant coup de pied dans les parties et je ne peux m'empêcher de faire la grimace. Le gars crie encore et tombe. Le portable de Massoud sonne. Il écoute, répond brièvement puis me dit que les ordres sont de nous arrêter là. L'autre convoi est au stade Chiroudi, trop loin pour arriver à temps pour cette manifestation. Des groupes continuent à nous dépasser en courant, criant des slogans contre le gouvernement et en faveur de Moussavi et Karroubi. Agha Chahrvandi a bien raison, tout ceci est le résultat des efforts des puissances étrangères qui dépensent sans compter pour retourner de braves Iraniens ordinaires contre la révolution, contre le Guide, et contre l'islam même.

Le lundi, nous sommes sur Ekbatan quand la nouvelle se répand que des manifestants arrivent sur Azadi, alors nous repartons dans cette direction. La foule est immense. Je ne pensais jamais qu'il y avait tant de monde à Téhéran. C'est un océan de gens, d'aussi loin que je puisse voir, et j'entends les frères dire autour de moi que c'est comme ça sur plus de dix kilomètres. Nous avons reçu l'ordre de nous tenir sur le côté et de ne nous mêler de rien, alors nous restons là à regarder les manifestants qui défilent devant nous, sans fin.

Le lendemain, je ne me sens pas du tout reposé quand je me réveille. Je prends la moto pour aller au *sepah*, où j'apprends qu'il y a eu des émeutes à l'université pendant toute la nuit. La BBC annonce cinq morts et quarante-six personnes arrêtées et transférées au *vezarate keshvar*, au ministère de l'Intérieur, et les chiffres de La Voix de l'Amérique sont à peu près les mêmes. Le gouvernement dénonce ces rumeurs répandues par les ennemis de l'Iran.

Les jours se suivent et se ressemblent. Je vis dans le brouillard. Nous tombons dans une routine qui consiste à aller là où on nous signale de l'agitation, ce qui arrive maintenant tous les jours et partout. Je suis fatigué et me demande quand les choses redeviendront normales. Et si désormais c'était ça, « normal » ?

Le lendemain, il y a une autre grande manif silencieuse sur Vali Asr, pour protester en faveur des victimes, avec les chiffres annoncés par l'opposition et dénoncés par le gouvernement. Le jour suivant, nous sommes sur Baharestan, faisons le tour de la place et repartons en voiture sur Doktor Fatemi. Nous devons aller à l'université Honar où il paraît qu'il y a des troubles mais tout a l'air calme, donc nous faisons demi-tour après le musée du Tapis et revenons à Baharestan, où nous nous tenons sur le bord de la place. Les capitaines de police distribuent des canettes de spray au poivre et des grenades de gaz lacrymogène que leurs hommes vont envoyer avec des lance-grenades. Davantage de *bassidji* arrivent sur leurs motos, poursuivant des manifestants. Un capitaine de police hésite, frappant de son poing fermé la paume de son autre main. Les jours précédents, les gaz ont causé des problèmes parmi les *bassidji* qui ne portent pas de masques. Puis il donne l'ordre d'y aller et les grenades éclatent, faisant battre en retraite les manifestants qui se mettent à crier et s'enfuient, tenant leurs mains ou des mouchoirs devant leur visage.

C'est un chaos pas possible et les *ma'mour*, les forces de l'ordre, moi-même y compris, sont complètement désorganisés. Je tousse et pleure et cavale derrière les manifestants, tenant mon bâton en l'air mais réussissant à ne pas frapper qui que ce soit. Les heures de confrontation avec les manifestants n'en finissent plus, avec de courtes pauses où nous allons reprendre notre souffle dans nos véhicules puis retournons au cœur de la bagarre.

Les choses se calment. J'entends encore des slogans au loin. Alors que le ciel s'assombrit, des cris de *allah-o-akbar*,

Dieu est grand, s'élèvent depuis les toits en terrasse. La tension que j'ai sentie toute la journée diminue mais je suis à présent tout à fait exténué. Une lourdeur me tombe dessus, sur mon cerveau aussi bien que sur mon corps. La journée a été longue depuis mon réveil ce matin avec ce sentiment important de devoir à accomplir, d'ordre à maintenir. Tout ce que je veux maintenant, c'est rentrer chez moi et me mettre au lit. Pourtant, une émotion sans nom continue à tourner en moi, un sentiment de gâchis et de tristesse que je ne peux pas définir. C'est là que nous recevons l'ordre de vérifier les rues autour de la place où des ambulances, des cars de police et des minibus ramassent des gens pour partir, sirènes hurlantes, vers des hôpitaux ou des prisons, qui sait. Alors que Massoud et moi et un ou deux autres quittons la place, je vois un dernier groupe de gens qu'on fait monter dans un minibus aux fenêtres peintes en noir. Une femme qui crie, son foulard lui pendant dans le dos, son bras en sang, est poussée sans ménagement à l'intérieur. Un *ma'mour* la frappe à la tête et elle s'effondre. Je détourne la tête, ne voulant pas en voir davantage. Nous faisons le tour de Baharestan, remontons Mostafa Khomeyni jusqu'au métro, puis revenons vers les véhicules garés. Le sentiment d'irréalité ne me quitte pas, comme si je n'avais rien à faire là. Des touffes d'herbe qui poussent entre les craquelures de l'asphalte me rappellent un jour chez moi où je marchais le long d'un champ de blé doré, sous le ciel assombri par une tempête prochaine. Un coup de vent courba les tiges autour de moi, caressant les lourds épis, de petits oiseaux noirs s'envolant en un dessin parfait parmi les lourdes gouttes qui commençaient à s'abattre. L'odeur du sol quand la pluie commença était si propre qu'elle m'ancra dans la conscience de l'instant. Je regarde autour de moi ce désordre, ce bruit, et je ne sais même pas pourquoi je suis ici plutôt que là-bas, marchant le long de ce champ. Puis nous passons à côté d'une petite rue et je vois la barricade avec la fille allongée à côté.

Raha

Après le troisième ou le quatrième jour de toute cette agitation, ma mère me fait promettre que je ne vais plus participer à aucune manifestation, même de loin. Pour me garder à la maison, elle me rebat les oreilles des mêmes arguments, tant et si bien que je me trouve obligée de lui mentir. Je lui dis qu'Atossa et moi devons mettre la dernière touche à notre projet. À quoi elle me répond, pourquoi est-ce que tu ne regardes pas les nouvelles sur l'internet, tiens, regarde le blog de Moussavi, ils disent que les étudiants ont été attaqués dans les dortoirs par ces *naneh sag*, ces fils de pute, c'est sûr que l'université va rester fermée pour l'instant, elle ne rouvrira sûrement pas à temps pour la rentrée du 1er *mehr* – le 23 septembre –, personne n'attend de toi que tu termines ton projet, dans ces conditions, et ainsi de suite. Je dis oui, *madar*, oui, *madar* et n'écoute que d'une oreille et bien évidemment ne lui dis pas qu'en fait nous allons bel et bien à une manif, comme nous l'avons fait presque tous les jours depuis les élections. J'envoie un texto à Kian pour lui dire que je serai en retard et aussi qu'il doit garer sa voiture – une BMW rouge trop reconnaissable – à distance et nous prendre, Atossa et moi, seulement quand il aura vu ma mère repartir. Je n'aime pas mentir à celle-ci mais j'ai enfin réussi à la persuader que je devais vraiment aller chez Atossa et que je ne risquais rien, donc elle m'y conduit elle-même. Atossa habite près de chez nous. Ma mère me regarde avec des yeux pleins de doute quand elle me dépose et me demande de l'appeler pour lui dire à quelle heure j'aurai fini afin qu'elle vienne me prendre.

Cinq minutes plus tard, Atossa et moi sautons dans la voiture de Kian avec nos signes « Où sont nos votes ? ». Atossa a attaché des rubans verts autour de ses poignets et Kian porte son bandana vert. Il est si adorable que je lui dépose un baiser sur la joue et il en profite pour m'attraper et m'embrasser plus longuement, faisant glisser mon foulard de ma tête. Je suis hyper-excitée par tout ce qui se passe, même la pollution ne me gêne pas autant que d'habitude. Je dis à Atossa, *fekrecho bokon*, imagine, si nous n'avons plus jamais à nous couvrir la tête. Même Karroubi l'a dit l'autre jour, et c'est un mollah. Tu peux le croire, qu'autrefois les femmes portaient des minijupes à Téhéran ?

Ça nous prend des heures pour arriver jusqu'au *majlis*, le Parlement. Kian réussit à se garer dans une ruelle der-rière la mosquée Chahid Motahari puis nous entrons en plein dans la manif, en vétérans quasi blasés de la chose – les groupes de gens qui cavalent, les slogans criés à tue-tête, les unités antiémeutes qui attaquent, les *bassidji*, les gens de la sécurité en civil, qui tournent en rond sur leurs motos vrombissantes. Les garçons courent jusqu'à Baharestan tandis que, de là où nous sommes, nous ne voyons que la fumée noire qui s'élève, épaisse, dans le ciel. Quand Kian et les autres reviennent vers nous, ils disent que la fumée provient surtout de pneus auxquels on a mis le feu et d'une ou deux voitures et que la police lance des grenades lacrymogènes.

Je cours aussi au bout de la rue pour voir ce qui se passe. Il règne une telle confusion que je ne peux même pas distinguer mon propre groupe. Atossa, qui était pourtant à côté de moi il y a une minute, a disparu. Le seul bruit que j'entends, à part les cris, est celui de pieds qui courent. Les gens courent dans toutes les directions, je ne peux même pas comprendre vers quoi ou pour se sauver de quoi. Dans ses uniformes noirs, la police antiémeute a l'air de sortir d'un mauvais rêve, comme des mutants dans un film de science-fiction. J'ai du mal à croire qu'il s'agit de vraies personnes sous tout cet attirail. Jusqu'ici je n'avais pas peur mais j'entends maintenant la voix de Banou dans mon oreille – *naneh djoun, bargard*, retourne, mon enfant.

Je ne peux pas, Banou, je ne peux pas. Le monde a changé, ce pays est en train de changer, je dois faire partie de tout ça. Je vois un texto sur mon portable, « faites gaffe, restez ensemble, *bassidji* à moto ». Rester ensemble avec qui ? Je ne vois aucun des autres. Les larmes ruissellent sur mon visage, j'arrive à trouver un mouchoir en papier et à le tenir devant mon nez. Ouvrant les yeux un instant, je vois quelques retardataires qui sortent de derrière une Honda blanche en feu et se mettent à courir. J'appelle, Kian ! Atossa ! Arjang ! J'entends à peine ma propre voix, tant elle est faible dans tout le boucan, puis elle se brise et je ne peux même plus appeler. De toute façon, personne ne m'entendra.

Puis tout s'arrête.

Hossein

À présent qu'elle est revenue à elle, je veux la sortir d'ici et la mettre en lieu sûr avant que quelqu'un d'autre ne la voie et décide d'enquêter sur sa présence dans la manif. Je lui dis de se lever mais je dois l'aider parce qu'elle chancelle.

— Elle est où, la maison de ton oncle ? je demande, tout en sachant bien que cette maison n'existe pas.

Elle secoue la tête et, sans toutefois reconnaître qu'elle a menti, dit, *agha*, désolée.

Je lui tiens le bras et dis, *rah bia*, avance. C'est désagréable de voir la peur dans ses yeux et de savoir que c'est moi qui la provoque. Je frappe à la première porte dans la rue mais personne ne répond. Nous marchons un peu plus loin, je frappe à une autre porte. Une voix de femme demande qui est là.

— Ouvre, *madar,* mère, j'ai besoin d'aide.

La femme se met à se lamenter derrière la porte, disant qu'elle voudrait que Dieu la laisse mourir, que tout ceci se termine, puis qu'il n'y a personne à la maison et qu'est-ce que je veux.

— Ouvre la porte, *zakhmi daram*, j'ai une blessée.

Je l'implore tout en jetant un coup d'œil à droite pour

voir si Massoud ou un autre *sepahi* ne va pas venir me chercher. Je ne saurais guère leur expliquer ce que je fais là.

La fille est accrochée à mon bras de façon tout à fait inconvenante mais je vois que, toujours sur le point de s'évanouir, elle ne peux pas faire autrement. Je crie, *baz kon*, ouvre ! Au nom de *hazraté* Abbas, de tous les saints, *rahm kon*, aie pitié !

Finalement le verrou s'ouvre. Une vieille femme tient la porte entrouverte, une main tordant son *tchador* sous son menton. Sursautant en voyant mon uniforme, elle se met à réciter une litanie de ses malheurs, de prières, de supplications, puis s'arrête en voyant la fille sur le point de tomber.

— Qui d'autre est là ? je lui demande.

— Personne. Mon fils est à son travail, il revient ce soir.

C'est sûr qu'elle vient de s'inventer un fils pour indiquer qu'elle n'est pas seule, que la maisonnée comprend des hommes, qu'il y a quelqu'un pour la défendre et s'occuper d'elle. Elle continue à bafouiller mais je la fais taire.

— Je n'ai rien à faire avec toi ni avec ton fils. Je veux tout juste te confier cette sœur. Elle doit appeler sa famille pour qu'ils viennent la chercher.

La fille, tenant un peu mieux sur ses jambes, s'écarte de moi. Elle jette un coup d'œil sur un ou deux pruniers près du mur en briques, sur les pots de géraniums ornant la margelle du petit bassin. Les yeux sur la courette, elle ne dit rien, mais il est clair qu'elle n'a plus peur de moi bien que j'aie élevé la voix tout à l'heure. Elle n'attend qu'une chose, c'est que je parte. Le manque de modestie de ces gens riches du nord de Téhéran m'étonnera toujours. C'est pareil avec les étudiantes à l'université. Je suis certain que leurs mères ne leur ont jamais appris à ne pas regarder un homme droit dans les yeux. Elles vous toisent comme si elles avaient de naissance le droit de discuter avec vous. La fille se tient là, et maintenant que son foulard a de nouveau glissé sur son cou, ses cheveux sont presque entièrement découverts et je suis gêné. Je lui demande son nom. Elle lève les sourcils et me demande pourquoi de façon effrontée.

— Je dois savoir qui tu es. Tu te trouvais dans la rue avec tes copains, provoquant des troubles. Si tu préfères t'expliquer au *kalantari* – commissariat –, je peux t'y conduire.

Elle cède mais je le vois bien, elle a compris que je ne représente pas une menace. Me regardant droit dans les yeux, elle dit, Raha.

Je lui dis de me donner son *hamra*, son portable. De mauvais gré, elle l'extirpe de la poche de son jean et me le tend. Je lui demande son numéro, le compose sur mon propre portable et le sauvegarde, puis je l'appelle, de sorte que son téléphone sonne et que je vois mon numéro sur l'écran. Je ne sais pas pourquoi, je me sens contraint de lui dire que je m'appelle Hossein et d'ajouter qu'elle a mon numéro à présent et peut m'appeler si elle en a besoin. Puis je pars vers la porte, me retourne pour la regarder encore une fois, debout au milieu de la cour, la petite vieille à côté d'elle. J'ajoute :

— Tu ne devrais pas participer à ces manifs, *salah nist*, ce n'est pas bien.

Elle ouvre la bouche pour dire quelque chose puis renonce et se contente de me regarder. Je ferme la porte derrière moi.

Kian

Je ne trouve pas Raha. Qu'est-ce que je vais dire à ses parents, comment est-ce que je vais leur expliquer que j'ai été la prendre ainsi qu'Atossa pour les emmener participer à une manif alors qu'elles étaient supposées travailler sur leur projet ?

Les forces de l'ordre utilisent à nouveau des gaz lacrymogènes. Je pleure, complètement aveuglé. J'arrive tout de même jusqu'au *djoub*, le ruisseau sur le bord de la route, et me penche pour y tremper un mouchoir quand quelqu'un m'attrape le bras et j'entends une voix de femme me dire :

— Ne mets pas d'eau sur tes yeux, ce sera pire.

— Ça brûle trop, je dis.

— Attends, laisse-moi t'essuyer les yeux et garde ton mouchoir dessus. Il y a déjà moins de gaz.

Je la laisse faire et reste là, accroupi, toussant encore, la femme à côté de moi me tenant par les épaules. Je sens qu'elle porte un *tchador*, c'est donc une femme ordinaire, mais elle ne se comporte pas comme une des leurs, à moins qu'elle ne soit en train de me piéger. Mais il faut bien parfois faire confiance aux gens. Elle m'aide à me relever et m'entraîne en me tenant par le bras.

— Viens, *naneh djoun*, mon cœur. Tu ne peux pas rester

ici. Les *ma'mour* utilisent de la peinture, comme ça ils pourront plus tard faire du *chenassayi* – les reconnaître.

Je les ai vus faire ça, asperger les manifestants avec des bombes de peinture pour reconnaître plus tard les participants et les arrêter. Nous nous éloignons, moi encore aveuglé et m'accrochant à elle mais pas inquiet, à cause de ce *naneh djoun* affectueux qu'elle répète. Elle continue à parler alors que nous quittons la place

— Quel *badbakhti* – quel malheur ! Et c'est pour ça que nous nous sommes battus, c'est ça que nous voulions ?

Elle se frappe la poitrine une ou deux fois de sa main libre et sa voix devient aiguë.

— *La'nat bar ma*, que nous soyons damnés !

J'ai peur qu'elle n'attire l'attention mais il n'y a pas grand danger, avec l'agitation qui règne de tous les côtés. Elle trouve une entrée d'immeuble et me met debout contre un mur.

— Attends ici. Assure-toi que tout est calme avant de repartir. Regarde bien autour de toi. *Dasté Ali be hamrat*, que la main d'Ali te protège.

Quand je peux enfin enlever le mouchoir de devant mes yeux, il n'y a plus personne. Je vois au loin un groupe de gens de mon âge détaler, pourchassés par des *bassidji*. Je ne peux pas distinguer les visages à cette distance et ne sais pas si des nôtres sont dans le tas. Quelqu'un me dépasse en courant et crie, *daran mikochan !* Ils sont en train de tuer. Qui sait si c'est vrai ?

Hossein

Depuis la grande manif antigouvernementale sur Azadi l'autre jour, nous sommes tout le temps de service et en alerte permanente. Les ordres d'Agha Chahrvandi arrivent tout de suite. Comme le reste du commandement supérieur, il a passé la nuit à travailler sur une stratégie pour cette guerre. Car nous sommes en guerre, il n'y a aucun doute. Ces brasiers ont sûrement été allumés ailleurs. Avant-hier, quand Agha Chahrvandi nous a fait le grand honneur, à Mortéza et à moi-même, de nous inviter chez lui à partager le repas du soir, il nous a un peu expliqué ce qui se passe. À part Mortéza, qui était dans son fauteuil roulant, nous étions tous assis par terre autour du *sofreh*, de la nappe, où ma tante, la femme d'Agha Chahrvandi, avait servi un repas succulent. Tout ce que je voulais, c'était l'écouter. Il m'impressionne tant que je ne parvenais ni à manger ni à lui poser de questions. Ce n'est pas seulement parce qu'il est le frère de ma mère, et par conséquent le *bozorgué famil* – la personne la plus importante de la famille –, mais aussi parce qu'il connaît tant de choses. En plus, il a une belle façon de donner des explications à des gens simples comme nous. Il n'utilise pas de mots *gholombé solombé* – compliqués – et il n'entre pas dans des *monkérat* – abstractions.

D'après Agha Chahrvandi, et il a sûrement les meilleures sources, il n'y a eu aucune fraude lors du scrutin, les élections n'étaient pas du tout truquées. Je me souviens bien moi-même qu'après que les résultats avaient commencé à tomber à onze heures le vendredi soir, j'attendais à côté du bureau de mon oncle qui parlait au *rahbar* – le Guide –, et j'entendais tout. La conversation portait sur la nécessité d'avoir le décompte aussi rapidement que possible. Agha Chahrvandi disait qu'il avait parlé aux responsables du ministère de l'Intérieur, lesquels avaient confirmé que tout le monde était tellement dévoué à nos principes sacrés qu'on avait travaillé dur pour obtenir ces chiffres à temps. Moi, j'y crois de tout mon cœur. Je sais que le président mérite chacun des votes recueillis. En plus, comme Agha Chahrvandi me l'a fait remarquer quand nous repartions, les résultats étaient à peine annoncés que les gens étaient dans la rue à protester, comme s'ils répondaient à un mot d'ordre clairement donné à l'avance. Il trouvait ça suspect et je ne peux qu'être humblement d'accord avec lui, heureux qu'il daigne discuter de ces questions avec moi. Nous devons trouver la source, dit-il. On voudrait faire croire que ces manifestations sont spontanées mais ça ne peut pas être vrai. Je suis sûr que tout ceci a été organisé de longue date. Les sionistes et les ennemis de notre révolution savent ce qu'ils font. Ils complotent avec les puissances étrangères pour faire de *l'ijade chekaf,* provoquer des dissensions, pour nous détruire.

Nasrine

Les heures passent sans apporter de nouvelles de nulle part. Je ne me souviens pas avoir jamais traversé une période aussi difficile. Les gens appellent pour savoir si nous avons eu des nouvelles de Raha et je ne peux m'empêcher d'éclater en sanglots chaque fois que je dois répondre que nous ne savons rien. Je suis assise, ramassée sur le canapé, mes genoux pliés sous moi, que j'entoure de mes bras, bien que Hormoz me force une ou deux fois à me lever et faire quelques pas pour me détendre. Me détendre ? Alors que ma fille a disparu depuis cinq heures ? Nous laissons le combiné sur la table basse et restons assis là à le fixer comme si nous pouvions le forcer à sonner. Quand cela se produit enfin, après onze heures, ce ne peut être qu'elle. Hormoz saute et l'attrape, regarde le numéro qui s'affiche, hurle *khodesheh*, c'est elle, puis, hors de lui, crie, Raha, Raha, où es-tu ? Où es-tu ? Nous sommes en train de mourir ici !

Khan djoun, qui a refusé d'aller se coucher malgré l'heure tardive, se penche pour mieux entendre. Kian, qui était à la cuisine à chercher un Zam Zam frais, revient au salon à toute vitesse, de même que Djamchid, qui fumait sur le balcon.

— Non, dit Hormoz qui continue à crier. Tu n'as pas besoin d'appeler un *ajans* – un taxi par téléphone. Donne-moi l'adresse et nous allons venir te prendre. Bon, alors passe le combiné à cette dame. Tu dis qu'elle s'appelle comment ? Khanom Delavaran ? Passe-lui l'appareil qu'elle me donne l'adresse, nous arrivons dès que possible.

Je lui arrache le combiné des mains.

— Tu vas bien ? Qui t'a amenée là ? Attends, ton père ne veut pas me laisser parler. Nous arrivons. Nous allons juste nous arrêter en route pour acheter des *chirini* – des gâteaux. Quoi ? Oui, passe le combiné à cette dame qu'elle explique à ton père comment aller chez elle.

C'est au tour de Hormoz de m'arracher le téléphone des mains, si furieux qu'il manque me pousser. Djamchid lui tend un bloc et un stylo-bille qui n'écrit pas. Hormoz gratte rageusement jusqu'à ce que l'encre se mette à couler. Il écrit l'adresse, raccroche et se tourne vers moi.

— Tu n'es pas folle ? Tu veux t'arrêter acheter des *chirini* ? *Digueh tchi*, puis quoi encore ?

Comme il siffle de colère, je m'énerve aussi.

— Oui, et des fleurs aussi. Excuse-moi de ne pas oublier mes bonnes manières. Ces gens ont recueilli notre fille, ils l'ont sauvée, et tu veux arriver chez eux les mains vides ?

— *Be khoda, aghlet kameh.* Je te jure, tu as perdu la tête. De toute façon, il n'y a rien d'ouvert à cette heure-ci.

— Tout est ouvert sur Mir Damad.

Khan djoun entreprend d'apaiser la situation alors que je suis déjà près de la porte, attendant que Hormoz trouve les clefs de la voiture qu'il a perdues, comme toujours.

— Tu peux retourner demain chez ces gens pour les remercier correctement, me dit ma belle-mère.

Je retourne vers elle l'embrasser, toute petite et desséchée comme une vieille prune mais sereine, perchée sur son siège préféré, un grand fauteuil d'où ses jambes pendent, trop courtes pour atteindre le sol.

— Pour l'instant, il s'agit de ramener Raha à la maison, dit-elle.

Puis Djamchid dit qu'il vient avec nous et Kian de même. Hormoz a enfin trouvé les clefs et est déjà sorti, filant au bout du couloir appeler l'ascenseur. Nous courons pour le rattraper. Il dit que nous irons tous dans la même voiture et pourrons déposer Kian en revenant.

— Ou il dormira ici et rentrera chez lui demain, je dis.

— Oui. *Allah-o-akbar* – bon Dieu –, pourquoi faut-il toujours tant de discussions à propos de tout !

En route, nous restons silencieux, ne sachant pas trop à quoi nous attendre. D'après sa voix, Raha semble aller bien, mais si elle était blessée ou contusionnée et avait fait un effort pour ne pas nous inquiéter ? Hormoz suit les indications reçues au téléphone et en chemin mentionne une ou deux fois que jusque-là, elles ont l'air bonnes. La rue même, quand nous l'atteignons, est étroite et Hormoz dit que si nous nous y garons, les autres voitures ne pourront pas passer. Il se range donc plus bas, lançant à deux adolescents assis sur un muret, *batcheha, machino bepayn*, surveillez la voiture.

— Tu nous donneras combien ? demande l'un des deux.

— Tu verras bien.

Je suis déjà à la porte de la maison. Je ne trouve pas de sonnette et frappe le heurtoir plusieurs fois. Les autres me suivent.

— Arrête, dis Hormoz. Donne-leur le temps d'arriver.

En fait, la porte s'ouvre presque tout de suite et Raha est devant nous. Nous la serrons contre nous, chacun à notre tour. Je ne me lasse pas de la tenir dans mes bras mais Hormoz, Djamchid et Kian n'arrêtent pas de me la prendre pour l'enlacer à leur tour. Puis je vois la femme qui nous a fait entrer. Serrant son *tchador*, elle se tient derrière Raha. Je sanglote de joie mais parviens tout de même à m'essuyer les joues et à l'embrasser, lui disant qu'elle m'a rendu la vie. Khanom Delavaran, une femme douce et même timide dont la voix est pratiquement un chuchotement, dit qu'elle aurait voulu que Raha nous appelle beaucoup plus tôt mais que l'enfant avait eu un tel choc qu'elle s'était soudain endormie.

— Je n'avais pas le cœur de la réveiller et ne connaissais pas votre numéro, sinon je vous aurais appelés tout de suite.

À nouveau, nous serrons Raha contre notre cœur, je déverse une pluie de baisers sur son visage. Après quoi nous nous excusons auprès de Khanom Delavaran et la remercions maintes et maintes fois et promettons de revenir la remercier convenablement. Puis Hormoz entoure notre fille d'un bras et nous retournons à la voiture.

Dehors, les deux adolescents sautent à bas du muret sur lequel ils étaient assis, empochent les billets que Djamchid leur tend et partent en courant, disparaissant dans l'allée sombre et silencieuse.

Kian

Une brise matinale vient des montagnes, agitant les feuilles argentées des peupliers le long du mur du fond avec ce bruissement que j'aime. Ma mère est assise avec moi dans le jardin. Elle vide son verre de thé et allume sa première cigarette. La fumée venant en plein dans mon visage me gêne, gâchant les agréables senteurs du petit matin montant du jardin.

— Mère, pourriez-vous envoyer votre fumée dans l'autre direction ?

— Ça te gêne tant que ça ?

— Vous savez bien que oui. En plus, c'est mauvais pour vous.

— Combien de fois allons-nous discuter de cela ? dit-elle. Tu sais que tout ça c'est des mensonges, des histoires qu'on invente pour nous faire peur.

— Oui, *madar.* Je connais vos théories.

— Ne sois pas *por rou* – insolent –, Kian. Tu te laisses prendre par ces campagnes de désinformation sur les effets nocifs du tabac, toutes ces sornettes à propos de cancer et le reste…

Je me suis juré de ne jamais discuter de ce sujet avec ma mère mais la colère qui monte me piège encore une fois.

— Mère, comment est-ce que vous, un chirurgien, pouvez dire des choses pareilles ?

Elle est absorbée dans le vol d'un faucon très haut dans le ciel qui plane vers les montagnes au nord de la ville. D'ici une heure, ces montagnes ne seront plus visibles à cause de la pollution qui augmente déjà avec la circulation du matin des gens se rendant au travail et les dizaines de milliers de voitures se déversant vers la ville. Ma mère prend une grande bouffée de fumée qu'elle exhale ensuite à travers ses narines.

— Parce que j'ai vécu plus longtemps que toi et connais le monde mieux que toi. Je ne te cacherai pas que je suis parfois effrayée de voir à quel point tu restes naïf et tu refuses de voir la réalité si elle te gêne.

— Dites carrément que je suis idiot, ce sera plus simple.

Elle me touche la joue mais j'écarte sa main, énervé.

— Tu es loin d'être idiot, tu es même plus intelligent que la plupart des gens et tu le sais bien. Mais tu refuses quand même de voir certaines choses. Tu crois vraiment que les trafiquants de drogue pourraient écouler leur marchandise s'ils ne savaient pas préparer le marché ? Tu connais pourtant les raisons de tout ce racket, tu l'as entendu mille fois, nous l'avons tous entendu. C'est le résultat des arrangements des gouvernements avec les cartels de la drogue. Tu crois que c'est par hasard que tous les Américains se baladent avec leur dose de cocaïne dans la poche ?

— Parce que vous croyez ça ? Que tous les Américains se baladent avec une dose de cocaïne dans la poche ?

— Évidemment ! Ce n'est pas que je le crois, c'est que je le sais. Tu n'as qu'à lire les journaux ou écouter ce que disent les gens que nous connaissons là-bas. En fait, tu sais tout ça aussi bien que moi mais tu admires tant tout ce qui est américain que tu préfères le nier.

Ce n'est pas la première fois que j'entends ces arguments ni la première fois que je me demande comment ma mère peut croire des âneries pareilles.

— Est-ce que ça n'impliquerait pas une énorme conspiration avec beaucoup de gouvernements et une incroyable quantité de gens travaillant dans les services de santé un peu partout dans le monde ? je demande.

— Bien sûr. C'est exactement de ça qu'il s'agit. D'une énorme conspiration.

— Bon, je veux bien. Mais alors, dites-moi ceci. Combien de fois vous a-t-on approchée, vous, chirurgien, et vous a-t-on proposé de participer à cette conspiration, de faire en sorte que les gens croient que le tabac était nocif alors qu'il ne l'est pas ?

— Ne sois pas insolent, Kian. Tu sais bien qu'ils ne contacteraient pas des gens dont ils ne peuvent pas être sûrs.

— Comment peuvent-ils savoir que des gens sont sûrs ou pas sans les contacter ?

J'aurais dû me douter que ma mère allait abattre sa carte maîtresse, comme dans toutes les discussions que nous avons.

— Tu es tout à fait comme ton père. Il lui fallait toujours le dernier mot, usant d'une logique que lui seul pouvait comprendre. En tout cas, j'ai fini ma cigarette et je ne t'ai pas envoyé de fumée au visage.

— Merci.

Elle se lève et commence à débarrasser le couvert du petit déjeuner.

— Aide-moi à rentrer tout ça avant que j'aille à l'hôpital.

— Je m'en occupe, je dis. Je mettrai tout à la machine avant de partir.

— Tu fais quoi aujourd'hui ?

— Je vais passer du temps avec Raha. Nous irons sans doute voir la personne qui l'a recueillie hier soir. Ses parents voulaient que je passe la nuit chez eux mais j'ai préféré rentrer.

— C'est Djamchid qui t'a raccompagné ?

— Oui, Hormoz et Nasrine voulaient rester avec leur fille.

— Est-ce qu'elle a raconté ce qui lui était arrivé ?

— Non, pas vraiment. Elle était fatiguée et voulait dormir. Apparemment, une pierre l'a heurtée à la tête. D'ailleurs, elle a une bosse sur le front. Puis un gars de la sécurité l'a aidée à trouver un endroit sûr où attendre que ses parents aillent la chercher.

Ma mère s'arrête sur les marches avant d'entrer dans la maison.

— Tu veux dire quoi, un *sepahi* – un garde révolutionnaire ?

— Oui… Ce n'est pas bizarre, ça ? Il lui a même donné son numéro de *hamra* pour qu'elle puisse l'appeler en cas de besoin.

— *Namordim o didim* – on aura tout vu.

Elle est debout dans l'entrée, ajustant son foulard sur sa tête et enfilant son trench noir, ne serrant pas la ceinture pour ne pas trop marquer ses formes. Elle se retourne pour s'examiner de dos.

— Quelle chance que Pari m'ait trouvé ce trench à Londres ! Le tissu est si fin que je le sens à peine. Sinon je mourrais avec cette chaleur.

Elle s'assure qu'elle a son portable et ses clefs de voiture.

— Il se passe quelque chose aujourd'hui ? Une manif ?

— Je ne sais pas encore, je dis. L'internet est bloqué et je n'ai reçu aucun texto pour l'instant. Il y aura sûrement quelque chose.

Elle m'embrasse avant de partir.

— *Azizam*, mon chéri. Ce n'est pas facile d'être parent ces jours-ci. Sois prudent et tiens-moi au courant. Bon, j'y vais. Je dois m'occuper d'une tonne de paperasserie avant que les interventions de la journée ne commencent. Après, j'opère jusqu'au soir.

Elle ouvre la porte d'entrée, puis revient sur ses pas.

— Tu sais quoi, dis à Nasrine et Hormoz que j'aurais l'esprit plus tranquille s'ils amènent Raha à l'hôpital qu'on vérifie si tout va bien. Je les appellerai moi-même quand j'aurai une minute.

Je ne comprendrai jamais comment ma mère peut être si bouchée pour certaines choses et si *fahmideh* – intelligente – pour d'autres. Elle ne me reproche jamais, pas plus qu'à Raha, de participer aux manifestations. Elle ne critique pas, n'interdit pas, ne menace pas. C'est vrai qu'elle a voté pour Karroubi, ce qui ne m'a pas fait plaisir. Elle n'aime pas Moussavi dont elle dit qu'il a un passé trop chargé à son goût mais elle dit aussi qu'il fallait bien voter pour quelqu'un et que ces jours-ci on ne vote pas pour quelqu'un mais plutôt contre quelqu'un d'autre. Ça ressemble fort à ce que dit l'oncle Djamchid de Raha, quand il affirme que les élections sont surtout un rejet. Vous votez pour quelqu'un parce que vous rejetez quelqu'un d'autre. Pour ma part, j'ai certainement voté Moussavi pour rejeter Ahmadinéjad.

J'admire ma mère. Quand elle a rencontré mon père, elle n'avait que dix-huit ans, elle venait de terminer le lycée et avait dix ans de moins que lui. Ils sont tombés amoureux mais elle n'a accepté de l'épouser qu'après avoir terminé ses études de médecine. Elle avait toujours voulu être chirurgien, depuis qu'elle était toute petite. Mon père était très impliqué dans la politique, il avait été actif pendant la révolution et pensait qu'il aurait un rôle à jouer. Il avait donc été déçu quand un gouvernement après l'autre l'avait écarté. Il était entré dans l'opposition quelques années après qu'ils s'étaient mariés et avait été jeté en prison. Il en est sorti une ou deux fois pour peu de temps, c'est là que j'ai été conçu. Quand il a été libéré, peu après la fin de la guerre avec l'Irak, lui et ma mère étaient devenus des étrangers.

« On était aussi proches que ça », me dit ma mère quand elle est d'humeur à parler du passé et de mon père, ce qui n'arrive pas souvent. Elle lève une main, tenant l'index et le majeur serrés. « Comme les doigts de la main. Mais ça n'a pas duré. Je ne sais pas si ça existe, quelque chose qui dure. »

Mon père appartenait à une famille de gauche qui avait toujours détesté le chah. Il s'était tant investi dans la révolution qu'il n'a pas pu supporter de la voir dévier. Après avoir été libéré de prison, il est parti en Europe mais est revenu quelques années plus tard. Il ne pouvait pas se faire une vie à l'étranger et il déteste la vie ici. Il est amer et sombre et déprimé. Il s'est remarié. J'ai un petit frère tout mignon, Zal, qui comme la plupart des gosses dans ce pays est tellement pourri que je ne peux pas passer une heure avec lui sans vouloir l'étrangler. Il pique sans cesse des crises et tout le monde se soumet et fait ses quatre volontés, le suppliant de se calmer et négociant le retour à la paix en lui promettant plein de choses, comme s'il était un petit prince. Est-ce que je lui en veux, moi qui n'ai pas eu de père et dont on n'a jamais fait les quatre volontés ? Peut-être. Homa a été une mère sévère. Elle m'aimait, mais gâter un enfant n'était pas son style.

C'est quand même une mère formidable et en ce moment elle s'implique à fond dans ce qui se passe. Malgré ses horaires impossibles, elle a réussi à voter le jour des élections et elle participe aux manifs quand son travail lui en laisse le temps. Je ne pense pas qu'elle y croie ou qu'elle attende un véritable changement mais je devine qu'elle veut surtout être à mes côtés et s'assurer que rien ne m'arrive. Est-ce que c'est vrai que les parents aiment leurs enfants pour toujours mais que les enfants ne les aiment en retour que quand il est trop tard ? Je devrais faire plus attention à elle. Il se peut bien qu'elle soit plus inquiète et blessée qu'elle ne le montre.

Ce matin, elle a eu un coup de fil d'une parente aux États-Unis qui reparlait de l'incident de Columbia, il y a quelques années, quand le président de l'université avait brutalement dit au président iranien ce qu'il pensait de lui. Ma mère fulmine, se met à s'interroger sur le fait que tout le monde se permet d'insulter l'Iran. C'est drôle comme ces gens plus âgés reviennent toujours aux mêmes histoires, toujours les mêmes, qu'ils répètent constamment, comme s'ils vivaient en traînant tout ça, et puis tac, quelque chose d'autre entre dans leur ligne de mire et c'est reparti, ils ressassent et ils en parlent et reparlent, et puis encore tac, quelque chose d'autre les interpelle et ils en parleront pendant les cinquante années suivantes. Je lui demande pourquoi on doit encore se souvenir de cette histoire qui est arrivée il y a pas mal de temps et de toute façon, est-ce que nous ne disons pas d'Ahmadinéjad exactement ce que ce président d'université lui a dit ?

Ma remarque la hérisse.

— Oui, nous, nous pouvons le dire mais ça ne veut pas dire que d'autres peuvent le faire. Ce juif a insulté tous les Iraniens.

J'essaie de discuter mais elle m'interrompt :

— En tout cas, ça n'a rien d'étonnant, il était sûrement acheté par le lobby juif. Ces gens-là tiennent le monde dans la paume de leur main.

Plus tard, je regarde mon portable mais il n'y a pas de messages et je ne peux pas aller sur l'internet non plus. Encore une fois, tout est bloqué. Je me mets à crier ma frustration mais ma mère est déjà partie et il n'y a personne pour m'entendre. Je m'occupe de débarrasser la table du petit déjeuner puis essaie à nouveau d'appeler Raha et parviens à la joindre. Elle me dit qu'elle a bien dormi mais n'a aucune nouvelle de personne et ne sait pas s'il se passe quelque chose aujourd'hui. Ses parents disent qu'ils vont aller remercier la femme qui l'a secourue la veille et je dis que j'irai avec eux.

Raha

Encore une fois, ma mère se met à discuter avec moi. Bon, de toute façon, elle le faisait tout le temps, mais avec ce qui vient de se passer, ça va devenir bien pire.

— Promets-moi, promets-moi que tu ne vas plus être mêlée à tout ceci. *Goure babaye* Ahmadinéjad, Moussavi, qu'ils aillent tous se faire foutre. Tu ne sais pas ce que c'est qu'être mère, tu ne peux pas t'imaginer ce que j'ai souffert pendant toutes ces heures à me demander si tu étais morte ou vivante.

— Non, mère, je ne veux pas promettre. Tu veux que je te mente ?

— Tu m'as bien menti l'autre jour.

— Vous m'y avez forcée, à force d'insister. Je ne veux jamais vous mentir.

— C'est pour ça que nous t'avons élevée, c'est pour ça que nous t'avons donné tout notre amour, que tu es le centre de notre vie ? Pour que tu finisses par te faire tuer dans une manifestation ? Ou que tu te retrouves sous la protection d'un *ma'mour* ? Ce n'est pas honteux, ça ?

— Je ne vois pas ce qu'il y a de honteux à cela. J'ai eu de la chance qu'il se soit trouvé là.

— Tu aurais pu finir au *kalantari* – au poste –, comme

la fois où ton père et moi avons dû courir partout pour te retrouver quand tu avais été arrêtée avec Kian parce que vous n'étiez ni mariés ni parents.

J'en ai assez. J'essaie tout le temps de retenir mes larmes mais le choc de la veille ajouté à ces querelles incessantes me porte sur les nerfs. Je sors en courant de la pièce, entendant mon père dire à ma mère qu'elle devrait me laisser tranquille, que j'ai eu assez peur comme cela. Je reste assise dans ma chambre jusqu'à me calmer et pouvoir aller les retrouver.

Amou Djamchid qui se tient à son poste habituel sur le balcon rentre et dit à ma mère qu'on ne peut pas choisir pour les autres, que les gens finiront toujours par vivre leur propre vie. Bien que ma mère se taise pour ne pas provoquer de discussion, je le sais, elle trouve souvent que son beau-frère lui parle de haut et qu'elle est irritée par son air de toujours en savoir plus long que tout le monde, qu'elle pense qu'il adopte une attitude supérieure en tant qu'observateur du monde plutôt que participant. Ce qui n'est pas vrai. Je remercie Dieu tous les jours d'avoir mon amou Djamchid et pour le fait qu'il sache si bien remettre les choses en perspective. Maintenant qu'ils sont tous au salon, je vais, moi, sur le balcon. Mon père me suit mais je lui dis que je veux être seule, que je veux réfléchir à des moyens d'abattre ce régime. Sans rien dire, mon père me regarde en levant les sourcils. J'éclate de rire et me jette dans ses bras.

— Tu sais ce que je veux dire, *baba* ! Pas à moi toute seule mais les gens, nous tous ensemble, tu comprends...

Il me serre dans ses bras un instant puis me relâche. Il regarde Téhéran sous la couche grise de pollution et dit :

— Ce pays devient impossible.

— Alors, pourquoi est-ce qu'on ne part pas ? je dis, encore prête à sangloter. Pourquoi est-ce qu'on ne va pas ailleurs ? En Amérique, en France, je ne sais pas, moi. Amou Djamchid connaît beaucoup de monde, il trouvera. Imagine si on pouvait vivre dans un pays libre où nous n'aurions pas à nous inquiéter de ce qui est interdit et ce qui est permis et nous demander tous les jours si l'on n'a pas encore une fois déplacé les limites et changé les règles.

Mon père tapote ma main posée sur la balustrade du balcon.

— *Aziz-e-delam*, amour de mon cœur, ce n'est pas si simple. De quoi vivrions-nous ?

— On pourrait tous travailler, je suis sûre qu'on arriverait à se débrouiller.

Ma mère se joint à nous à présent et c'est à son tour de me prendre dans ses bras.

— Pardonne-moi, dit-elle. Je ne peux pas continuer à toujours avoir peur chaque fois que tu quittes la maison. Tu es adulte, je ne devrais pas te dire quoi faire. Mais tout est si mauvais, la situation est si dangereuse...

Elle prend mon visage entre ses mains.

— Je te regarde, tu es comme une fleur, belle comme un ange, avec ton visage ravissant. Je ne peux pas...

Mon père dit que si nous allons remercier la dame qui m'a recueillie hier soir, nous devrions commencer à y penser.

— *Hatman* – absolument –, dit ma mère. Et nous n'irons pas les mains vides, cette fois. Nous apporterons des présents, ce que tu ne m'as pas laissée faire la nuit dernière.

— À minuit passé ? Bien sûr que je ne t'ai pas laissée faire !

— Il n'était pas minuit, il n'était que onze heures.

— C'est la même chose, dit mon père. Notre enfant était supposée rentrer à six heures, elle appelle à onze heures pour dire qu'elle est blessée et qu'elle est en ville avec des gens que nous ne connaissons pas, alors excuse-moi si…

Mon téléphone qui sonne m'épargne une autre de leurs discutailleries incessantes. C'est Kian, qui me transmet le message de sa mère et dit qu'il nous retrouvera à l'hôpital.

Quand je le rapporte à ma mère, elle dit que tout ça est de la faute de Kian de toute façon.

— Ça n'a rien à voir avec Kian, je dis.

Khan djoun, perchée sur son fauteuil, rit. Sans son dentier, elle ressemble à un petit singe desséché, le grand foulard blanc qu'elle épingle sous son menton est presque assez ample pour la couvrir de la tête aux pieds.

— Je ne crois pas que quelqu'un pourrait forcer Raha à faire quoi que ce soit. Cette enfant décide pour elle-même.

Ma mère opine.

— Je vois ça, dit-elle. Bon, on passe à l'hôpital puis on va voir cette Khanom… Khanom…

— Delavaran, je dis.

Dans l'après-midi, nous montons tous en voiture, mes parents, amou Djamchid et moi-même, après avoir dit à Khan djoun que nous la préviendrons si nous sommes retardés. Dans la voiture, je cherche le numéro du *sepahi* qui m'a aidée et je l'appelle. Il n'a pas l'air surpris mais plutôt chaleureux et dit qu'il nous retrouvera chez cette dame à sept heures.

— Qui est-ce que tu appelles ? me demande ma mère, la conversation ayant été trop courte pour lui permettre de comprendre qui était au bout du fil.

— Hossein.

— Quel Hossein ?

— Le *ma'mour*.

Ma mère ferme les yeux face à ce nouveau sujet d'irritation puis me fixe.

— Pourquoi ? Il fait partie de la famille à présent ?

— *Madar*, d'abord, il m'a sauvée. Je ne sais pas où je serais sans lui. Ensuite, c'est mieux de l'avoir avec nous là-bas. Il quitte son travail à six heures et peut être chez Khanom Delavaran à sept.

Notre arrêt à l'hôpital prend plus longtemps que prévu. Le collègue de Homa est à la fois méticuleux et ridiculement lent. Il me fait faire des radios de la tête, puis, bien que tout ait l'air normal, un scanner. Il marmonne quelque chose à propos d'une IRM dans les jours qui viennent pour s'assurer que la pierre que j'ai reçue à la tête n'a causé aucun traumatisme sérieux mais Homa qui est sa supérieure l'arrête et lui dit qu'on pourra toujours me faire revenir s'il y a le moindre problème. Nous arrivons enfin à nous mettre en route, emmenant Kian avec nous. Nous nous arrêtons en chemin afin que ma mère puisse enfin acheter les *chirini* – les pâtisseries – et les fleurs indispensables à notre visite et cause de tant de discussions entre mes parents depuis hier.

Khanom Delavaran, que nous avons appelée, devait attendre derrière sa porte, parce qu'elle ouvre à la minute où nous frappons le heurtoir, nous accueillant avec des exclamations de bienvenue, m'embrassant, puis embrassant ma mère. Elle nous fait monter les marches qui mènent à la véranda, puis dans la pièce où je me suis endormie hier et où j'ai attendu ensuite que mes parents viennent me chercher. Comme elle ôte ses chaussures et qu'il y en a plusieurs autres paires près de la porte, nous nous déchaussons aussi. Mon père pose à terre la pyramide de boîtes blanches de pâtisseries attachées par un beau ruban tandis que ma mère fait de même avec le gros bouquet qu'elle tient. Tout en nous faisant entrer, Khanom Delavaran n'arrête pas de s'exclamer, de se frotter les mains en signe de gratitude, de nous remercier abondamment, de nous dire mille fois que nous n'aurions pas dû nous donner tout ce mal, que nous lui causons du *khejalat* – de l'embarras. Je retrouve la pièce qui a l'air bien confortable, sans aucun meuble mais avec de hauts coussins recouverts de tapisserie appuyés contre les murs et une seule table basse pour la télé. Le sol est couvert d'un *zilou* déteint, le mince tapis de coton que l'on trouve dans les maisons comme celle-ci. Tout étincelle de propreté, il n'y a pas le moindre grain de poussière nulle part, ni sur les murs, fraîchement repeints de bleu clair, ni sur les carreaux des deux fenêtres qui brillent dans l'obscurité déjà tombée sur la ville.

Khanom Delavaran nous invite à nous installer sur les coussins, indiquant à mes parents et amou Djamchid les plus éloignés de la porte, ainsi que l'exige l'importance de leurs personnes. Mes parents ont une expression pensive, causée, j'imagine, par la nostalgie de se trouver dans cette pièce ressemblant à d'autres qu'ils voyaient autrefois et qu'ils m'ont décrites parfois, se souvenant peut-être d'excursions dans des villages lointains, de petites maisons dans des jardins entourés de hauts murs où les gens du coin accueillaient les visiteurs comme si le Bon Dieu lui-même leur rendait visite.

Sans réfléchir, j'ai enlevé mon foulard comme je le fais à la maison. Le temps que ma mère rencontre mon regard et secoue imperceptiblement la tête, il est déjà trop tard, mais ce n'est pas grave parce que notre hôtesse a l'air de croire que Kian est mon frère. Ça n'irait pas du tout de choquer la pauvre Khanom Delavaran en lui révélant qu'il est en fait mon petit ami, quoiqu'elle s'attende probablement à tout de la part de nous autres, jeunes privilégiés du nord de Téhéran à qui on n'a jamais appris à se comporter comme il faut.

Elle nous laisse pour aller à la cuisine. Nous l'entendons attraper quelqu'un qu'elle morigène en baissant la voix, puis un cliquetis de tasses et de couverts. Elle revient après un assez long intervalle, suivie par une gamine maigrichonne. Comme elle ne nous la présente pas, nous ne savons pas s'il s'agit d'un membre de sa famille ou d'une petite servante. Toutes deux portent des plateaux remplis des pâtisseries apportées par ses invités, de grands plats de fruits coupés en tranches, de bols de noix, d'amandes et de fruits secs. Suivent des verres de thé d'une belle couleur ambrée que mes parents et amou Djamchid boivent en le versant dans les soucoupes creuses pour le refroidir, avec un morceau de sucre candi dans la bouche – ils me diront plus tard n'avoir pas eu l'occasion de le faire depuis des années. Kian et moi les observons et faisons pareil, comme si nous ne buvions jamais notre thé autrement.

La conversation est plutôt languissante. Khanom Delavaran, une femme modeste, ne parle d'elle-même que quand mes parents la questionnent. Elle leur dit avoir perdu son mari il y a quelques années et qu'elle a deux grandes filles mariées qui habitent à Nain, la ville d'où la famille est originaire. Elle ne regarde pas les hommes directement et même quand elle offre de les resservir s'adresse à ma mère et à moi, demandant si *aghatoun*, votre mari, *baradaretoun*, votre frère, et amou djan, votre cher oncle, désirent autre chose. Nous devons rester un peu, ce ne serait pas poli de nous lever et de partir trop tôt et de toute façon Hossein n'est pas arrivé. Il appelle enfin mon portable pour me dire qu'il sera là sous peu. Je ne suis pas sûre de savoir à quoi il ressemble. J'avais perdu connaissance quand il m'a trouvée et étais encore sous le choc quand il m'avait confiée à Khanom Delavaran. Lorsqu'il arrive, en uniforme, je me couvre vite les cheveux sur un geste de ma mère pendant qu'il enlève ses chaussures près de la porte. Il m'a l'air très jeune. Plus grand aussi que dans mon souvenir, avec des lèvres pleines et des yeux clairs à l'expression douce, mais j'attrape tout ceci d'un coup d'œil rapide puisqu'il ne serait pas correct de le dévisager, même s'il m'a sauvée hier. Il salue tout le monde avec une politesse chaleureuse, serre la main des hommes mais ni celle de ma mère ni la mienne, puis s'assied aussi près de la porte que possible en signe d'humilité. Mon père et mon oncle échangent quelques phrases avec lui pendant qu'il boit un thé en aspirant bruyamment et prend un biscuit qu'il pose sur le côté de son assiette mais auquel il ne touche pas. Quand il est temps de partir, mon père se lève et demande à Hossein de le suivre, puis prend congé de notre hôtesse. Nous aussi nous préparons à partir, remerciant Khanom Delavaran à maintes et maintes reprises, ma mère surtout, disant à cette brave femme que Dieu se souviendra qu'elle a aidé à rassurer un cœur de mère. Nous descendons tous les marches jusqu'à la cour. Là nous trouvons mon père l'air fort embarrassé pendant que Hossein, se tenant les joues des deux mains, l'air choqué, répète d'une voix basse, *tohin mikonid, tohin mikonid* – vous m'insultez.

Je les regarde l'un et l'autre et demande ce qui se passe.

Hossein, me regardant directement pour la première

fois, pas par-dessus l'épaule ou sur le côté comme il l'a fait jusqu'ici, me dit, Demande à ton père.

Amou Djamchid se rend compte de la situation, comprenant que son frère a tenté de donner de l'argent au *sepahi*. Il lui présente des excuses en disant qu'il s'agit d'un malentendu. Mon père, remettant les billets dans sa poche, tente aussi d'arranger les choses.

— Tu es comme mon fils, dit-il au garde. Jamais je ne voudrais t'insulter. Tu as sauvé ma fille, tu nous as donné sa vie. Nous aurons toujours une dette envers toi.

Ma mère ajoute, *vasseh khatere Raha*, pour Raha, pardonne à mon mari, il n'avait aucune mauvaise intention.

Hossein ne peut pas écarter cette prière. Son expression furieuse se détend un peu et il dit à mon père :

— On ne peut pas tout acheter.

— Tu as raison, pardonne-moi, je t'en prie.

Kian est là, à observer cet échange. Il me jette un coup d'œil et je ne sais pas ce qu'il remarque mais son expression change. Puis il regarde Hossein juste quand le *sepahi* se tourne vers moi un instant avant de se retourner vers mon père qui continue à se répandre en excuses. Kian a l'expression renfrognée qu'il prend quand il est contrarié et ne parle pas du tout sur le chemin du retour. Assise derrière avec lui, je lui demande une ou deux fois ce qui ne va pas mais il secoue la tête en disant *hitchi* – rien. Le lendemain, quand nous parlons de retrouver les *batchéha*, les copains, il me demande si je ne veux pas appeler Hossein.

— Pourquoi est-ce que je l'appellerais ? je demande, étonnée.

— Je ne sais pas. J'ai eu l'impression d'une *tarhé dousti* – d'une amitié naissante.

J'éclate de rire.

— Tu n'es pas sérieux ! Ne me dis pas que tu es jaloux !

Il se renfrogne à nouveau.

— Moi, jaloux d'un *ma'mour* ? *Hamin yekich moundeh* – il ne manquerait plus que ça !

Kian

C'est le troisième jour qui suit la mort de Neda. Nous devons tous aller à la cérémonie qui doit avoir lieu plus tard pour honorer la jeune fille tuée dans les manifs, celle qui est déjà devenue dans le monde entier le symbole de la répression brutale du régime à la suite de la fraude électorale. Après que Neda avait été blessée par balle, on l'avait emmenée à Chariati, qui est aussi l'hôpital où travaille ma mère. Celle-ci était au bloc opératoire et n'avait pas vu la jeune fille mais elle avait entendu dire que plusieurs personnes blessées dans les manifs avaient été amenées là, certaines dans un état critique, dont une jeune fille. En fait, Neda était déjà morte. Les membres de sa famille étaient arrivés tout de suite, prévenus par son professeur qui était avec elle dans la manifestation. Personne n'avait pu se décider à leur dire que c'était fini mais la sœur de Neda le comprit à la minute où elle vit l'expression hagarde du médecin qui venait vers les membres de la famille tous groupés dans la salle d'attente. Quand ma mère était sortie du bloc opératoire, elle avait trouvé les infirmières pleurant dans le couloir, disant qu'avec sa jeunesse et sa beauté, la jeune femme avait été comme un *dasteyé gol* – un bouquet de fleurs –, et pourquoi tuait-on les enfants des gens. Elles disaient que seul un *na-mossalmoun,* un non-musulman ou un *a*musulman, pouvait être capable d'un acte pareil. Je suppose que pour elles il ne doit pas y avoir de pire insulte pour un musulman que celle-là, quelqu'un qui va à l'encontre du sens même du mot, mais moi je peux en trouver une ou deux autres bien pires.

C'est ma mère et d'autres personnes qui se trouvaient là qui m'ont raconté tout ça. La mère de Neda était arrivée peu après. Plus tard, nous avons appris que jusque-là elle avait été avec Neda dans toutes les manifestations depuis les élections et que c'était la seule fois que, ne se sentant pas trop dans son assiette, elle n'avait pas eu envie d'y aller et avait demandé à sa fille de ne pas y aller non plus, disant que les choses avaient l'air de dégénérer. C'était le jour où moi-même et les *batchéha* nous demandions s'il fallait continuer. Au départ, tout de suite après les élections, d'accord, c'était tout bon et nous étions pleins d'enthousiasme, sûrs de nos chances de pouvoir amener un changement, de pouvoir même avoir de nouvelles élections si nous les réclamions assez fort, et peut-être même plus de libertés, comme à l'époque où Khatami était président. Mais les choses changeaient, les forces de l'ordre devenaient beaucoup plus dures, plus brutales, arrêtant davantage de monde. Je ne sais pas pourquoi nous avions jamais cru que le régime des mollahs pouvait devenir démocratique, il y a là une contradiction fondamentale. Mais nous ne voulions pas la voir. Maintenant, oui, nous la voyons, en tout cas, certains d'entre nous la voient.

Voilà, Neda n'avait pas écouté sa mère. Elle était allée à la manif avec son prof d'université et quelques copains. Ensuite, il existe différentes versions de ce qui est arrivé. D'après son prof, qui se tenait debout à côté d'elle, il y avait une grande confusion tout autour. Le prof et un des copains de Neda l'avaient vue passer un coup de fil à sa mère et lui dire qu'ils avaient tous allumé des cigarettes pour lutter contre les gaz lacrymogènes mais que malgré cela, tout le monde pleurait et toussait, et les gens s'enfuyaient pour mettre de la distance entre eux et les grenades de gaz qui explosaient de tous les côtés. Puis, avait-il dit, elle était tombée assise avec un air surpris sur le visage, ses jambes étendues devant elle, comme ça. Les gaz lacrymogènes commençaient à se disperser. Le prof de Neda avait alors remarqué deux *bassidji* sur une moto, l'un devant l'autre, un gars, la quarantaine, du type des marchands du bazar, avec une barbe de plusieurs jours et un gros ventre, remettant une arme dans sa ceinture. Le prof était certain que c'était celui qui avait tiré. Tout ça, il l'avait remarqué en une seconde, avant de se jeter par terre près de Neda qui était alors tombée sur le dos, du sang jaillissant de sa bouche, en train de mourir.

Dans une interview, la mère a décrit plus tard comment, quand elle était arrivée à l'hôpital, elle avait vu le prof, la chemise ensanglantée, lui affirmant que Neda allait bien, qu'elle avait seulement reçu une balle dans la jambe. Elle a dit qu'elle s'était mise à crier, à lui dire qu'il mentait, et d'où viendrait tout ce sang si Neda n'avait souffert que d'une blessure à la jambe ? Puis elle avait vu son autre fille venir vers elle, l'air d'un fantôme. Sa fille s'était arrêtée devant elle, faisant aller et venir sa tête de droite à gauche puis de nouveau à droite, plusieurs fois, en un mouvement semblable à un tic, puis avait dit, *Neda tamoum kardeh*, Neda a fini, c'est-à-dire, elle est finie, elle est morte.

Nous avons tous vu la vidéo une centaine de fois, comme le monde entier qui l'a vue tout de suite, l'a copiée et fait circuler – comme une comète, une étoile filante faisant le tour de la Terre. C'était Neda, Neda, Neda, le monde entier avait regardé cette pauvre fille allongée sur le sol, ses yeux écarquillés devant la mort apparue soudainement, cet instant horrible où le sang avait débordé puis s'était déversé de sa bouche et de son nez en ruisselets. La première fois que j'ai vu la vidéo, j'ai eu le souffle coupé. J'ai enfoncé mes ongles si fort dans la paume de ma main que j'en ai saigné. Je ne sais pas ce qui se passait dans ma tête, sauf que ça ne pouvait pas être arrivé, que je ne pouvais pas être en train de voir ce que je voyais.

Ma mère est rentrée de l'hôpital dans un état de chagrin que je ne lui avais jamais vu, son visage marqué de grandes plaques rouges, ses yeux à moitié fermés sous ses paupières gonflées. Elle avait l'air changée, vieillie. Jusque-là, je ne l'avais jamais vue comme vieille, ou même d'âge mûr, mais là, si. Elle sanglote toute la soirée. Tout Téhéran sanglote.

Aujourd'hui, pour le troisième jour de commémoration, on nous donne le nom d'une mosquée, Niloufar, puis d'une autre, Imam Jaafar Sadegh, pas loin de Chariati, où la cérémonie doit avoir lieu à trois heures. Mais vers midi, alors que l'information est déjà sur l'internet, un message arrive de la part de la famille de Neda, remerciant tout le monde et disant s'il vous plaît, ne venez pas, il y aura trop de monde et nous ne voulons pas mettre les gens en danger. Après quoi, les tweets et les messages le disent tous, il paraît que si la cérémonie à la mosquée a été autorisée au départ, c'était pour mettre tout le monde en état d'arrestation puisque toutes les personnes présentes seraient forcément considérées comme ennemies du régime.

Le lendemain, ma mère, qui ne travaille pas, appelle

l'hôpital pour savoir où aura lieu l'enterrement et comment elle peut aider. Elle parle à la femme qui a été chargée des démarches administratives et qui lui apprend qu'aussitôt la mort confirmée, le cadavre de Neda avait été transféré à la morgue et rendu à la famille à deux heures de l'après-midi. Il paraîtrait que ses tibias aient été prélevés pour des greffes, mais on entend toujours tant d'histoires qu'il est difficile de savoir qui dit vrai. En tout cas, Neda a été enterrée à trois heures le jour même de sa mort, en la seule présence de sa famille proche.

Ce soir-là, nous dînons avec la famille de Raha. Gita Radmanech est aussi là. Il s'agit d'une amie et collègue d'amou Djamchid de l'époque de son séjour aux États-Unis. Elle était à l'université de Pennsylvanie en même temps que lui quand ils étudiaient tous deux les sciences politiques, puis, des années plus tard, elle avait commencé à enseigner à l'université de Champaign, dans l'Illinois, où il était lui aussi enseignant. Elle s'était d'ailleurs établie dans cet État. Elle est en visite en Iran pour la première fois depuis qu'elle a quitté le pays, enfant. Elle participait à un symposium il y a quelques semaines et a décidé de rester jusqu'après les élections pour observer leur déroulement. C'est une femme discrète et courtoise qui ne parle pas beaucoup et se contente surtout d'écouter, curieuse de tout dans ce pays dont elle est partie il y a si longtemps. Ce soir, elle dit que son mari, Ted, s'inquiète et que chaque fois qu'elle lui parle, il insiste pour qu'elle rentre avant que les choses tournent mal.

Bien sûr, nous parlons de Neda. Nous n'avons pas à faire attention à ce que nous disons parce que bien que ma tante Pari soit là, son mari est en voyage. Nous pensons peu probable qu'il rapporte nos conversations à ses amis haut placés mais sommes davantage sur nos gardes en sa présence.

Amou Djamchid dit que la précipitation à enterrer Neda à peine quelques heures après ce meurtre indique à quel point les autorités sont inquiètes de l'impact de sa mort sur l'opinion publique. Je dis qu'on ne parle que de cela sur tous les sites où je surfe et que j'ai reçu tant de tweets et de messages là-dessus que je ne peux pas tout lire. Que Pari soit présente est un événement en soi. Raha m'a souvent dit combien Nasrine supporte mal que Pari n'accepte presque jamais ses invitations, ou d'ailleurs aucune autre, préférant jouer à l'hôtesse dans son luxueux appartement où elle peut faire étalage de toutes ses somptueuses possessions – tout ceci d'après Nasrine. Personne n'aime ma tante Pari. Là, elle a le front de dire qu'elle a entendu des rumeurs selon lesquelles les leaders du mouvement de protestation avaient eux-mêmes fait tuer Neda pour avoir leur martyre, mais tout le monde à table élève la voix, furieux. Même Hormoz, le père de Raha, qui observe en général une stricte neutralité, dit *baba in tché harfiyé* – drôle de chose à dire. Mais Pari ne peut pas s'empêcher de répandre son poison, elle est née comme ça et ne changera pas. Un peu plus tard dans la conversation, elle dit que d'autres aussi ont été tués, et qu'est-ce qu'elle a de spécial, cette fille ? Ma mère, bien qu'habituée aux remarques agressives et grossières de sa sœur, se prépare à répondre puis se mord la lèvre et se tait.

Gita, pour désamorcer la tension, je suppose, dit que nous verrons bien ce qui se passera pour la commémoration du septième jour. Hormoz qui sirote son whisky, l'air préoccupé, dit qu'il n'arrivera rien de différent.

— Il y aura encore quelques morts. On mettra des gens

en prison, on en exécutera, et le *velayate faghih*, la Tutelle du juriste, continuera comme avant.

Il rote bruyamment, lève la tête, étonné lui-même, et s'excuse.

Sa femme essuie ses yeux pleins de larmes.

— *Batchéhayé mardom*, dit-elle. Les enfants des gens.

Nasrine

Je n'aurais jamais pensé que Raha et ses copains s'impliqueraient à ce point dans ces événements. Elle me dit que je ne peux pas comprendre ce qu'ils ressentent. Il n'y a pas que l'expérience qui compte, me dit ma fille. L'enthousiasme aussi est important, c'est lui qui permet de bâtir l'avenir.

Elle m'agace.

— Tu vas te mettre à parler en slogans ? je lui demande.

— Non, mais écoute-moi, *madar*. Les gens sont toujours en train de nous dire que nous ne savons pas ce que nous faisons, que nous ne réfléchissons pas aux conséquences. Mais prends le temps de penser à ce que nous faisons, en fait. Si nous n'avions pas participé aux manifs, rien ne serait arrivé.

— Et tu veux me dire ce qui est arrivé de bon ? Des familles en deuil, des gens qui ont perdu leurs proches, c'est ça que je vois, moi.

— C'est le prix à payer, dit-elle.

Je ne reconnais pas ma fille.

— Tu parles comme une révolutionnaire. Le sang n'est jamais un bon prix à payer. Quand un enfant de vingt ans meurt, c'est le pays entier qui est en deuil. Est-ce qu'on n'a pas assez de chagrins dans la vie ?

La télé qui est toujours allumée diffuse le programme en persan de La Voix de l'Amérique. Là, elle montre une vidéo de YouTube. C'est toujours la même mythologie qu'il y a trente ans lors de la révolution, qu'il y a dix ans lors des troubles à l'université. Les manifestants lèvent leurs mains trempées dans le sang des morts et des blessés et les agitent devant les caméras et tous les portables qui s'emparent de ces images et les transmettent instantanément par l'internet. Ou bien ils courent dans les rues, portant les blessés et peut-être les morts. Ils se frappent la poitrine, hurlent de chagrin, comme toutes ces foules de fanatiques pendant les grands deuils religieux, ces jours qui ont une telle importance dans notre calendrier chiite. Djamchid, qui est assis avec nous, a l'air exaspéré et dit que ça le gêne toujours, ces pleurs et ces lamentations incessants. Il dit qu'il préfère la façon dont les gens se comportent en Europe ou aux États-Unis. Que quand ils perdent un proche, même suite à de la violence ou un acte terroriste, ils versent des larmes silencieuses et ne se donnent pas en spectacle. Bien que je sois au fond d'accord avec lui, je dis que c'est parce que ces gens n'ont pas de cœur et pas d'émotions. J'aurais dû me méfier et ne pas m'engager avec Djamchid dans ce genre de discussion. Il me saute dessus.

— Pourquoi tu dis ça ? Ils ont autant de cœur et d'émotions que nous mais ils sont plus dignes. J'étais aux États-Unis le 11 Septembre, comme tu sais, lors des attentats. On organisait de grands concerts, il y avait des endroits où pouvaient se retrouver les gens qui voulaient partager quelque chose d'important, ils se soutenaient les uns les autres, ils montraient de la compassion et trouvaient des moyens de s'entraider. Nous, nous courons tous au cimetière et nous mettons à hurler.

— Tu préfères la musique aux larmes ? Tu veux que les gens chantent des chansons quand ils perdent quelqu'un qu'ils aiment ?

— Si tu veux la vérité, oui, si ça peut nous aider à nous souvenir des vivants et les honorer autant que les morts. Ici, c'est toujours des sanglots, des ululements, des gens qui s'arrachent les cheveux : Pauvre de moi, regardez ce qu'on m'a fait ! Je regrette, mais ça ne me plaît pas.

— C'est dommage que tu sois gêné par des gens en deuil et pleurant leurs morts. Je sais, n'importe qui ailleurs dans le monde est meilleur que les Iraniens. Tu sais quoi ? Tu es trop occidentalisé, *azizé delam*, mon cher.

Comme d'habitude, Hormoz ne me défend pas et ne reprend pas son frère qui m'attaque, si le mot n'est pas trop fort. Hormoz prend rarement parti pour l'un ou l'autre dans ces discussions incessantes, sans doute parce que la plupart du temps il n'a même pas d'avis sur la question. Mais il n'aime pas voir les gens se quereller, cela anéantit sa tranquillité. Là, il va vers la télé, prend un DVD qu'il brandit devant nous pour nous calmer, comme il le ferait avec des enfants agités qu'il faut distraire à tout prix, et nous demande si nous voulons regarder une comédie avec George Clooney et Catherine Zeta-Jones. Djamchid et moi disons tous les deux d'accord. Je préférerais aller dans ma chambre et pouvoir me reprendre mais je ne veux pas sembler désagréable et reste donc là à regarder un film stupide.

Djamchid

Gita, qui est en route pour aller voir les librairies en ville, s'arrête chez nous. Je suis seul à la maison, et comme d'habitude en proie à des pensées plutôt sombres sur l'avenir du pays, sa visite est donc bienvenue. Je nous fais du thé et nous nous installons pour parler de la situation. Je ne peux me défaire d'une impression que j'ai toujours avec des visiteurs venant de l'étranger et que j'ai maintenant avec elle, qu'elle ne fait que passer et appartient à une planète différente. Cela a toujours été comme ça avec moi. Partout où j'ai vécu, j'ai eu l'impression, tout le temps où j'étais là, que c'était le seul endroit au monde, effaçant tout le reste. Lorsque j'étais aux États-Unis, la fois où je suis parti y étudier comme la deuxième fois quand j'ai emmené ma famille y vivre après la révolution, c'était comme si l'Iran n'existait plus. Avec ma tête, oui, je savais qu'il était là-bas, de l'autre côté de la Terre. Avec mon cœur aussi, je le savais, quand le souvenir des orangers en fleur du jardin de notre villa sur la Caspienne ou le bruit des fontaines dans le *bagh-e-fin*, le vieux parc de Kachan, devenaient soudain plus réels que ce qui m'entourait. Mais la nostalgie reste un sentiment abstrait. Quand je suis rentré en Iran, depuis la minute où mon avion s'est posé à Téhéran et où j'ai découvert qu'il y avait là ce pays dont j'avais été absent, tous ces gens qui avaient continué à y vivre, que les rues encombrées et l'air pollué avaient continué à exister même quand je n'avais plus été là pour les voir, cela a été un choc.

Gita traverse peut-être une expérience semblable – avoir imaginé quelque chose, puis le vivre en réalité. Mais elle reste quand même de passage. Revenue en Iran après plus de quarante ans, son attente est tout à fait différente de ce qu'aurait été la mienne. Des choses l'étonnent que je ne remarque même pas alors qu'elle accepte des situations que je trouve moi insupportables. De toute façon, quelle que soit son expérience ici, pour elle tout est question de choix. Elle a choisi de visiter l'Iran, et puis elle prendra l'avion et retournera dans sa famille alors que nous resterons ici. Moi aussi, je pourrais prendre l'avion, mais pour aller vers quoi ? Ça n'a pas marché pour moi quand j'ai quitté l'enseignement pendant la guerre Iran-Irak pour émigrer aux États-Unis. Mes années là-bas se sont écoulées comme dans un rêve. Pas les premières, mais à partir de la maladie de ma chère Chadi jusqu'à sa mort, je n'ai plus pu me retrouver. Toutes ces années passées à étudier puis toutes celles passées loin de l'Iran, tout cela est devenu une abstraction. À présent, je me retrouve un étranger en Iran aussi. Je suis parti parce que la république islamique me retournait le cœur et je suis revenu je ne sais pas pourquoi. Opérer des choix, ce n'est pas la même chose que de tomber dans une vie plutôt qu'une autre à cause des circonstances. Étudier à l'étranger et revenir enseigner en Iran, c'était mon choix.

Bien sûr, à l'époque du chah, j'étais loin d'être satisfait de la situation du pays. J'ai toujours trouvé toute répression, même celle, somme toute modérée, qu'il pratiquait – modérée en tout cas comparée à la brutalité du régime islamique –, superflue et donc totalement absurde. Mais au moins, à l'époque, nous étions en apparence civilisés et sur la route du progrès. Personne n'embêtait ma famille, personne ne disait aux gens comment s'habiller ou quoi boire. Mais deux ans après, la république islamique est arrivée, et avec elle l'obscurité s'est abattue sur l'Iran, avec le fanatisme pour lequel le monde entier est en train de payer. Le Dr Sadighi, un des collègues de Mossadegh, a bien défini la situation quand il a dit que le régime du chah était impardonnable et celui de Khomeyni insupportable. J'ai eu beau essayer pendant une dizaine d'années, je n'ai pas pu m'y faire. Et je n'ai pas pu me faire aux États-Unis non plus quand j'y suis retourné pour une autre tranche de dix ans. Chadi est morte, mes enfants ont grandi et sont partis à l'université. Au bout d'un temps, l'Iran m'a semblé être le choix naturel, l'endroit où retourner, et je suis donc reparti. Cela fait presque dix ans que je suis revenu. C'est ainsi que ma vie a été divisée, coupée et tranchée en sections de dix ans. Mais ça n'a pas marché. Quand je vivais à l'étranger, les Iraniens qui voyageaient en Iran revenaient avec des récits de l'extraordinaire expérience que cela avait été pour eux d'entendre les gens parler leur langue dans la rue, de voir les montagnes majestueuses et sereines au nord de Téhéran ou bien les étals de fruits et de légumes avec leur débauche de marchandise colorée, mais aux États-Unis, je ne m'étais jamais senti étranger, alors que je le suis ici. Au moins, j'ai Hormoz et sa famille. Je n'aurais jamais pensé vivre avec mon jeune frère mais je ne peux pas être seul. La vie de famille est indispensable à mon bien-être.

Pendant la visite de Gita, nous parlons bien sûr de l'Iran.

Elle regarde vers l'avenir, elle est pleine d'espoir. Que dire ? Elle est américaine à présent et croit donc à la capacité des gens d'adapter le monde à leurs besoins – là où il y a la volonté, on trouve le moyen d'agir, ce genre de chose. Je suis, moi, fondamentalement iranien et sais que le monde trouvera le moyen de nous écraser avant de faire la moindre concession à nos besoins. L'Histoire est un océan, nous ne faisons qu'être ballottés sur ses vagues.

Hormoz et Nasrine rentrent, l'un après l'autre, de leurs courses diverses. Nasrine a apporté de la nourriture toute prête et va à la cuisine, refusant l'aide que lui offre Gita. Hormoz nous verse un verre de vin blanc et s'installe avec son whisky de la soirée. Gita déplore la violence dans les rues mais je dis que finalement il y en a eu beaucoup moins qu'escompté.

— Tu n'étais pas là au début de la révolution. Alors on pouvait parler de violence. Les gens étaient déchaînés, et je ne parle pas seulement du régime. C'était, je ne sais pas comment dire, comme des explosions de haine dans les cerveaux. Les premières années, la tuerie était inimaginable.

— Maintenant aussi.

— Tu as raison. Une seule personne tuée ou même frappée, c'est une de trop, mais ce n'est rien comparé à ce que nous avons vu à l'époque.

— Qu'est-ce qui fait que c'est différent, d'après toi ? Qu'est-ce qui a changé ? Est-ce que les gens ont appris leur leçon ?

— Je ne pense pas. C'est peut-être que ce ne sont pas les mêmes qui tuent aujourd'hui, que ce soit dans les prisons ou dans la rue lors des manifs. N'oublie pas que quand la révolution a eu lieu et pendant les premières années, les piliers du régime c'étaient les Modjahedin du Peuple, que Dieu nous en préserve.

— Je sais, dit Gita. Ils sont horribles. Je suis toujours surprise d'entendre les Américains penser que c'est un mouvement nationaliste, comme autrefois les *modjahedin* afghans.

— Ça n'a rien à voir. Les Iraniens les détestent. Ce sont des bandits meurtriers et fanatiques, une vraie secte, un mélange bizarre d'idéologie marxisante et de ce qu'il y a de pire dans l'islam. Ce sont aussi de grands admirateurs de ce crétin de Chariati, incapables de faire la différence entre un vrai penseur et des *torehat* – des sornettes. Et cet autre bonhomme, comment s'appelle-t-il déjà, cet Abdolkarim Sorouch dont le public américain gobe le discours soi-disant spirituel, le prenant pour l'enseignement profond du dernier sage arrivé d'Orient.

Nous nous taisons, chacun un peu perdu dans ses pensées, pendant que Nasrine met le couvert, disant à Gita de boire son vin tranquillement parce qu'elle en a encore pour un moment avant de servir.

— Ce qui me gêne en fait, dit Gita, c'est que tout le monde ici, y compris tous ces politiciens, pense pouvoir rouler les gens, tricher, être plus *zerang*, malin, que le voisin.

— Et en plus en être fier, alors qu'il n'y a vraiment pas de quoi.

— Mais c'est un principe, dit Gita. Le *zerangui* est dans notre sang. Il n'y a pas longtemps, j'étais en visite chez des parents en Californie, des gens aisés qui quand ils voulaient jouer au tennis se faisaient un devoir de toujours se faufiler en douce dans le country club local pour ne pas payer la cotisation. En plus, ils étaient ravis de le faire.

Quand ils ont vu que ça me gênait, ils m'ont dit en riant, *sakht naguir*, ce n'est pas une grosse affaire.

— Le problème avec le *zerangui*, c'est qu'en fait la plupart du temps ça ne change rien. Ce serait tout aussi simple d'aller de A à B directement mais nous trouverions bête de ne pas chercher un raccourci. Après quoi nous tombons dans des situations comme maintenant où nous voulons que l'Iran soit respecté malgré tout...

— Tu parles du régime ? demande Gita. Il me semble qu'être respecté est le cadet de ses soucis.

— Je n'en suis pas si certain. La façon dont le monde nous perçoit, notre image, que ce soit en tant qu'individus ou en tant que nation, tout ça est important pour nous autres Iraniens. Moi je pense que le régime attend quand même d'être respecté alors qu'il ne mérite aucun respect. Je pense que c'est une des raisons pour lesquelles le monde occidental a tant de mal à trouver un terrain d'entente avec nous. Nous confondons les jeux incessants auxquels nous nous livrons avec une véritable stratégie. Nous sommes *zerang*, malins, parce que nous essayons de repousser les limites aussi loin que possible, puis nous nous dérobons à la dernière minute quand les choses se compliquent. Nous accusons les Américains, ou, mieux encore, les Anglais, que nous considérons comme nos ennemis naturels, de songer à leurs propres intérêts, ce qui est ridicule, quand on y réfléchit. Bien sûr qu'ils pensent à leurs propres intérêts. Aux intérêts de qui devraient-ils penser ? Aux nôtres ?

Homa téléphone : elle a la possibilité d'assister à un meeting avec Moussavi le lendemain, une petite réunion pour ses proches supporters, elle ira avec Kian, est-ce que Raha veut y participer ?

Nous disons que nous lui transmettrons le message

quand elle rentrera et que nous pourrions aussi bien tous y aller. Quand Raha rentre et que nous lui faisons la commission, elle se met à sauter sur place en agitant les bras dans ce geste loufoque des jeunes femmes de nos jours, en criant, *vay, vay, tché ali !* C'est formidable !

— Je croyais que tu n'aimais pas Moussavi, je lui dis.

— Non, c'est vrai, vous avez raison. J'ai voté pour Karroubi, comme vous. Mais tout ça est si intéressant ! À propos, je ne sais même pas pourquoi vous avez voté pour Karroubi, *amou* Djamchid *djoun*, vous ne croyez même pas en Dieu et vous votez pour un mollah ?

— Il est moins mollah que Moussavi, même s'il en porte l'habit. C'est Moussavi qui parle toujours du *velayate faghih*, de la Tutelle du juriste.

— Vous voulez savoir ce que je pense ? Tous ces gens, c'est du pareil au même. En fait, il faudrait quelqu'un d'autre si nous voulons que ça change.

— Alors nous attendrons longtemps.

Gita

Je me rends compte que depuis quelque temps je pense aux Iraniens comme à « eux » plutôt qu'au « nous » que j'ai utilisé toute ma vie. Je ne saurais dire quand ce changement est intervenu mais le fait est que je constate trop de contradictions dans le psychisme national pour pouvoir me sentir sincère si je dis « nous ». Faire semblant d'appartenir à un peuple que je ne comprends pas serait pour moi l'équivalent de la jouer « ethnique », cette insistance que montrent certains étrangers, particulièrement des Occidentaux, à adopter une culture à laquelle ils n'appartiennent pas. J'ai vu ça en Inde et je l'ai vu en Thaïlande, j'ai connu des Américains qui avaient passé un ou deux ans en Iran remplir leur maison d'objets persans une fois de retour dans leur pays et se souvenir de leur séjour comme du plus haut moment de leur vie. Je suis en train de faire le voyage inverse. Partie en me sentant iranienne, une attitude guère justifiée étant donné que j'ai quitté le pays il y a si longtemps, je me rends compte peu à peu que je ne m'identifierai jamais à la façon dont les gens ici pensent, réagissent, et même raisonnent.

C'est bien pour ça que cela m'aide d'écouter Djamchid analyser les Iraniens, ce qu'il fait parfois avec beaucoup de finesse alors que d'autres fois il se contente de leur attribuer tout ce qu'il y a de négatif. Il les compare souvent aux Moyen-Orientaux dans leur ensemble, puis souligne ce qui les différencie. Les gens ici font la même chose avec l'islam. Entendre si souvent, oui, nous sommes musulmans ou non, nous ne le sommes pas du tout, ça finit par donner le vertige. Il y a autant de points de vue que de gens qui les expriment. Ainsi, les uns soutiennent que les Iraniens sont profondément religieux et d'autres affirment avec la même ardeur qu'ils ne croient en rien. On raconte qu'ils ont rejeté l'islam et se tournent vers d'autres religions – ce qui arrive aussi, mais j'ai l'impression que les chiffres sont beaucoup plus faibles que ce que disent à l'étranger les coreligionnaires des nouveaux convertis. Les chrétiens aux États-Unis mentionnent des milliers de conversions, il en va de même pour le judaïsme ou le zoroastrisme, alors qu'il s'agit en fait d'une poignée de gens. Le faible nombre de convertis s'explique pour deux raisons : la première est que les gens ne veulent plus entendre parler de religion, la seconde, qu'être apostat en Islam est passible de mort. On dit qu'une des plus grandes erreurs du chah – et ils en ont une longue liste, de ses erreurs, qu'ils sortent et vous brandissent à la figure à chaque occasion – a été de sous-estimer la foi religieuse des masses et de ne pas s'inquiéter de la grande éclosion des *hosseinieh*, ou centres religieux poussant comme des champignons pendant son règne et se chiffrant à présent par milliers. Ils disent que même dans les années 1970, bien plus d'Iraniens que l'on ne pensait priaient cinq fois par jour et jeûnaient pendant le ramadan. Puis on entend le point de vue inverse, tout aussi catégorique, à propos du manque de foi religieuse en Iran et déclarer tout de go qu'autrefois, affecter d'être pieux était la conséquence de la propagande et du lavage de cerveau et aujourd'hui celle du besoin de se faire bien voir de la république islamique pour gagner des subventions et des récompenses. L'effort pour me former une image précise de la réalité me laisse dans un état de confusion.

Je suis encore sous le choc de la mort de la pauvre Neda et appelle Ted pour entendre sa voix et me souvenir que dans d'autres parties du monde, la vie se déroule normalement. Il décroche tout de suite. Il s'inquiète, je sais qu'il s'inquiète. Il parle de la terrible vidéo des derniers instants de la jeune fille.

— Ce que je trouve étonnant avec ce grand courant de sympathie pour ce qui se passe en Iran, c'est qu'on se sent solidaires des gens là-bas, dit-il.

— Ce n'est pas vrai de toutes les luttes de ce genre ?

— Je ne sais pas. Nous avons la chance de vivre dans des pays démocratiques et quand nous voyons des foules dans des pays du tiers-monde en train de manifester pour des valeurs que nous, nous considérons comme notre droit le plus élémentaire, nous comprenons le principe de la chose mais ça reste assez abstrait. Avec ces foules iraniennes, des gens qui ressemblent à nos propres gosses ou à nous-mêmes, nous nous identifions davantage, tu ne penses pas ?

— Ce que tu dis en fait, c'est que plus nous nous identifions directement aux gens et plus nous respectons leur cause, c'est ça ?

Ted répond :

— Je crois que ça va de soi. Quand je vois une ombre silencieuse en burqa dans une rue en Afghanistan, je ressens l'horreur des limites qu'on impose aux femmes mais ce n'est pas la même chose que de voir une jeune Iranienne comme Neda ou d'autres, je veux dire des gosses actifs, sachant s'exprimer, des jeunes professionnels, des étudiants sapés de fringues Banana Republic ou J. Crew. Autrement dit, il n'y a pas de choc culturel.

— Eh bien, ça en dit long sur les limites de l'empathie. Nous devrons reparler de tout ça quand je rentrerai, d'ailleurs bientôt, je pense. Je ne sais pas à quoi tout ceci va mener. Si l'Iran devient une dictature militaire – et je ne te cache pas que les gens craignent ça, avec les Gardiens de la Révolution qui deviennent chaque jour plus puissants et plus riches – ça donnera quoi ? Est-ce qu'on aura sur les bras un régime paramilitaire fort et bien organisé en plus d'une théocratie ? Ça fait froid dans le dos...

Raha

Comme il y a eu des alertes à la bombe, le lieu de la réunion annoncée de Moussavi a été changé, non plus à son quartier général des élections mais dans une école près de Mofateh. Homa vient nous chercher, sa sœur Pari à la traîne. Dans l'école, nous trouvons une foule de gens portant pour la plupart quelque chose de vert, depuis des tee-shirts jusqu'à des bandanas ou des rubans autour du poignet. Je refuse d'imaginer des représailles du gouvernement dans un endroit aussi rempli de monde, ce serait un massacre. La foule est mélangée, représentative de la population en général. Il est clair que ce ne sont pas seulement les jeunes qui suivent Moussavi, ni seulement les gens aisés du nord de la capitale, bien que le gouvernement ne cesse de le répéter, parlant des quartiers élégants comme s'ils cachaient les derniers des traîtres, tous vendus aux États-Unis ou à Israël. Il y a des filles en vêtements design et mèches colorées, à peine couvertes d'un léger foulard, mais aussi des femmes *tchadori*, portant un voile noir de la tête aux pieds. Il y a de nombreux hommes d'affaires, même un portant un costume-cravate, mais d'autres ont l'air de revendeurs ou de petits employés. Je ne crois pas que nous pourrons nous rapprocher de ceux qui vont parler. Il y a trop de monde, les gens se bousculent pour avancer, enfoncent leurs coudes dans les côtes des uns et des autres. Quelques personnes responsables de la sécurité tentent de maintenir un ordre précaire mais ce n'est pas facile. J'ai cependant sous-estimé Homa. Elle s'arrange pour nous entraîner derrière elle jusqu'à ce que nous nous trouvions à quelques pas du podium. Amou Djamchid dit espérer que nous n'allons pas être bloqués par les gens de la sécurité qui s'arrangent en général pour interrompre ce genre de réunion, comme ils l'ont fait il y a un ou deux jours avec Khatami, l'ancien président, que son groupe a réussi à faire partir avant que les choses ne tournent mal.

L'organisation du meeting laisse à désirer. Moussavi est, comme d'habitude, peu éloquent. Après avoir remercié ses supporters, il débite quantité de clichés comme quoi il n'abandonnera pas et se tient épaule contre épaule avec le courageux peuple iranien. Sa voix, souvent couverte par des slogans enthousiastes de la foule, est un bourdonnement monocorde et je perds tout intérêt. Amou Djamchid et Gita croisent mon regard et font une grimace, pendant que Kian écoute avec recueillement, comme si on lui présentait là un programme remarquable à mettre en place dès le lendemain pour l'avenir du pays. La femme de Moussavi, Zahra Rahavard, lui succède au podium et parle avec plus d'énergie. Je suis curieuse de la voir, après toutes les histoires qui courent sur son compte, comme quoi c'est une féministe et une artiste. Pour autant que je puisse le voir, tout ce qu'elle a gardé de cette époque, c'est qu'elle ne porte pas le nom de son mari et utilise le sien mais je connais beaucoup de femmes qui en font autant. C'est grâce à elle qu'Homa djoun a pu nous faire participer aujourd'hui, après l'avoir rencontrée à l'hôpital

où elle se faisait soigner. Tenant une rose à longue tige
– symbolisant sans doute son âme délicate –, elle porte
un *tchador* noir sur une écharpe fleurie, un look bizarre.
J'ai entendu dire que c'est une vraie intellectuelle mais
cela n'apparaît pas à travers les banalités qu'elle lance,
avec plus de flamme toutefois que son mari amorphe, il
est vrai. Elle parle de notre idéal sacré, dit que nous ne
devons pas nous laisser impressionner ou influencer par
qui que ce soit. Nous ne sommes pas américains, elle crie,
nous ne sommes pas anglais, ni sionistes. Nous ne sommes
pas des traîtres et nous ne sommes pas non plus arabes.
Comme discours politique, on a vu mieux.

La foule lance constamment des slogans, une personne
commençant et entraînant les autres. De nouveaux slogans
sont ajoutés à ceux qu'on entend ces jours-ci. Quand l'inspiration faiblit, on retombe dans le sempiternel *allah-o-
akbar*. À la fin, l'organisateur, un jeune homme propret à
la barbe bien taillée et portant une chemise bleue au col
déboutonné lance les questions. Comme je veux en poser
une, je saute plusieurs fois en levant la main jusqu'à ce
que Moussavi me voie et tende un doigt vers moi. On me
tend un microphone.

— Est-ce que vous acceptez toujours la république islamique et le *velayate faghih*, la Tutelle du juriste, ou vous
souhaitez un changement plus radical ? je demande.

Ma question produit des ondes de choc. Un lourd silence
tombe puis une voix de femme dit, *tchi goft* ? Qu'est-ce
qu'elle a dit ? Quelqu'un pouffe de rire, donnant le temps
à Moussavi de faire semblant de ne pas avoir entendu ma
question et d'indiquer de la main quelqu'un d'autre. La
question suivante est que les gens sont disposés à participer
mais où doivent-ils s'adresser pour savoir quelles actions

entreprendre ? Moussavi dit poliment que chacun doit vérifier sur l'internet et sur son blog, et quand quelqu'un objecte que l'internet est souvent bloqué, il dit qu'il faut persister. Je le trouve aussi indécis que pendant la campagne et je ne comprends pas comment on peut voir en lui l'étoffe d'un leader, mais je suppose que les gens ont toujours besoin de suivre quelqu'un. On continue à lui poser des questions, concernant surtout la stratégie et la tactique, mais il ne suggère rien de pratique. Après la question relative aux informations sur les manifs, on lui demande surtout d'évaluer combien de temps il faudra avant qu'un changement intervienne. Moussavi dit que nous devrons peut-être attendre jusqu'à la fin du mandat d'Ahmadinéjad. Une jeune voix près de la porte crie que d'ici-là nous serons tous morts, ce qui fait rire le public. Moussavi se lance dans d'autres banalités mais quelqu'un l'interrompt en disant, *aghaye mohandess*, monsieur l'ingénieur, vous ne nous avez pas dit si nous serons ici dans quatre ans ? À quoi il répond, Je sais que moi, je le serai. La foule est enthousiaste, scande son nom, de grands sourires éclairent les visages, les gens se sentent proches les uns des autres, exubérants, pleins de ferveur. Un garçon de haute taille, les joues zébrées de vert, lève un poing et crie, *Marg bar diktator,* mort au dictateur, que reprennent plusieurs autres personnes autour de lui. Je jette un coup d'œil à amou Djamchid, qui n'a pas du tout l'air impressionné, et je repense à ce qu'il a dit l'autre jour, que la plupart des gens votent contre quelqu'un plutôt que pour quelqu'un. Je me souviens lui avoir demandé une fois pourquoi, après la révolution, les gens avaient voté pour la république islamique.

« lls n'ont pas voté pour la république islamique, avait-il

dit. Ils ont voté contre le roi. Ils en avaient assez de son arrogance, de l'entendre leur donner des leçons. »

Le *guerdé hamayi* – le meeting – est terminé. Les gens sont dehors, par petits groupes, à discuter de ce qu'ils viennent d'entendre et à attendre les voitures. Nous attendons aussi. Gita et Pari parlent à amou Djamchid, Homa est partie chercher notre voiture. Il y a là plusieurs SUV garés le long du *djoub*, le profond ruisseau bordant la rue, chacun avec plusieurs *sepahi* à l'intérieur. Kian, qui attend à côté de moi, surprend mon regard posé sur les voitures et me demande ostensiblement si je cherche quelqu'un. Je me rends compte que c'est le cas, bien que cela m'ait semblé machinal jusqu'à ce qu'il me pose la question.

— Je me demandais si Hossein était là.

— Tu as quelque chose à lui dire ?

— Non, je n'ai rien à lui dire, mais voyant ces gens en uniforme, j'ai pensé qu'il pouvait être parmi eux.

— Eh bien, félicitations, tu as maintenant un ami *sepahi*.

Je lui dis que je n'aime pas son ton et que le *sepahi* n'est pas mon ami. Comme il continue à marmonner, je lui saisis le bras et le secoue, et *darak*, tant pis si on nous voit.

— C'est quoi ton problème ? je lui dis, irritée à présent.

— Rien, c'est quoi ton problème à toi ? Je t'ai posé une question, c'est tout.

— Et j'ai répondu.

Homa klaxonne et freine devant nous. Nous montons et nous installons. L'air est chargé de choses désagréables. Je ne sais pas pourquoi, quelle que soit la situation dans laquelle nous nous trouvons ces temps-ci, il y a toujours quelque chose qui ne va pas, des couches de pensées non énoncées, de ressentiments indéfinis.

Pari dit :

— C'est fou cette bonne femme ! Elle se voit déjà femme de président.

— Elle ne sera pas pire que la femme d'Ahmadinéjad, dit Homa.

Sa sœur insiste : tous ces gens sont des *amalehs*, des ouvriers. Homa, sans doute énervée par le meeting plat et médiocre auquel nous venons d'assister, réplique que Pari est bien contente de pouvoir faire du *mehmanbazi*, étendre son hospitalité à tous ces *amaleh*. Nous autres nous taisons, attendant et peut-être espérant une grande bagarre qui fermerait le caquet à Pari, mais celle-ci est trop rusée pour se laisser prendre dans cette discussion. De toute façon, qu'est-ce qu'elle pourrait dire ? Il est vrai qu'elle et son mari sont toujours en train de donner des réceptions pour les gens du gouvernement. Elle se contente de faire une grimace à sa sœur et de dire, *vay, tché bad akhlagh !* Comme tu es désagréable !

Et c'est au tour de Kian de me demander ce qui m'est passé par la tête quand j'ai posé cette question stupide sur le *velayate faghih* ou Tutelle du juriste.

— Stupide toi-même, je réplique vertement. Pourquoi est-ce que nous ne devrions pas poser de questions comme celle-là ? Les gens suivent Moussavi, ils risquent leur vie, ils se font tuer et arrêter, est-ce que nous ne devons pas savoir ce qui est important pour lui ?

— On le saura bien assez tôt quand il sera là où nous voulons. En plus, je te rappellerais qu'il est très prudent quand il s'agit d'envoyer les gens manifester. Il est le premier à demander à tout le monde de ne pas prendre de risques inutiles.

— Donc, tu ne veux pas être un *chahid* – un martyr. Tu es quelle sorte de musulman, alors ?

Tout le monde rit et la tension est rompue.

Homa sort la tête par la fenêtre et morigène un groupe de piétons qui se baladent au milieu de la rue comme s'il n'y circulait pas de voitures, puis elle dit qu'elle est bien contente que Kian n'ait pas l'étoffe d'un martyr.

— Sinon il ne serait pas différent de tous ces fanatiques... Mais je n'aime pas ce Moussavi. Je suis contente d'avoir voté pour Karroubi, bien que lui non plus ne soit pas un leader. J'espère qu'un vrai leader apparaîtra un de ces jours, quelqu'un que nous n'attendons pas, qui surprendra tout le monde.

Je dis :

— Quoi ? De l'intérieur de la république islamique ?

Amou Djamchid qui n'a pas dit grand-chose depuis que nous avons quitté la réunion dit que toute personne sera bien si c'est quelqu'un pensant que le nom de notre pays n'a pas besoin de qualificatif.

— Comme tous ces anciens pays communistes qui étaient ou « du peuple » ou « populaires » ou « démocratiques » ou autre. Je trouve toujours suspect qu'on se croie obligé de définir quelque chose d'aussi simple que le nom d'un pays.

Je dis que Karroubi ou quelqu'un d'autre a dit la même chose il y a quelques jours, que l'Iran devrait s'appeler Iran et rien d'autre.

Pari donne une réception ce soir. Je ne sais pas à quelle occasion mais elle en trouvera bien une. Si elle ne trouve rien, elle dira que c'est pour remonter le moral de tout le monde. Ma mère déteste Pari avec passion et déteste encore plus ses réceptions. Je ne connais personne qui aime Pari, même pas sa propre sœur, Homa. L'un des jeux préférés de Pari, c'est de faire la bécasse, comme ça elle peut sortir des remarques cruelles et fielleuses et ensuite prendre un air étonné quand quelqu'un est blessé. « *Eva, tchi goftam* – qu'est-ce que j'ai dit ? » est quelque chose que je l'ai entendue dire des centaines de fois quand quelqu'un réagit à ses paroles acerbes. « *Tcheghadar ehsasati* – mais tu es hypersensible » est une autre de ses phrases préférées.

Comme elle ne lit pas et ne réfléchit pas, elle trouve toujours le raisonnement le plus illogique qui soit. Elle a aussi l'arrogance des gens super huppés et prend un malin plaisir à faire étalage de ses bijoux, ses meubles anciens, ses voyages à l'étranger. Cela dit, elle reçoit merveilleusement. Qu'il s'agisse d'un *sofreh*, le repas spécial donné à l'occasion d'un deuil religieux, d'une invitation pour célébrer les rares fêtes musulmanes ou notre propre *eyd*, le *now rouz*, notre nouvel an qui coïncide avec l'équinoxe du printemps, elle ne ratera jamais une occasion d'accueillir une foule de gens. S'il s'agit d'une occasion religieuse, elle choisit avec un soin tout particulier le mollah qui va diriger la cérémonie. Ça ne peut pas être n'importe quel *akhound chipichou* – prêtre pouilleux, comme les Iraniens appellent les mollahs depuis toujours. En général, elle fait appel à Agha Eslami, un prêtre fort élégant, avec une barbe grise bien soignée et un turban noir indiquant qu'il est *seyyed,* descendant du Prophète. La chemise qui paraît sous son *aba* – ou longue robe – est de la soie la plus fine et ses chaussures, faites sur mesure en Italie, ont l'air aussi souple que des pantoufles. Il porte au doigt une cornaline du plus beau brun dans une monture dont il informe les gens qui l'admirent qu'elle a été dessinée spécialement pour lui à l'étranger.

Pour accueillir ses invités dans son triplex de la tour la plus élevée d'Elahieh, pas loin de chez nous, qui compte neuf chambres à coucher, dix salles de bains et une piscine en plein air sur le toit en terrasse, Pari porte sa Rolex du jour, sertie de diamants bien sûr – elle en a des quantités – et la regarde sans arrêt, agitant le bras pour s'assurer que tout le monde remarque sa montre. Ce qui la concerne est toujours mille fois plus important que ce qui concerne les autres. Elle raconte en détail ses soucis et ses problèmes afin de s'assurer que tout le monde comprenne bien sa nature délicate et les profondes émotions qui la traversent, tellement plus fortes que celles des autres. Nous devons écouter le récit de ses terribles nuits d'insomnie. L'inquiétude permanente que lui causent la situation et l'avenir du pays, infiniment plus profonde que celle de mortels ordinaires comme nous autres, lui donne des migraines, outre ces fameuses insomnies. Bien sûr, elle a une nièce à Paris qui lui envoie régulièrement du Stilnox et une autre parente à Los Angeles qui assure son approvisionnement en Ambien et en Aleve, sinon, comment cette pauvre âme pourrait-elle survivre, elle qui souffre pour nous tous en ces temps difficiles ?

Tout le monde craint la langue acérée de Pari autant que ses commentaires désagréables. Les gens sont aussi impressionnés par sa fortune et évitent tout ce qui pourrait leur valoir de tomber en défaveur et de ne plus être invités à ses fameuses réceptions. Je dois dire qu'elles sont toujours fabuleuses et que même les personnes les plus sophistiquées s'arrangent toujours pour être présentes, ne serait-ce que pour s'ébahir. La nourriture et le décor sortent tout droit de l'imagination des traiteurs et des organisateurs d'événements les plus courus de la ville quand on ne regarde pas à la dépense. Une fois, quand nous et d'autres invités arrivons chez Pari, nous marchons le long d'un chemin créé sur le tapis entre deux rangées de fruits exotiques arrangés avec goût – des mangues, des papayes, des goyaves, des kiwis, des litchees, et aussi des raisins, des nectarines, des kakis, des ananas, des centaines de kilos de fruits décorés avec des orchidées. J'avance aux côtés de ma mère, mon père et amou Djamchid, réservés, comme à l'accoutumée, marchant derrière nous. Je n'ai pas besoin de regarder ma mère pour savoir qu'elle a pâli.

Bien sûr, quand nous arrivons jusqu'à Pari, qui se pavane dans un ensemble doré de Versace, ma mère la complimente sur son *saligheh* – son bon goût –, disant que personne dans tout Téhéran n'aurait pu créer une telle féerie, digne de la meilleure hôtesse de la ville. Je connais suffisamment ma mère pour savoir qu'elle pleure à l'intérieur. Le pire, c'est que Pari le sait aussi.

Ma mère ne déteste pas seulement Pari, et ses réceptions, elle déteste l'insistance qu'elle met dans ses invitations, alors qu'elle-même rend rarement la pareille en venant à nos petites réceptions familiales quand ma mère l'invite. Ce qui se passe, c'est que ma mère téléphone, toujours quelques jours à l'avance, pour demander à Pari et son mari de se joindre à nous, si par exemple Homa et Kian viennent dîner. Mon père secoue la tête avec désapprobation, sachant à l'avance comment les choses vont se dérouler. Pari, comme d'habitude, remercie abondamment puis demande d'une voix innocente pourquoi nous ne faisons pas ce dîner chez elle. Une fois, ma mère, poussée à bout par ce scénario qui se répète, demande, plus tranchante que d'habitude, Pourquoi est-ce que tu dois toujours faire ton *jolous* – attendre que nous venions te rendre hommage, comme en audience royale ? Pourquoi est-ce que pour une fois, ce ne serait pas à toi de faire un effort ?

Pari, mécontente, rétorque :

— Je ne savais pas que tu étais comme ça !

— Que j'étais comment ?

— Eh bien que tu tenais des comptes, que tu calculais qui allait chez qui. Moi je suis une personne simple, je ne fais pas ce genre de calculs. Mais *azizam*, ma chère, ne t'inquiète pas. Je viendrai sans faute. Pas cette fois pourtant. Je pars à Los Angeles après-demain et j'ai à peine le temps d'aller acheter les *soghatis*, les cadeaux que tout le monde attend. Tu sais quelle corvée ça peut être.

Ma mère, qui n'a pas été à l'étranger depuis vingt ans, et encore, à cette occasion, seulement pour passer deux semaines chez des parents à Francfort, se mord les lèvres et dit qu'elle comprend.

Pari continue.

— Mais la prochaine fois, c'est sûr, tu peux compter sur moi. J'adore tes petits dîners, c'est intime, on peut avoir une vraie conversation. Et la nourriture est si goûteuse. Tu as bien raison, tu sais, de ne faire qu'un ou deux plats et de ne pas passer des jours à organiser quelque chose de beaucoup plus *mofassal*, élaboré. Tu devrais m'apprendre comment tu fais.

En deux phrases, elle s'arrange pour se montrer surprise du manque de manières de ma mère, pour dévaloriser nos réunions de famille, nous jeter au visage son troisième voyage à l'étranger cette année et nous montrer en même temps comme elle peut être indulgente et généreuse en promettant de venir la prochaine fois. Mon père a un sourire en coin – il s'en fiche de toute façon –, alors que ma mère ne décolère pas après avoir raccroché. Je ne dis rien parce que, après tout, Pari est la tante de Kian.

Nous sommes aussi apparentés, par une de ces

consanguinités compliquées dont nous autres Iraniens sommes coutumiers et que Khan djoun récite sans sourciller.

— C'est comme ça : Ma mère et la tante de Pari et Homa étaient les enfants de la première femme d'Agha Mozzafar qui avait un fils, Mohammad Vali Mirza dont le grand-père était le demi-frère de la plus jeune fille d'Ahmad Chah et qui a épousé sa cousine Touba Khanom Zangueneh et...

Là, elle m'a complètement perdue. Je me bouche les oreilles avec les mains en riant, Khan djoun, je vous en prie, arrêtez, je ne comprends rien à tout ça !

Dans une ville où les riches sont terriblement riches et les réceptions spectaculaires, on ne sait jamais à quoi s'attendre quand on va chez Pari, sauf que ce sera à chaque fois plus somptueux que la fois précédente. Ses invitations sont souvent à thème. Elle organise des barbecues ou ce qu'elle appelle, avec un accent américain exécrable, des « beach parties » sur la terrasse au bord de la piscine ou des vrais pique-niques où les gens s'installent sur des coussins et mangent des dizaines de sortes de salades, de brochettes grillées, de viandes froides et de pains fantaisie. Pour le *eyd*, notre nouvel an, les arrangements sont éblouissants.

Mais il lui arrive aussi d'avoir une réception simplement pour en avoir une, toujours incroyablement somptueuse. Une fois, elle avait dix tables rondes, chacune de huit personnes, disposées dans la grande salle à manger le long de trois buffets installés dans trois tentes différentes, une rouge, une orange, une verte. Les tentes avaient un pan relevé et retenu par des pompons de soie de la même couleur, et pour voûte un baldaquin de lumières blanches clignotantes. Le décor en lui-même était spectaculaire mais le coup de maître était que chaque tente contenait un buffet avec de la nourriture assortie à sa couleur, servie dans des plats gigantesques et de grands bols en cristal taillé. Ainsi, la tente rouge offrait un buffet entièrement rouge, présenté sur une nappe rouge foncé brodée de motifs dorés avec un magnifique bouquet central fait de roses rouges et de glaïeuls : de l'*albalou polo*, ou riz parsemé de griottes, de l'*eslamboli polo*, du riz teint en rouge avec de la sauce tomate, du rosbif, des tomates en tranches dans un assaisonnement à l'ail, des tomates cerises, des poivrons rouges rôtis, des pyramides de cerises et de fruits des bois – fraises, framboises, des *toute* – ou mûres –, ces fruits servant de décor car le dessert, un repas en soi, arriverait plus tard. Sous la tente orange, tout était orange. La nappe couleur safran tissée de fils d'argent. Le bouquet central composé de tournesols et d'œillets orange – je n'en avais jamais vu de cette couleur –, la nourriture était du *shirin polo*, du *khorech gheymeh* teinté en jaune par le safran, du poulet au curry, de la salade d'oranges et de pistaches, de la salade de carottes et de raisins de Smyrne dorés, des brochettes de veau aussi, colorées au safran, du chutney de pignons de pin et de pommes et bien d'autres plats encore dont je ne me souviens pas. La troisième tente était toute verte avec un bouquet décoratif de feuillages, des fleurs vertes et une profusion d'artichauts miniatures à longue tige. Sur la table il y avait du *sabzi polo* aux herbes, du *koukou*, l'épaisse omelette aux herbes avec des noix et de l'épine-vinette, du *ghormeh sabzi*, la sauce à veau, au persil et à la coriandre à servir sur du magnifique riz basmati long grain préparé à la vapeur, du *dastpitch*, ou pain de viande en tranches, du *khorech esfenadj*, un ragoût aux épinards, et une grande variété de salades. Ah, ces salades ! Et Pari disant à ses invités, comme souvent les hôtesses iraniennes, qu'elle en avait lavé la laitue de ses propres mains, bien que je ne sache pas quelle différence c'est supposé faire. Si on ne peut pas se fier à une armée de cuisiniers et de traiteurs pour laver de la laitue, il ne faut peut-être pas se risquer à goûter la nourriture qu'ils proposent.

Dans une pièce plus petite, un autre buffet était reservé aux hors-d'œuvre. Encore une variété et une quantité somptueuses, autour de montagnes de caviar. À ce jour, je pense que, de la longue série de réceptions inoubliables données par Pari, celle-ci était la plus extraordinaire. Les gens prenaient des photos ou des vidéos sur leurs portables et les envoyaient à des parents ou les mettaient sur YouTube. Comme toujours dans les réceptions de Pari, il y avait tous les alcools – des alcools forts, des vins rouges et blancs, et une grande quantité de ce qu'elle appelait « le meilleur champagne français ». Mais les gens allaient consommer tout cela dans la cuisine, jamais en pleine réception. À part les membres ou les proches du gouvernement se devant de maintenir une apparence vertueuse et sobre, les invités passaient dans la cuisine pour prendre leur dose et ressortaient pour aller au bar des boissons non-alcoolisées avec un air de parfaite innocence alors que tout le monde connaissait le jeu et savait comment le jouer. Les femmes, portant de légères écharpes en mousseline sur la tête et n'ayant ni bras découverts ni décolletés, passaient dans un office à côté de la cuisine pour obtenir leur ration d'alcool. Pour autant que je le sache, il n'y a jamais eu de descente chez Pari, pas seulement parce que son mari avait des connaissances haut placées mais aussi parce que le couple était aussi généreux dans ses pourboires et ses pots-de-vin que prodigue dans son hospitalité. Connaître les bonnes pattes à graisser contribue sérieusement à la tranquillité de l'esprit.

Gita

Je crois ne me souvenir de rien du Téhéran de mon enfance. Après tout, mes parents ont émigré aux États-Unis longtemps avant la révolution, alors que je n'avais que huit ans. Mais ils avaient été élevés dans la vénération de l'Iran, de ses sublimes beautés naturelles, de sa riche histoire. Je me souviens toujours de leur façon d'évoquer avec nostalgie tel ou tel aspect de la vie en Iran. Quand je leur demandais pourquoi ils avaient quitté un pays qu'ils adoraient, ils n'avaient jamais de réponse satisfaisante. Par tradition, ils avaient été plutôt de gauche, ils n'aimaient pas le chah, ils avaient été tout dévoués à Mossadegh qui, ainsi que je l'ai découvert peu à peu, était un vieil aristocrate qui avait gouverné surtout en appliquant la loi martiale les deux fois où il avait été Premier ministre et était bien éloigné de l'image libérale qu'on lui prêtait. Mais aux yeux de mes parents, Mossadegh était un personnage mythique, un ardent partisan de la démocratie, le grand patriote qui avait nationalisé notre pétrole et avait été trahi par le chah et ses comparses américains. Cela me semblait une explication simpliste pour une période bien compliquée de notre histoire dont les acteurs n'étaient pas réductibles à des types bien établis, mais je ne me sentais pas concernée et ne souhaitais pas contrarier mes parents en discutant avec eux. Je me serais fait couper un bras plutôt que de leur dire que Mossadegh pouvait être considéré comme le traître de l'affaire puisque après tout il avait été nommé Premier ministre par le chah et lui devait un minimum de loyauté au lieu de forger des alliances louches dans son dos. Mais les mythes ont la vie dure et nous autres Iraniens sommes passés maîtres pour en créer. Le fait est que dans mon adolescence, mon intérêt pour l'Iran a été grandissant et ne s'est jamais démenti, bien que je n'y sois pas retournée jusqu'à aujourd'hui.

Je m'intéressais entre autres beaucoup à la capitale, Téhéran. Au lycée, j'avais choisi le sujet pour une rédaction que j'avais écrite sur la croissance de la ville durant le siècle dernier et la façon dont elle avait grandi à partir d'un village où les Qadjars avaient choisi au dix-neuvième siècle d'établir leur capitale. Cette rédaction datait d'il y a plus de trente ans. Je n'imaginais pas alors me retrouver un jour ici, dans cette mégapole qui a explosé depuis ce noyau premier pour arriver aujourd'hui à environ dix millions d'habitants. Ces dernières années, de sérieux efforts urbanistiques ont été mis en œuvre pour contrôler l'extension de la capitale iranienne. Les Téhéranais sont à présent trop nombreux pour pouvoir continuer à vivre la vie traditionnelle d'autrefois dans des maisons individuelles avec chacune leur jardin protégé par de hauts murs, on voit donc de nombreuses tours s'élever le long de la magnifique chaîne de montagnes au nord de la ville. Là où il n'y en avait, il y a peu encore, me dit-on, que quelques-unes, on en dénombre à présent des centaines et des centaines. L'expression « expansion urbaine » pourrait avoir été créée pour caractériser Téhéran. Ajouté aux tours, il y a ce qui a commencé par être des quartiers de banlieue pour faire à présent partie du tissu urbain, les *chahrak*, ou petites villes qui poussent du jour au lendemain sur la terre aride, à la planification hybride souvent peu adaptée au climat du plateau iranien, et un chassé-croisé d'autoroutes, avec une circulation roulant au pas au milieu d'une cacophonie de klaxons jusqu'au centre d'affaires, au quartier du gouvernement et des universités, la ville proprement dite, laissant au nord les luxueuses demeures de Chemiran pour passer par des centres commerciaux, des restaurants, des cafés internet et des magasins de détail ainsi que des musées et des galeries, des théâtres et des cinémas. L'ensemble parvient à une sorte d'harmonie et acquiert même sa propre personnalité. Les Téhéranais se souviennent avec affection d'un maire récent, Karbastchi, qui utilisa son mandat de six ans à embellir la ville, la nettoyant, élargissant les avenues principales et ajoutant autant d'espaces verts et de parcs que possible. Ses efforts s'étaient même étendus jusqu'aux quartiers moins favorisés du sud de Téhéran et même au-delà, à un fouillis de ruelles et de maisons traditionnelles modestes. Malheureusement, la criminalité est élevée dans ces quartiers, avec des milliers de prostituées souvent à peine sorties de l'adolescence, des fugueurs, des drogués, et les bidonvilles, remplis de ceux qui ont dégringolé depuis les échelons les plus bas de la société, se sont étendus de manière anarchique. Malgré sa taille, la variété de ses quartiers et sa grande quantité d'activités culturelles, Téhéran n'est pas considéré comme une ville attrayante. Mais le miracle de la nuit la transforme, surtout vue d'avion, en un véritable tapis magique de lumières.

Je ne peux pas dire que j'ai trouvé quoi que ce soit dans ce grand amalgame qui ressemble, même de loin, à ce qui causait un tel enthousiasme chez mes parents. La seule chose qui ne m'ait pas déçue est l'avenue Vali Asr, autrefois appelée Pahlavi, l'avenue préférée de mes parents et des Téhéranais en général. D'une longueur impressionnante de plus de quinze kilomètres, elle s'étend depuis la gare centrale dans le sud de Téhéran jusqu'à Tadjriche, qui se trouve au nord, au pied de la chaîne de montagnes de l'Elbourz. À l'époque de mes parents, les grandes montagnes dénudées étaient une destination lointaine, s'élevant toujours dans une sorte de lumière estompée. À présent que la ville s'étend jusqu'à leur pied et que la population a éclaté, Vali Asr est aussi embouteillée que les autoroutes. Là comme partout ailleurs, les gens sont bloqués dans des bouchons épouvantables et il faut des heures, ainsi que des nerfs d'acier, pour arriver à destination. Au-delà de la place Vanak commence la partie plus huppée de Vali Asr, avec des boutiques et des cafés remplis de la jeunesse branchée de Téhéran.

Bien que j'aie déjà passé presque deux mois dans la capitale, tout est encore assez nouveau pour que je regarde autour de moi avec des yeux neufs et mur-mure parfois à l'intention de mes parents, tous deux morts depuis longtemps, que je me trouve dans leur cher Téhéran, que je suis en voiture sur leur chère avenue Pahlavi, roulant vers leurs chères montagnes. Auraient-ils dû laisser tout ceci derrière eux ? Vaut-il mieux supporter une vie difficile sous un régime que l'on méprise et rester dans son propre pays ou bien partir et passer le reste de sa vie à en garder la nostalgie et comparer sans fin le neuf avec le vieux, trouvant toujours le neuf en deçà de ses attentes ?

Raha

J'hésite quelques jours après que Hossein est venu à mon secours, puis décide qu'il est tout de même temps de le remercier personnellement, je l'appelle donc et suggère qu'on se rencontre dans un café sur Vali Asr. J'espère qu'il ne sera pas choqué. Je n'y réfléchirais pas à deux fois s'il s'agissait d'appeler un des *batchéha* pour lui proposer qu'on se retrouve, mais c'est différent avec quelqu'un comme Hossein. Au téléphone, il m'a l'air assez timide mais me dit qu'il viendra après le travail.

Hossein

Agha Chahrvandi m'a donné ma soirée et autorisé à utiliser un des SUV. Je laisse donc ma moto au *sepah* et suis encore en uniforme quand je me gare sur Vali Asr, devant l'endroit où Raha a dit qu'elle me rencontrerait et qu'elle appelle un « coffee shop. » Nous arrivons tous les deux en même temps. Elle m'accueille par un *salam* et s'apprête à me tendre la main puis la retire en jetant un coup d'œil autour d'elle pour s'assurer qu'on ne l'a pas vue. Je fais semblant de ne pas le remarquer. Comme je suis gêné, je ne sais pas trop quoi faire et j'hésite jusqu'à ce qu'elle me demande pourquoi je la fixe comme ça, ce que je faisais sans m'en rendre compte. Je marmonne quelque chose et nous entrons, et maintenant c'est au tour des gens à l'intérieur de me regarder, se disant peut-être que je suis là pour causer des problèmes. Un couple se lève et part mais il est possible qu'il ait été sur le point de partir de toute façon. Je ne suis jamais allé dans un « coffee shop », sinon je ne serais pas resté en uniforme.

Nous nous asseyons à une table de coin, loin de la fenêtre. Raha commande un cappuccino. Je lui demande ce que c'est et elle me dit que c'est du café fort avec du lait mousseux mais je dis que je préfère un thé. Nous commandons aussi deux *chirini* qu'elle appelle cookies. Je m'excuse auprès de Raha de ne pas m'être changé et dis que je voulais passer chez moi pour me mettre en civil mais que nous avons eu beaucoup à faire depuis le matin.

— Tu aurais pu appeler et venir plus tard, dit-elle.

— Pardon. On peut partir si ça te dérange d'être vu avec moi.

— Ne t'en fais pas, les gens s'habitueront.

Voilà que je recommence à la fixer. Je n'ai jamais vu un sourire pareil. C'est comme si on éclairait son visage avec une lampe. Elle me regarde droit dans les yeux et dit, *khob, tché adjab*, comme si elle disait, oh, la bonne surprise, on devrait faire ça plus souvent, mais en fait je n'ai aucune idée de ce que quelqu'un comme elle pense. Je sais que je dois dire quelque chose.

— Je n'ai pas l'habitude de ce genre de situation, je dis. Être avec une *dokhtar khanom* – une jeune fille – avec qui je n'ai aucun lien de parenté.

Elle a l'air de trouver ça drôle et rit.

Je corrige ce que j'avais dit.

— Ni aucune *dokhtar khanom*.

— Tu n'as pas de sœurs ?

— Non, seulement un frère.

— Et pas de cousines ?

Je dis encore non. Un couple quelques tables plus loin nous dévisage et détourne le regard quand il s'aperçoit que nous nous en sommes rendu compte. Je m'excuse à nouveau auprès de Raha de porter mon uniforme et elle me demande combien de fois je vais dire la même chose alors je dis encore que je m'excuse, je veux dire que je m'excuse de dire la même chose. Puis je dis que je ne suis jamais venu ici ni dans aucun endroit semblable et que je n'avais même pas remarqué ce café, bien que je passe souvent dans cette avenue. Raha jette un coup d'œil à un autre client qui s'est à moitié retourné pour nous regarder. Elle dit :

— Ils doivent penser que ça te donne un sentiment de puissance de porter cet uniforme. Est-ce que c'est le cas ?

— Je ne crois pas. Mais je sais que ça me rend différent pour les gens. Quand ils voient mon uniforme, je deviens l'ennemi.

Je me sens idiot dès que j'ai dit cela. Je n'ai pas à m'excuser d'être un révolutionnaire. Agha Chahrvandi nous dit souvent que nous sommes le ciment qui maintient la république islamique.

— Tu n'aimes pas sentir que tu as du pouvoir ?

Je lui réponds que d'abord, je n'ai aucun pouvoir et ensuite que je ne voudrais pas en avoir parce que je n'aime pas ce que le pouvoir fait aux gens. Raha ne dit rien, puis regarde par-dessus mon épaule le bout d'avenue qu'elle peut voir depuis notre table.

— C'est mon avenue préférée dans tout Téhéran, dit-elle.

— Vali Asr ?

— Oui. Mes parents me disent que ça a toujours été l'avenue préférée de tout le monde. Elle est si ancienne, elle date peut-être d'il y a plus de cent ans. Certains de ces *tchénars* – platanes – ont été plantés il y a longtemps. Cette avenue existait même quand Téhéran était beaucoup plus petit.

— Quand est-ce que Téhéran était petit ? Ce doit être une des plus grandes villes du monde.

— En fait, dit-elle, autrefois, c'était un village près d'une autre petite ville qui s'appelait Rey. Puis la dynastie des

Qadjars l'a choisie comme capitale. La ville s'est étendue, est devenue de plus en plus grande. Mes parents
me racontent parfois comment c'était autrefois, quand
ils étaient jeunes, bien avant la révolution. Il y avait des
koutché baghi – de longues rues tortueuses avec de grands
jardins des deux côtés –, des vieilles maisons.

— Tu sais tout ça par tes parents ?

— Oui mais aussi parce que je l'étudie à l'université.
J'ai toute une collection de livres de l'époque. Je suis
étudiante en architecture. Je n'ai pas encore décidé en
quoi je vais me spécialiser mais ce sera sans doute dans
le *chahrsazi* – l'urbanisme.

Nous restons silencieux. J'attends qu'elle parle, elle,
parce que je ne sais pas ce qui l'intéresserait. Puis elle
dit qu'elle voulait me voir pour me remercier de l'avoir
aidée l'autre jour.

— Pourquoi est-ce que tu crois devoir me remercier ?
Je n'ai rien fait de spécial.

De sa main, elle touche légèrement la mienne qui est
sur la table. Je ne peux pas croire qu'elle fasse quelque
chose d'aussi osé et retire ma main. J'ai souvent entendu
dire que ces gosses de riches ne sont pas élevés avec les
mêmes principes que nous autres. Mais je m'étonne moi-
même que ça ne me gêne pas trop, et je ne pense pas du
tout de mal de Raha. En fait, je ne la trouve même pas
effrontée, juste différente de ce à quoi je suis habitué,
mais je suis sûr que si un des *bare batchéha*, les gens avec
qui je travaille, se trouvait à ma place, il éprouverait du
désir sexuel. Moi, je ne sens rien de semblable, simplement
quelque chose de léger dans le cœur. Raha ne semble pas
m'en vouloir que j'aie retiré ma main. Je sens que son
geste était amical, rien de plus.

— Tu sais quand même que tu m'as sauvé la vie.

— Pas du tout. Tes amis t'auraient trouvée.

Elle secoue la tête, son foulard est si peu serré que j'ai peur qu'il glisse tout à fait. J'ai envie de lui dire de le remonter mais ne peux pas me décider à le faire.

Elle dit :

— Je dois aussi m'excuser pour mon père quand il a... tu sais, quand il a voulu te donner quelque chose. Il n'a pas réfléchi. Non, disons plutôt qu'il pense comme autrefois.

Ma colère de l'autre jour remonte.

— Ça n'a rien à voir avec autrefois. Les gens comme ton père pensent qu'ils peuvent tout acheter. Il a considéré ce que j'avais fait comme un service et a pensé que j'attendais un pourboire.

— Je sais, je suis désolée. N'y pense plus. Pourquoi est-ce que tu ne manges pas ton *chirini* ?

Je prends une bouchée mais j'avais commandé le cookie pour lui faire plaisir, je n'ai pas faim. En plus, je ne suis pas à l'aise, les gens sont trop conscients de ma présence.

— Je dois partir, je dis.

— Reste un peu, parle-moi de toi.

Il me reste un fond de colère de m'être souvenu de l'action insultante de son père l'autre soir.

— Tu veux savoir quel genre de *djanevar* – d'animal – je suis, c'est ça ? Tu n'as jamais rencontré quelqu'un appartenant à ma classe sociale ?

— Ne te fâche pas, ce n'est pas du tout ce que je voulais dire. On ne parlera pas de toi si tu ne veux pas.

La seule chose qui me vient à l'esprit c'est de lui dire que je ne serai jamais fâché contre elle. Il y a à nouveau un silence entre nous puis elle me demande, comme ça, quel genre de films j'aime. Sa question me surprend, le cinéma étant la dernière chose à laquelle je pense.

— Je ne vais pas au cinéma. J'appartiens à une famille traditionnelle, très pratiquante. Depuis que je suis tout enfant, à Abadan, on m'a appris que si j'aimais Dieu je n'irais jamais au cinéma. Mais on m'emmenait toujours voir le *ta'zieh*, les représentations religieuses pendant le mois de deuil de *moharram*.

Raha frappe dans ses mains, enchantée.

— C'est vrai ? J'ai toujours entendu parler du *ta'zieh* mais je n'en ai jamais vu.

— Le nôtre était très simple. Nous n'avions pas de beaux décors ou de vrais chevaux ni rien de ce genre. C'était juste les gens du quartier qui se déguisaient avec les mêmes costumes tous les ans et donnaient les représentations.

Elle me demande de lui parler des histoires représentées. Elle semble ne rien connaître du martyre de l'Imam Hossein ou du massacre de sa famille par le traître Yazid. Je trouve ça étonnant mais raconte, me sentant mieux de pouvoir parler de quelque chose que je connais et pas elle.

— Yazid était l'assassin de l'Imam Hossein ? elle me demande.

— Mais tu dois savoir ça, je réponds, choqué qu'elle n'ait même pas l'air de trouver ça important, alors que je suis au bord des larmes rien qu'à me souvenir de ces pauvres victimes innocentes immolées dans le désert près de Karbéla en Irak.

— Tiens, je vais te raconter une histoire là-dessus, dis-je. Le type qui jouait le rôle de Yazid dans notre quartier d'Abadan était l'épicier du coin de la rue. C'était un brave homme, très pieux. Il appartenait à une famille connue de commerçants du bazar, il aidait les pauvres, il versait ses *khoms-o-zakat* – sa dîme – à la mosquée. Mais après *Tassoua* et *Achoura*, les jours de deuil religieux et de commémoration, pendant des mois et des mois il n'était plus Hadj Agha Esmaïl l'épicier mais Yazid, et les gens lui battaient froid. Il arrivait qu'on ne lui rende pas son salut et qu'on fasse semblant de ne pas le voir.

Raha éclate de rire si fort que les gens se retournent pour la regarder. Ils doivent penser que je suis un *sepahi* plein d'humour qui raconte bien les blagues. En fait, j'ai déjà oublié Imam Hossein et Karbéla et Agha Esmaïl l'épicier, fasciné que je suis par les dents de Raha, me demandant si elles peuvent être naturellement si petites et si blanches et si bien alignées ou si c'est encore un de ces trucs auxquels les gens riches ont accès et pour lesquelles il leur suffit de mettre le prix.

— Tu ne trouves pas ça drôle ? me demande-t-elle, voyant que je n'ai fait que sourire brièvement.

— Si, bien sûr. C'est pour ça que je t'ai raconté l'histoire. Mais aussi, d'un autre côté, non, je ne trouve pas ça drôle. Les gens ne voient que ce qu'ils veulent voir. Ils ne sont même pas capables de séparer un acteur de son rôle. C'est comme avec moi. Parce que je porte cet uniforme, je suis un *sepahi*, et rien que pour ça, je n'existe pas en tant que personne. C'était pareil avec Agha Esmaïl.

Elle me demande encore :

— Alors, comme ça, tu n'as jamais vu de film ?

— Mais si. J'ai vu des films éducatifs à l'école. Tu sais, sur la bonne hygiène, ou comment construire des stations d'essence ou des camions avec des Lego. Après, quand j'ai suivi des formations, on nous montrait des documentaires sur les machines agricoles, sur l'irrigation, des briqueteries, des choses comme ça.

— Tout ça m'a l'air passionnant, dit-elle, l'air sérieux.

— Tu te moques de moi ?

— En fait, oui, c'est la chose la plus barbante que j'aie jamais entendue. Bon, mais tu vois quand même la télé chez toi.

— Eh bien, non. Mon frère aîné Mortéza ne l'autoriserait pas. C'est un martyr vivant, il a perdu ses deux jambes pendant la guerre avec l'Irak.

— Je suis désolée.

— Ne sois pas désolée. C'est une vieille histoire. Il s'y est habitué. Je ne pense pas qu'il se souvienne comment c'était d'avoir des jambes. Mortéza est très pieux, il n'autoriserait jamais qu'on ait la télé. Je l'ai bien suggéré une ou deux fois mais il dit qu'il n'y a rien à voir de toute façon.

— Si, tout de même, si on a une antenne parabolique.

Cette conversation me dérange. Je suis à peu près certain que Raha ne me juge pas de ne pas être comme elle – j'ai l'impression qu'elle a bon cœur –, mais ce que je lui raconte doit la rendre encore plus consciente de tout ce qui nous sépare. Je continue pourtant.

— Nous n'aurions sûrement pas ça, donc ce serait IRIB toute la journée et nous devrions écouter toutes ces discussions. Avec Mortéza, tout est *haram* – interdit. Je n'ose même pas me demander ce qu'il dirait s'il me voyait là, assis avec toi. Il me tuerait.

Une mouche est sur le point de se poser sur son assiette. Je l'écarte et remarque le regard qu'elle jette sur ma main. Je sais que j'ai les articulations épaisses d'un travailleur manuel. Je n'en ai pas honte, j'ai travaillé à la ferme jusqu'à ce que nous venions à Téhéran et je gagnais bien ma vie. En fait, je préférais ça de loin à ce que je fais maintenant dans ce boulot que j'ai accepté parce que Agha Chahrvandi a eu l'obligeance de me faire engager dans les Gardiens et qu'il n'y avait pas moyen de refuser. Ma mère ne fait que me répéter combien son cœur déborde de joie que j'aie mérité l'intérêt de son cher frère et mon propre frère Mortéza était d'accord donc lui et moi nous sommes installés à Téhéran bien que cela ait signifié laisser notre mère seule. Je n'entre pas dans tous ces détails avec Raha mais comme j'ai mentionné Mortéza, j'ajoute :

— Il ne comprendrait pas que je te vois comme une sœur.

— Même si tu lui disais que tu m'as sauvé la vie ?

Je n'aime pas qu'elle dise ça. Je ne vois pas les choses comme ça, pas du tout.

— Ne dis pas ça. Tu ne me dois rien du tout. Laisse-moi te dire, je ne veux jamais rien devoir à personne ni que personne me doive rien. Autrefois, je pensais que c'était bien d'aider les gens ou de demander de l'aide quand on en avait besoin, que ça créait un lien, que ça les rendait proches. Mais j'ai appris que ce n'est pas vrai du tout, que c'est artificiel.

Raha attend des explications.

— J'avais un oncle, un autre frère de ma mère, que j'adorais quand j'étais petit, quand j'avais trois, quatre ans. Je ne me souviens pas de lui mais on m'a souvent raconté son histoire. Il était devenu – j'ai honte de le dire – membre des Modjahedin Khalgh. Il a été arrêté, torturé, et condamné à mort. Ils ont appelé son père, c'est-à-dire mon grand-père, pour qu'il aille en prison voir son fils qui allait être exécuté le lendemain. Il était jeune, mon oncle, il avait peut-être vingt ans. Quand on l'a amené pour dire au revoir à son père, il a glissé en avant sur ses genoux autour desquels il avait attaché des sacs en plastique pour pouvoir avancer parce que ses jambes avaient été brisées sous la torture et il ne pouvait pas marcher. Il a mis sa tête sur les genoux de son père et ils ont pleuré ensemble. Son père lui a donné un de ces petits corans de la taille d'un doigt. Mon grand-père avait toujours aidé tout le monde dans son quartier. Il intervenait pour que les gens se réconcilient quand ils se disputaient, il aidait les pauvres qui savaient qu'il y avait toujours un repas qui les attendait quand on frappait à sa porte, il s'assurait que les affaires entre les gens qu'il connaissait étaient menées honnêtement et que personne ne trichait, et il faisait tout ça sans jamais rien demander pour lui-même. Il aimait aider, il arrangeait même des mariages entre les jeunes de familles bien assorties. Ma mère disait que pour son père, la plus grande force qu'on pouvait avoir était d'aider les gens à vivre en paix les uns avec les autres, que ça avait plus de valeur que de l'argent en banque. Mais quand son fils, c'est-à-dire mon oncle, était en prison, il a essayé d'obtenir l'intervention de gens haut placés, des gens qu'il avait aidés et qui avaient maintenant un poste officiel. Ceux qui répondaient disaient qu'ils ne pouvaient rien faire et la plupart ne répondaient même pas. Après l'exécution de mon oncle, mon grand-père n'avait plus personne sauf sa famille proche. Tous ces gens qui étaient venus vers lui pendant des années, la main sur le cœur, jurant qu'il était leur seul espoir, Hadji, fais ceci pour moi et nous te serons redevables toute notre vie, ils avaient tous disparu. Mon grand-père n'a vécu qu'un ou deux ans après cela. Chaque fois que ma mère me raconte cette histoire, je dis que je ne veux jamais que quelqu'un me doive quelque chose.

Raha me sourit. Je ne sais pas ce qu'il y a de différent dans son sourire, mais il ne ressemble à celui de personne.

— Je ne savais pas que tu pouvais tant parler, Hossein djoun.

Mon verre de thé est vide, sinon je pourrais boire une gorgée pour me donner une contenance. Là, je le fais tourner entre mes doigts jusqu'à ce que je surmonte le choc que ça a été de l'entendre m'appeler Hossein djoun.

— C'est que je n'ai pas souvent l'occasion de parler avec quelqu'un comme toi. Tu es une fille *fahmideh* – intelligente.

Juste quand elle va répondre, son téléphone sonne. Elle fait une moue pour s'excuser et répond.

« Oh, d'accord, dit-elle. Je ne savais pas que tu venais chez nous. Je suis à notre *patogh*, l'endroit habituel. Non, Atossa était prise, je suis avec Hossein. Oui, le *sepahi*. On peut parler plus tard ? »

Elle remet le portable dans son sac et me dit que c'était Kian. Je dis, Ah, ton frère, et elle répond que non, Kian est son fiancé. J'aurais dû comprendre qu'il n'était pas son frère.

C'est mon portable qui sonne maintenant. On m'appelle depuis le *sepah*. Je leur dis qu'il me faut le temps d'arriver jusqu'à Vanak. J'insiste pour payer et nous sortons. Dehors, le vacarme de la circulation est assourdissant, avec des voitures de police, des voitures du *sepah*, des véhicules privés dont les conducteurs tentent de zigzaguer à travers le désordre – je ne vois pas comment – et quelques modèles récents, brillants, étrangers, sans doute des *sefr kilometr* – achetés neufs avec l'odomètre à zéro.

Je demande à Raha si elle veut suivre ma voiture, non que cela l'aidera à arriver plus vite à destination mais ça me permettra au moins de m'assurer que les choses se passent bien. En fait elle va vers le nord alors que moi je repars dans l'autre direction. Elle me remercie et nous nous séparons.

Raha

Nous revenons du *chahrake gharb* où nous sommes allés rendre visite à l'un des vieux membres de la famille du côté de mon père – mes parents avaient insisté pour que j'aille avec eux, se plaignant que je ne les accompagnais jamais nulle part ; donc j'y suis allée et je me suis ennuyée et j'ai été obligée de manger des choux à la crème, qui font grossir, et d'entendre encore une fois l'histoire de ce qui m'est arrivée à cinq ans, quand j'étais tombée dans le bassin de leur ancienne maison sur Adjoudanieh et comment Banou qui ne savait pas nager avait quand même sauté à l'eau pour me sauver et avait failli se noyer elle-même et comment on nous avait tirées de l'eau toutes les deux. Jusqu'au jour de ma mort ou celle de ce vieux parent, je resterai figée dans cette histoire et demeurerai l'enfant que j'étais à cet âge.

Bref, sur le chemin du retour, nous trouvons encore une fois une rue bloquée avec des cônes en plastique. Trois *lebass chakhsi*, des *bassidji* en civil, nous font signe de reculer, comme si la rue leur appartenait et que personne d'autre n'avait le droit de s'y trouver. Ils ne daignent même pas nous jeter un coup d'œil et ont une expression à la fois indifférente et arrogante, nous traitant comme des sous-êtres ne méritant même pas un regard ou quelques mots.

— *Khak bar sare bassidj*, je déteste ces *bassidji*, dit mon père en faisant marche arrière avec la Range Rover et demi-tour devant une entrée de garage.

Moi aussi. Ils sont partout. Et comment savoir qui ils sont ? Ils se font tous appeler *sepahi* et font partie des *nirouye entezami* – forces de sécurité –, ces bonshommes en civil qui prennent la loi entre leurs mains et donnent des ordres aux gens. Qui oserait leur demander de prouver qu'ils sont ce qu'ils disent être ou d'où ils tiennent leur autorité ? Leur demander de prouver leur identité ? Je sais que mon père ne le ferait jamais, pas en mille ans. Donc nous devons accepter les ordres de ces types qui trimballent des gourdins et n'hésitent pas à les utiliser pour frapper les gens, les abattre sur les crânes des manifestants. Presque tout le sang que nous voyons ces jours-ci provient de ce genre de blessures, de gens qui tombent à terre aveuglés par le sang qui ruisselle sur leur visage. Parfois, pourtant, les choses vont dans l'autre sens. Avant-hier, le jour où Kian ne pouvait pas venir, j'étais avec Atossa et Bardia près de Vanak. Il y avait de petits groupes de manifestants, rien de très organisé, des gens qui traînaient par-là, sans plus, se regroupant de temps en temps pour crier un ou deux slogans. Quelques policiers des forces antiémeutes passaient en moto, criant aux gens dans un mégaphone de se disperser et de partir. Tout d'un coup, un groupe de manifestants fonce sur eux, les force à descendre de moto et commence à les frapper. Je dois dire que les *batchéha* n'ont pas utilisé de matraques mais donné des coups de poing et peut-être un ou deux coups de pied. J'étais hor-rifiée mais aussi contente et en même temps honteuse de l'être. Ces gars méritaient une correction. Deux d'entre eux se sont enfui, les deux autres, avec leurs boucliers et leurs casques tombés à côté d'eux, étaient au sol, hurlant des insultes. L'un avait le sourcil fendu, l'autre la lèvre. Je suis restée plus loin, ne voulant voir ni le sang ni la violence mais en fait ce n'était pas vraiment violent. Les *batchéha* se sont mis à crier contre un des leurs qui avait la main levée pour frapper encore les types, *velech kon, velech kon*, laisse-les ! Ensuite ils ont aidé les deux policiers à se relever. Bardia qui était près du groupe dit, *batchéha*, allez les gars, on les emmène à l'hôpital, mais les policiers ont passé une main sur leurs uniformes en désordre, un mouchoir sur leur visage et sont partis en boitillant et jurant, Fils de putes, on sait où vous trouver.

Donc les manifestants ne sont pas les seuls à recevoir des raclées, c'est arrivé aussi plus d'une fois aux autres. J'ai vu quelque chose de semblable en passant hier par Vali Asr. De petits groupes tenaient des panneaux sur lesquels il y avait des slogans genre « Où est mon vote ? ». Des *nirouye entézami*, encore une fois des forces antiémeutes en tenue de combat, se tenaient sur le côté. Tout à coup, un grand groupe les a attaqués, leur a arraché leurs boucliers et s'est mis à les frapper, mais la police est arrivée tout de suite et a mis fin à la bagarre. Nous avons été bloqués dans la circulation un bon bout de temps mais, pour autant que j'aie pu le voir, personne n'a été arrêté.

Il y a plein d'histoires comme ça. L'autre jour, Marjan et Pejman ont vu un *bassidji* tirer – leurs armes sont, paraît-il, des colts Beretta, comme si je pouvais distinguer la différence. Bien qu'il n'ait touché personne, les manifestants lui hurlent des insultes. Une pierre le frappe à la tête et il reste là à saigner, portant la main à la tête, tout étourdi. Immédiatement, les manifestants l'entourent, forment un cordon autour de lui, et se retournent en levant les mains pour empêcher les autres qui veulent l'attraper et le frapper d'approcher. Il y a du désordre, des cris de *nazanin*, ne frappez pas. Pejman s'approche et voit le gars assis sur le rebord en pierre devant les barreaux, tenant un mouchoir contre sa blessure, un ou deux manifestants lui demandant si ça va, s'il a une voiture ou une moto ou s'il veut qu'on l'emmène à l'hôpital le plus proche. Pejman dit que les gens avaient l'air si attentionné qu'on aurait dit qu'ils aidaient un parent ou leur ami le plus proche.

Il y a aussi des moments marrants. Dans l'une des manifs, nous enjambons une petite flaque de sang. Bardia y passe les mains puis sautille sur place en mimant la souffrance, agitant ses mains ensanglantées au-dessus de sa tête, pleurnichant et gémissant, *naneh djoun*, ma pauvre mère, je suis un martyr, regardez ce qu'ils m'ont fait ! Je ris si fort que je crois mourir et les autres aussi hurlent de rire. Plus nous rions et plus Bardia exagère, se comportant comme un cinglé, exécutant un moonwalk, faisant semblant de se frapper la tête contre un poteau téléphonique, se jetant à terre, agité de soubresauts comme dans une crise d'épilepsie. Il est hilarant et imite à la perfection les pleureurs hystériques et théâtraux toujours en train de hurler qu'ils sont victimes de tel ou tel ogre.

Quand j'arrive à la maison le soir, je vois que Gita est là à dîner ainsi que Kian et sa mère. Mon père a commandé du chinois dans un restaurant proche. Ma mère est trop fatiguée et trop déprimée ces jours-ci par tout ce qui arrive pour passer du temps à la cuisine. Mon père aide, comme toujours, mais il serait incapable de préparer un repas tout seul.

Compensant le fait qu'elle néglige la cuisine, ma mère a

fait un effort pour mettre un joli couvert et des bouquets sur la table de la salle à manger et dans le living. Je lui dis que je vais chercher mon appareil pour faire des photos, ce qui la fait sourire de ce petit demi-sourire triste qu'elle a ces jours-ci. C'est agaçant que rien, même un compliment, ne lui fasse plaisir, pas un seul instant. Quand je passe le bol de pistaches, je mets deux doigts sur son front où les rides s'approfondissent de jour en jour et lui dis, *akhm nakon* – ne fronce pas les sourcils.

Amou Djamchid demande à Gita dans quel sens elle voit évoluer la situation. J'aime bien sa façon de voir, elle a un point de vue différent, celui d'un observateur objectif. Là, elle dit que c'est incroyable de voir le *rou*, le toupet de ce gouvernement qui décrit comme contre-révolutionnaires des actions qui sont en fait le propre même de forces démocratiques dont le but n'est en aucun cas un changement de régime mais simplement le souhait de voir plus de légalité dans les procédures d'administration du pays. Elle cite une phrase qui me plaît, disant qu'elle ne sait plus où elle l'a entendue : *Kouchech baraye esteghrare democrasi djorm nist* – tenter d'établir une démocratie n'est pas un délit.

Elle dit :

— Je veux croire que maintenant qu'Ahmadinéjad et ses alliés conservateurs se sont montrés pour ce qu'ils sont, ils seront écartés dans quelques mois, sinon le ressentiment et la colère des gens vont augmenter et créer davantage de problèmes pour la république islamique.

— Ils pourront toujours se rabattre sur Rafsandjani, dit mon père. C'est un salaud mais il a tous ses pions bien placés sur l'échiquier et il reste l'homme le plus puissant du pays. Vous pouvez être sûrs que même le fait qu'il s'engage directement contre le Guide suprême aux côtés des réformistes fait partie d'une stratégie bien précise.

Amou Djamchid dit, comme il le fait souvent ces jours-ci :

— Les jours de la république islamique sont comptés.

Je ne sais pas s'il croit à ce qu'il dit ou si plutôt il veut y croire.

Puis Gita fait une remarque, je ne sais plus laquelle, qui donne à amou Djamchid l'occasion de partir encore une fois dans une digression sur les caractéristiques des Iraniens, faisant soupirer ma mère et amenant mon père à dire à son frère de laisser Gita poursuivre, mais il en faudrait plus que cela pour l'arrêter.

— Nous sommes des gens si superficiels, dit-il. Les apparences, c'est tout ce qui compte. Nous nous enthousiasmons pour quelque chose, puis nous nous en désintéressons. Regardez ce qui est arrivé avec Moussavi. C'est devenu la mode du jour de sortir et de critiquer le système, donc tout le monde s'y est mis. Ça me rappelle la blague qu'on racontait au début de la révolution quand une gamine mignonne racontait à une autre gamine qu'elle n'avait jamais été arrêtée et envoyée à la prison d'Evin et que l'autre la snobait en disant, *Eva, tché omol !* Qu'est-ce que tu es ringarde !

Gita dit :

— Tu crois vraiment que ces gens courageux que nous avons vus qui sont descendus dans la rue pour protester contre des élections truquées le faisaient pour se montrer comme étant ceci ou cela ou pour imiter tous les autres qui faisaient la même chose ?

— Quelque chose comme ça, dit amou Djamchid, mais Gita n'a pas l'air convaincue. En général, elle écoute avec attention, pas comme la plupart des gens qui font semblant d'écouter et en fait n'attendent que l'occasion d'interrompre et de dire ce que eux pensent, et comment pouvez-vous dire ce que vous dites alors qu'eux en savent dix fois plus long ? Comme ceux qui vous demandent comment vous allez, vous dites bien et ils s'exclament, *Khoch be halat* – tu en as de la chance ! Si tu savais ce qui m'arrive ! Et si vous ne dites pas que ça va mais au contraire que ça ne va pas, ils vous expliquent en long et en large pourquoi c'est bien pire pour eux. C'est pareil pour le pays ces jours-ci. Dès que quelqu'un parle d'espoir pour l'avenir, les gens disent, *khoch be halat*, tu en as de la chance de voir les choses comme ça. Et si vous vous montrez pessimiste, ils vous disent qu'en fait les choses sont encore bien pires que vous n'imaginez. Et ils ont toujours toutes ces sources anonymes et secrètes qui leur donnent un tas d'informations que personne d'autre ne possède. Mon oncle, lui, continue à s'étendre sur le fait que nous sommes toujours préoccupés par les apparences, l'impression que nous faisons, le paraître plutôt que l'être, et que nous avons perdu notre âme il y a longtemps.

— Tu ne peux pas croire ça, dit Gita. Les Iraniens sont hautement intelligents et hautement sophistiqués. Je ne parle pas d'un fermier de Roudbar (bien que lui aussi ait sa propre sagesse et une connaissance acquise de ce qu'il a besoin de savoir), mais en général. Regarde un peu la façon dont nous nous sommes comportés à travers notre histoire, comment nous avons conquis nos conquérants par la patience, la stratégie, en menant notre jeu avec sagesse, avec pragmatisme. Nous usons les gens.

Amou Djamchid répond :

— Mais il faut voir le revers de la médaille, non ? Si on

veut conquérir un conquérant, il faut aussi savoir mentir, flatter, manipuler. C'est tellement ancré en nous que…

— Je ne sais pas. Je crois que ce qui se passe aujourd'hui démontre le contraire. Le courage des gens est admirable, leur volonté de se faire entendre, d'être partie prenante dans l'avenir du pays. Je ne peux pas te dire à quel point j'admire cette attitude. Je ne pensais jamais trouver quelque chose de semblable en venant ici.

Nasrine entre dans la conversation.

— Bon, n'oublions pas qu'ils ont fait la même chose il y a trente ans.

— Ce n'était pas la même chose, dit Gita. Je suis désolée de te contredire. Khomeyni n'a fait qu'exploiter l'hystérie collective, le fanatisme. Il n'y avait aucune réflexion, le processus n'était pas digne comme il l'est aujourd'hui. Les masses vociférantes de cette époque ne suscitent aucune admiration. Elles étaient remplies de haine et tout ce qu'elles voulaient, c'était tuer ou être tuées. Regarde combien les foules sont différentes aujourd'hui. Les gens s'expriment admirablement, ils sont éduqués et aussi totalement non-violents. Et puis, cette jeunesse pleine de fougue, il y a de quoi être fier !

Kian dit :

— Les *hadji agha* – les commerçants du bazar – nous appellent des *batché jigoul* – des gosses pourris.

— Ces dernières semaines ont démontré que vous êtes visiblement plus que cela.

— Allez le dire aux *hadji agha* et aux *bassidji*, dit Kian.

Mon père dit qu'il n'arrive pas toujours à se souvenir de l'Iran d'autrefois.

— Je ne me souviens pas comment c'était et je ne comprends pas ce que c'est devenu. L'autre jour j'avais un coup de fil d'un ami qui me disait qu'il était à Enghelab, près de l'université, à regarder les librairies. Je crois qu'il disait qu'il regardait un livre de souvenirs de la mère de la reine, de Farah, avec plein de photos, et que ça l'avait rendu nostalgique.

Amou Djamchid dit que nous regrettons toujours ce qu'il y avait avant, que nous pensons toujours que c'était mieux.

— Je lisais quelque chose sur les Russes, les plus âgés des Russes, qui disent que la vie était bien meilleure sous le communisme. Je parie que la génération d'avant celle-là regrettait Staline.

Je réponds que ce n'est pas juste de dire ça, que les Allemands ne regrettent pas le mur de Berlin et que les Cambodgiens ne regrettent pas les Khmers rouges.

Amou Djamchid se tourne vers ma mère :

— Cette enfant a toujours un avis sur tout.

Puis il s'adresse à moi :

— Et qu'est-ce que tu en sais, du communisme ou des Khmers rouges ? Bon, je vais reprendre autrement. Disons que la plupart du temps les gens regrettent le passé, quel qu'il ait été. Ce que nous regrettons, ce n'est pas le passé mais ce que nous étions dans le passé. Nous étions jeunes, nous avions la vie devant nous, pas écoulée aux trois quarts.

Nous nous taisons tous, la génération des parents sans doute se souvenant, moi me demandant comment c'est de toujours se souvenir. Kian a l'air de s'ennuyer. Puis amou Djamchid reprend plus ou moins ce qu'il disait à propos de l'apparence qui a une telle importance pour nous autres Iraniens en ajoutant que c'est tout à fait la même chose avec notre religion.

— L'islam essaie toujours de se faire passer pour ce qu'il

n'est pas. Au fond, son essence est, comme le judaïsme, une série de croyances qui déterminent de façon précise comment avancer dans la vie. C'est juste une liste de règles. Le judaïsme ne prétend jamais être spirituel ou transcendental ou aspirer à un ordre plus élevé, il n'a ni enfer ni paradis ni quoi que ce soit d'autre que ce que nous avons ici. Il faut suivre les règles pour être un bon juif. C'est pareil pour l'islam, mais il prétend être spirituel.

Gita, en général modérée, devient toute rouge et dit qu'elle n'est pas du tout d'accord avec ce que mon oncle vient de dire.

— Tu écartes cette extraordinaire floraison de la pensée islamique, la philosophie, la spiritualité, tous ces grands philosophes qui ont influencé le monde autour d'eux, dont la pensée a transformé l'islam...

— C'est précisément ce que je dis, répond amou Djamchid. Nos penseurs, nos philosophes, nos théologiens, tous se sont démarqués de l'islam orthodoxe ; ils étaient en quête de quelque chose de différent. Ce qui leur a valu d'être critiqués, réprimés, parfois interdits, exilés, torturés et même tués. L'islam est une religion fruste qui offre ses récompenses ici et maintenant, même s'il se réclame d'autre chose. Le mysticisme et la spiritualité n'y sont pas bienvenus.

Hossein

Je suis assis à l'avant, à côté d'Ebrahim, avec Agha Chahr-vandi derrière à côté de Hedayatollahi, un collègue du *setad* – QG – et un autre homme que je n'ai jamais vu, peut-être quelqu'un des services de renseignements.

Agha Chahrvandi sait qu'il peut me faire confiance. Dans des moments comme celui-ci, je suis content d'être insignifiant, de ne pas être *sarchenas* – connu – et de ne pas occuper une position importante. Je ne peux pas imaginer comment ce doit être de toujours surveiller ses arrières et de n'être sûr de personne. Je suis fier de mon oncle et de ce qu'il fait. Je sais qu'il est bon et aussi qu'il croit au président et que les gens comme lui travaillent dur pour empêcher que l'agitation continue. Moi, en tout cas, je voudrais que tout redevienne normal pour que nous sachions ce que nous avons à faire, à qui faire confiance et comment identifier les ennemis de la république islamique. Même si je ne fais pas d'effort spécial pour suivre la conversation derrière, je ne peux pas m'empêcher d'entendre. Quand ils mentionnent le *hazrat*, voulant dire le Guide suprême, je suis surpris d'entendre Agha Chahrvandi dire ce qu'il dit, que le Guide ne soutient pas vraiment le président. Les autres discutent, disant que, après tout, nous, le *sepah*, avons d'une certaine façon pris le pouvoir. Hedayatollahi est d'accord, il dit même que ce que nous avons fait est un coup d'État, mais mon oncle dit que nous travaillons tous dans le même but qui est de battre les ennemis de la république islamique et que nous ne devrions pas dire des choses pareilles, que même s'il y a des différences d'opinion, elles sont superficielles. Il dit que nous voulons tous la stabilité pour le régime et un avenir radieux pour le pays. Nous ne pouvons pas laisser cette atmosphère empoisonnée prendre le dessus et battre en brèche la logique et la raison. L'autre homme marmonne que nous devons être conscients des réalités, sinon nous commettrons des erreurs. Agha Chahrvandi a les bonnes réponses et il est solide dans ce qu'il croit. Il dit que tout ceci est de la propagande *hedayat chodeh* – téléguidée –, voulant dire, je pense, que toutes les histoires qu'on raconte sont répandues par des gens qui savent bien ce qu'ils font et que leur but ultime est la destruction de notre pays. J'ai peur rien que de penser à tous les ennemis que nous avons et à quel point nous devons tous montrer du courage pour faire respecter nos principes et protéger notre pays bien-aimé.

— Le fait est que le *etelaat* – les renseignements – ne nous aime pas trop, dit Agha Chahrvandi, ce qui m'indique que le troisième homme assis à l'arrière ne peut pas appartenir à cette organisation. Puis il entre dans le détail des travaux de sape que l'on constate pour démolir les efforts de renseignements du *sepah*. Il veut apprendre qui finance ceux travaillant contre nous.

— Je sais qu'Agha Karroubi a dans son entourage des gens qui lui donnent de mauvais conseils.

— Mauvais pour lui ou pour nous ? demande Hedayatollahi.

— Pour tout le monde. J'ai entendu dire qu'il a des gens aux États-Unis... *ahay* Ebrahim ! crie soudainement Agha Chahrvandi. Regarde où tu vas, tu as failli écraser ce cycliste !

Ebrahim s'excuse et dit qu'il regardait dans le rétroviseur pour vérifier si nous n'avions pas perdu la voiture d'escorte. Je sais que ce n'est pas vrai. En fait, il écoutait la conversation et ne faisait pas attention à la route. Un instant, je me demande s'il n'est pas un espion placé là pour rapporter ce que fait Agha Chahrvandi mais je le connais depuis longtemps et ne pense pas que ce soit le cas. Il me lance un regard mauvais, comme s'il pouvait lire mes pensées.

— *To kareto bokon*, dit Agha Chahrvandi. Occupe-toi de faire ton travail, ils feront le leur. *Allah-o-akbar, maro bach*, regardez-moi ça, ce que je dois supporter !

Je connais bien le ton qu'il emploie. Il n'en a pas vraiment contre Ebrahim mais se trouve plutôt inquiet du tour que prennent les choses, de cette époque déroutante. Est-ce qu'il se pourrait que tout soit en train de se défaire sans même que nous nous en rendions compte ?

— Qui est derrière tout ça ? il continue. C'est ça que nous devons tâcher de découvrir. Ils parlent d'une révolution « de velours ». Agha Chahrvandi crache les mots comme s'ils étaient des amandes amères qu'il aurait croquées par erreur. « Révolution de velours » ! Comme si nous étions des *bazzaz* – des marchands de tissu ! Nous essayons de gouverner un pays et nous ne pouvons pas laisser une poignée de *batcheh jigoul* – d'enfants gâtés pourris – se répandre dans les rues avec leur velours ou leurs bouts de tissu vert.

L'homme assis à sa gauche dont je ne sais pas le nom

dit que tout ceci sent mauvais, que des mains étrangères sont mêlées à nos affaires.

— Un ou deux millions de gens ne sortent pas dans la rue par *eeteghad* – parce qu'ils y croient. Qu'ils croient en quoi ? Certainement pas en Moussavi. C'est qui, Moussavi ? Il n'était personne avant de devenir Premier ministre il y a presque trente ans. Et il n'était personne après.

Ces hommes sont plus éduqués que moi mais je ne vois pas trop la logique de ce qu'il dit. Personne n'est personne avant de devenir quelqu'un. À part de rares personnes là-haut, au sommet de la société, personne ne naît en étant quelqu'un. Et je ne crois pas que qui que ce soit dans la république islamique se soit trouvé dès le départ au sommet de la société. Je ne sais pas comment c'était à l'époque du chah, je n'étais même pas né, mais j'entends les gens parler des *bozorgan*, des gens importants, et en quoi ils étaient différents. Différents comment, je ne saurais pas le dire. J'ai tendance à croire que la plupart des gens qui gouvernent un pays deviennent importants peu à peu, que ça peut prendre des générations. Mais j'ai peut-être tort.

Agha Chahrvandi dit, Oui, et c'est bien pour ça que je ne pense pas que tout ceci soit spontané. Il y a même une possibilité – et il baisse la voix – pour que *hazrate emam*, le Guide lui-même, ne soit pas conscient qu'il est peut-être influencé par des éléments troubles.

Un grand silence tombe après ces mots, puis Hedaya-tollahi reprend :

— C'est un fait qu'il a écrit à Obama.

Qu'est-ce qu'ils sont en train de dire ? Que le Guide suprême finance les troubles avec de l'argent américain ? La tête me tourne et j'ai la poitrine qui se serre. La circulation est mauvaise, Ebrahim demande l'autorisation d'utiliser la sirène pour aller plus vite. Mon oncle donne son accord et ils continuent leur conversation à l'arrière. Ils ne devraient pas parler comme ça. Je ne m'inquiète pas pour les deux autres mais Agha Chahrvandi pourrait s'attirer des ennuis. Le troisième homme semble se rendre compte qu'ils vont trop loin.

— En fait, c'est Obama qui a écrit le premier. Et le *hazrate emam* a attendu un mois avant de répondre. C'est un homme sage, il sait ce qu'il fait.

Je n'aime rien de tout ça, ce n'est pas juste de discuter des motivations du Leader, qui il soutient et qui le soutient. Je voudrais tant avoir quelqu'un avec qui parler de tout ceci. Est-ce qu'il se pourrait que le Guide et le président Ahmadinéjad tirent dans des directions différentes et aient dans le cœur des intérêts différents ? Est-ce qu'il ne s'agit que de pouvoir ? Mais je n'ai personne à qui parler. Sûrement pas mon frère Mortéza, toujours en train de tournoyer sur son fauteuil roulant, d'écouter ses CD religieux. Quand nous sommes allés au mausolée de l'imam Khomeyni il y a deux semaines pour porter un *nazri* – une offrande religieuse – pour les élections, mon frère a acheté un set remastérisé des discours de l'imam, et c'est tout ce qu'il veut entendre à longueur de journée. Je me demande parfois ce qui arriverait si quelqu'un mettait en cause devant Mortéza ce système que l'imam a créé, si quelqu'un disait à Mortéza que c'était pour rien, qu'il avait perdu ses jambes pour rien, que la guerre elle-même était pour rien, que les gens ne sont pas heureux. Je n'oserais jamais le faire moi-même, cette seule pensée me terrifie, mais je me pose des questions. Je sais comment il pense, qu'il est fier d'être un martyr vivant, pas seulement pour les indemnités et les subventions qu'il reçoit mais parce qu'on le respecte dans la famille et dans le quartier, quoique peut-être pas autant qu'avant. Trop de choses sont arrivées, tout le monde ne se souvient pas de la guerre, tout le monde n'admire pas les martyrs vivants. Enfin, ils viennent encore le chercher quand il va y avoir des manifestations importantes en faveur du régime et il y va. Mais non, Mortéza n'est pas quelqu'un avec qui je peux parler.

Ma mère non plus. D'abord, elle habite loin, et puis elle ne comprendrait pas si je commençais à mettre les choses en question. De toute façon, je ne le ferais pas mais je pourrais lui demander ce qu'elle pense de ceci ou cela. Quand elle va chez mon cousin, à Abadan, et qu'il la met sur Skype et qu'on parle, tout ce qu'elle fait c'est du *nassihat,* me donner des conseils continus : ne pas oublier de faire mes prières, rendre ma famille fière de moi, obéir à mon frère aîné, et surtout respecter Agha Chahrvandi et ne jamais oublier qu'il est le bienfaiteur de cette famille et que sans lui nous serions tous à la rue. Une ou deux fois, elle me demande si j'ai été dans les *choloughi,* voulant dire, bien sûr, les manifs. Je sais qu'elle a peur pour moi mais tout ce qu'elle dit c'est, *Naneh djan, to khoubi,* tu vas bien, mon âme ? Moi je ris et je lui dis qu'elle le voit, non ? que je suis *khoub.* Une fois même, elle pleure, disant qu'elle a entendu aux nouvelles que huit jeunes manifestants ont été tués, mais elle change vite de sujet, parle de la fille de mon cousin, disant qu'elle est comme une petite poupée, qu'elle marche maintenant. Je sais qu'elle déteste la violence, qu'elle déteste le sang, et je suis sûr qu'en privé elle se frappe la poitrine quand elle entend dire que quelque chose est arrivé dans les rues.

Honnêtement, la seule personne avec qui je veux parler est Raha mais je ne sais pas si je peux discuter avec elle d'affaires d'État hautement confidentielles. Même si je lui fais assez confiance pour partager ces sujets avec elle, elle ne voudra peut-être pas en entendre parler. Ces jeunes du nord de la ville, même quelqu'un comme Raha qui est si différente des autres, ils n'aiment pas les *ma'mour*, ils ne voudraient jamais avoir une conversation avec eux, et quand est-ce que l'occasion s'en présenterait ? Ce que je veux dire, c'est que je n'ai personne vers qui me tourner et à qui parler de ce que je pense et demander un avis.

Je me rends compte que j'ai décroché et je me remets à écouter. Agha Chahrvandi parle toujours du Guide.

— Bon, c'est bien qu'Agha Rezaï ait accepté les résultats du scrutin. Il m'a appelé chez moi l'autre soir pour me dire qu'il allait annoncer cela publiquement.

— Et l'histoire du fils de Fecharaki ?

— Il n'en a pas parlé. Ça, c'était fâcheux mais *az khodachoun kochtanech* – il a été tué par les siens. Le *dadsetani* – le bureau du procureur – a ouvert une enquête approfondie. Ils ont établi qu'aucun membre des services de sécurité ni du personnel des prisons ne s'est approché de ce garçon.

Il y a un silence puis l'homme demande, On n'a pas dit qu'il était mort sous la torture ?

Il n'y a pas à dire, on peut admirer Agha Chahrvandi et son habileté à éviter les pièges. Là, il riposte :

— Et alors ? Des éléments subversifs s'infiltrent dans les prisons pour nous faire mal voir, pour répandre des fausses rumeurs comme quoi le régime assassine les gens.

Quand l'occasion s'en présentera, je demanderai à Agha Chahrvandi ce qu'il veut dire. Si des espions ou même des assassins peuvent avoir accès à nos prisons et y faire ce qu'ils veulent, est-ce que nous ne devrions pas prendre des mesures ?

Agha Chahrvandi soupire. De toute façon, il reste Moussavi et Karroubi. Et Khatami qui à présent a rejoint ce soi-disant mouvement de réforme. Comme s'il n'avait pas causé assez de problèmes quand il était président. Mais tout ça n'a aucune importance. Le seul dont je crois qu'on devrait se méfier, c'est Rafsandjani. Il est le plus dangereux de tous parce qu'il est le plus malin et qu'il a des gens partout.

Il y a beaucoup de monde pour assurer la protection du bâtiment présidentiel – dont j'ai entendu dire qu'il était autrefois le *bachgahé afsaran* – le club des officiers. La police, les *sepahi*, et même des *lebass chakhsi*, des gars de la sécurité en civil, se tiennent là et attendent. Bien sûr que le président Ahmadinéjad est une personnalité de tout premier plan et qu'il faut assurer sa sécurité. Ça ne veut pas dire que je l'apprécie beaucoup, mais je me garderais bien de le dire. Il sourit tout le temps mais ses yeux sont si petits que je ne peux même pas voir s'ils sourient aussi ou s'ils restent froids, à sauter ainsi qu'ils le font d'un point à un autre, pour vérifier tout tout le temps. Il doit quand même être inquiet. Comment ne le serait-il pas ? Et s'il se fait tuer, *allah-o-akbar*, je ne veux même pas penser à ce qui arriverait.

Nous attendons longtemps qu'il arrive depuis la petite maison qu'il occupe à Narmak, près du parc Lavizan. Agha Chahrvandi et ses deux invités sont installés sur des fauteuils dans un coin éloigné de la grande salle d'attente des personnalités haut placées, regardant des documents dont ils discutent pendant que je me tiens près de la porte avec un garde, trop loin pour entendre leur conversation.

Puis les sirènes hurlent et un groupe de gens entre précipitamment. Je n'arrive pas à apercevoir le président, même pas le sommet de sa tête, petit comme il est et entouré de quantité d'assistants et de responsables de la sécurité.

Je regarde tous ces gens si importants, si occupés, chacun d'entre eux jurant que notre cher pays et notre cher islam sont tout ce qui compte et qu'ils n'hésiteraient pas à donner leur vie pour les protéger et les sauver, mais qui veut mourir ? Je sais que ce n'est pas mon cas.

Gita

Malgré les souhaits et les efforts des gens, l'impulsion qui a mené les manifestations s'est essoufflée. Il y a eu trop de morts. Trente d'après le décompte officiel mais beaucoup plus d'après les rumeurs et d'autres nouvelles. Les chiffres sont invérifiables de toute façon, comme toujours dans des circonstances de ce genre, l'identité des tueurs aussi. Dans des déclarations tonitruantes, les autorités dénoncent des casseurs et des mercenaires à la solde de gouvernements étrangers – Israël, les États-Unis, la Grande-Bretagne, le trio habituel de larrons dont la seule préoccupation et la seule raison d'exister semblent être le pillage des richesses de l'Iran et la chute ultime du pays. D'après les sources officielles, pas une seule des victimes n'a été tuée par la brigade antiémeute ni par les Gardiens de la Révolution qui, notoirement bienveillants et compatissants, n'utiliseraient jamais contre les manifestants autre chose que l'équipement antiémeute classique, comme les gaz lacrymogènes. Pourtant, les rapports, les blogs et les vidéos montrent bien des éléments crapuleux, des hommes de main venus d'on ne sait où, et des *bassidji*, ce bras mal défini, cette force paramilitaire des Gardiens de la Révolution, tous complètement déchaînés. Il n'y a aucun doute qu'armés de couteaux, de manches de hache et d'armes à feu, ils ont blessé et tué et continuent, profitant de la confusion qui règne dans les rues pour faire leur sale travail en toute impunité. Leurs instructions – dont je suppose qu'elles sont de créer la pagaille et d'écraser la révolte de la façon la plus violente qui soit – viennent visiblement de haut, mais dans un gouvernement où l'autorité est si divisée que la main droite ne sait pas ce que fait la main gauche, il est impossible de rejeter la responsabilité de ces ordres sur qui que ce soit.

Durant toutes les manifestations, les blessés et les mourants ont été emmenés dans les hôpitaux de la capitale où les médecins travaillent vingt-quatre heures sur vingt-quatre et utilisent en cachette leurs téléphones portables pour prendre en photo les exemples les plus flagrants de violences du gouvernement. Ces photos se trouvent à présent sur des centaines et peut-être des milliers de sites et de blogs et sont arrivées jusqu'aux salles de rédaction de l'étranger. Il est toutefois impossible de vérifier leur date, heure, et authenticité. Dès le début, les journalistes étrangers ont été assignés à résidence dans leurs chambres d'hôtel et n'ont pu faire que des reportages indirects. Naturellement, les rédacteurs des salles de presse ne peuvent pas être certains de l'exactitude des nouvelles ainsi reçues et n'en font pas toujours état. La stupidité des régimes décidés à museler la presse est insondable. Ils ne comprennent pas que moins ils autorisent de comptes-rendus, et plus des informations fantaisistes circulent.

Des photos clandestines prises par les médecins et les infirmières dans les hôpitaux montrent des cadavres avec des entailles si profondes qu'elles peuvent à peine avoir été infligées même par les plus gros couteaux de chasse et ont plutôt l'air de blessures faites à la hache, mais comment reconnaître ce qui a été truqué ou passé par Photoshop ? Pour autant que je puisse l'évaluer, les histoires qui circulent sur des gens mis en pièces par des brutes armées de haches ne sont pas vraies, pas plus que celles de manifestants jetés depuis des ponts sur les autoroutes passant au-dessous – à part un seul cas établi sur le pont Kaledj, ou College –, ni les pendaisons multiples de manifestants proréformes. J'ai entendu des rapports plus crédibles sur des étudiants défenestrés depuis des dortoirs à l'université le lundi suivant les élections, après la grande manifestation sur Azadi. Tout ce qui est arrivé de réel ou d'exagéré pendant cette période captive l'imagination populaire et celle des Iraniens à l'étranger, tous ceux que rendent furieux la fraude électorale et la perspective de devoir supporter encore quatre années le simiesque Ahmadinéjad qui est en train de détruire l'économie du pays et a fait de l'Iran à la fois la risée du monde et une menace bien réelle.

Ce n'est pas pour rien que l'Iran est le pays des contes des *Mille et Une Nuits* ou des histoires épiques du *Shahnameh*, ou *Livre des rois*. Les mythes et les légendes ont toujours fait partie de la psyché collective, de même qu'à présent les histoires d'horreur prises pour argent comptant. Je me rends compte que pour beaucoup d'Iraniens, vivre à l'étranger place sur eux, malgré les difficultés, un certain fardeau de culpabilité. De sorte que se battre pour la démocratie et la liberté, ne serait-ce qu'en se retrouvant dans les espaces publics des villes où ils résident avec une poignée de gens partageant leur façon de penser leur donne le sentiment de participer, de soutenir, de contribuer personnellement à la vie du pays qu'ils continuent à aimer plus que tout autre au monde. Surfer sur la toile et disséminer les pires histoires qu'ils peuvent trouver les conforte dans leur mépris du régime. Les rumeurs sont surtout créées par des groupes interdits et illégaux comme les Modjahedin Khalgh, qui passent des coups de fil hystériques aux médias étrangers, La Voix de l'Amérique ou le programme en persan de la BBC en tête, mais quand quelqu'un essaie de vérifier auprès d'amis ou de parents habitant près des sites de prétendus massacres, il ne ressort rien de concret. Combien de morts y a-t-il eus jusqu'à présent ? Combien de manifestants ont été jetés sans distinction dans des cars de police et emmenés en prison où certains sont morts sous la torture ? C'est impossible à dire. Le fait est que des gens sont morts, aussi bien à l'intérieur qu'à l'extérieur des prisons, y compris le fils d'un des dirigeants des Gardiens de la Révolution. Des intellectuels et des artistes ont été arrêtés au milieu de la nuit et traînés en prison où ils attendent d'être jugés. Certains d'entre eux, soit à cause de relations haut placées, soit parce qu'ils ne présentaient pas de menace immédiate, ont été discrètement relâchés, parfois dans l'heure.

Tout de même, les gens ne veulent pas abandonner tout de suite, surtout face à des menaces inprécises et vagues. Je le vois autour de moi, avec des jeunes comme Raha, Kian et leurs amis qui se précipitent dans la rue à n'importe quelle occasion. C'est devenu un rite quotidien d'apprendre où les gens se réunissent et d'y courir, la plupart du temps pour rien, puisque l'armée et les Gardiens coupent les rues adjacentes, de sorte que les individus arrivant de différents côtés ne peuvent se regrouper et se souder en une manifestation plus importante. Les forces de sécurité n'hésitent pas à utiliser des grenades lacrymogènes, des armes non létales et des matraques pour séparer les groupes et les disperser. Les gens arrivent tout de même à se rassembler et parfois même, la frustration des manifestants tournant à la rage, à hurler des consignes invitant à se regrouper et charger, frappant les policiers ou les gardiens avec leurs propres bâtons, leur arrachant leurs boucliers et les poursuivant à toute allure pour attraper et rosser ceux qui ne parviennent pas à fuir.

Pour autant que je puisse le comprendre d'après toutes les relations teintées d'émotion et contradictoires que propagent les gens et les médias officiels, dont même les plus posés accusent les mains étrangères, Ahmadinéjad et le Guide suprême sont surtout en train de jauger l'étendue de la révolte populaire avant de déplacer leurs pions. On dit que le gouvernement prépare des procès de masse éventuellement suivis d'exécutions pour l'exemple, afin d'inspirer une crainte salutaire dans l'esprit de ceux qui nourriraient encore l'idée de renverser le cours des choses. Une extrême contradiction règne à tous les niveaux. À l'étranger, les chancelleries déconcertées ne savent quelles mesures prendre et de fait, que pourraient faire des gouvernements étrangers ? Déclarer les élections nulles et non avenues et annoncer leur soutien aux manifestants, se mêlant ainsi des processus internes d'un pays souverain ? Reconnaître le président réélu et risquer la colère de leurs propres ressortissants, particulièrement ceux d'origine iranienne ? Attendre de voir de quel côté tourne le vent et se voir entre-temps accuser de mollesse ? Défendre la démocratie ? La théocratie ? Le principe souverain des lois ou son contraire ?

De plus, aucune des figures de l'opposition n'est assez forte ou charismatique et n'a assez de distance avec le régime actuel pour représenter une véritable alternative à la république islamique. Les noms qui reviennent le plus souvent, ceux des rivaux malheureux d'Ahmadinéjad dans ces élections truquées, sont eux-mêmes souillés par association. La seule exception est le progressiste Karroubi mais c'est quand même un mollah, et les gens en ont assez des mollahs. D'autres concurrents possibles pourraient être certaines des figures religieuses importantes qui n'ont pas dit grand-chose pendant les décennies du règne de la théocratie et qui, au vu de la violence contre des manifestants pacifiques ont publiquement protesté sans équivoque contre celle-ci et aussi exprimé à quel point il leur semblait pernicieux que la religion soit à la base d'un régime politique, mais ils ont semble-t-il vite compris que leur point de vue était intenable et ils se sont à nouveau retranchés dans le silence.

Kian

— Je te jure, je vais me faire zoroastrienne, dit Atossa.

Nous sommes tous au café dans Vali Asr. Les intentions d'Atossa quant à une conversion religieuse ne m'intéressent pas particulièrement mais elle attend une réaction.

— Pourquoi ? je dis, en faisant signe au serveur qu'il m'apporte un autre shake.

Bardia aussi en demande un.

— Pourquoi ? demande aussi Raha.

Atossa reste assise là, à tirer sur une mèche de cheveux qui lui pend sur la joue, avec l'expression qu'elle prend quand elle veut jouer son rôle de regardez-moi, je suis en pleine réflexion, je suis une grande intellectuelle, comme si on ne s'en foutait pas.

— J'en ai marre de cette religion. Je suis sûre qu'il n'y en a pas de pire. Ce n'est même pas la nôtre, c'est pour les Arabes.

— Ce n'est pas vrai. Pourquoi est-ce que nous sommes toujours à répéter ça ? Quand des choses sont là depuis des siècles et des siècles, il faut les accepter. Bon, peut-être qu'il y a quatorze siècles, l'islam était pour les Arabes, mais ce n'est plus vrai maintenant.

— Ça ne le rend pas plus acceptable, dit Atossa. Il y a trop de règles, tout est interdit.

Mazyar a l'air de s'ennuyer et ne fait aucun effort pour le cacher. Bardia dit qu'il n'y a aucune religion comme l'islam. Il joue toujours à celui qui en sait plus long que tout le monde parce qu'il étudie l'histoire.

— Tu ne connais pas toutes les religions du monde, je lui dis.

— J'en connais suffisamment. Je connais toutes celles qui ont leurs racines ici même, en Iran.

— Comme quoi ?

— Comme tout, dit-il, et il énumère : le zoroastrisme, le manichéisme, le mazdéisme, le mithraïsme, et aussi le babisme et le baha'isme.

— Tu plaisantes, je dis. Toutes ces religions ont eu leur origine en Iran ?

Ça devient intéressant. Le garçon apporte nos boissons. J'aspire bruyamment mon shake à travers la paille. Raha me regarde fixement. Elle n'aime pas que je fasse ça et ne sourit même pas quand je dis *bebakhchid* – excuse-moi.

— Oui, dit Bardia. Il ajoute : la meilleure de toutes, c'est le baha'isme.

Nous lançons un regard autour de nous et lui disons tout bas de se taire.

— Tu veux nous causer des problèmes ? je lui demande.

Il continue, en baissant la voix :

— C'est la meilleure des religions. Les hommes et les femmes sont égaux – vous aimeriez ça, hein les filles ? Les femmes ne se voilent jamais. C'est comme cette femme prophète qu'ils avaient, ou poète, je ne sais plus, Ghorat-ol-eyn. Elle ne se couvrait pas la tête et même se maquillait, ce qui était tout à fait interdit à son époque.

— Et elle n'a pas eu de problèmes ? dit Raha.

— Eh bien si, répond Bardia. Les bons musulmans étaient outrés et elle a été lapidée ou jetée dans un puits ou quelque chose.

— Bien fait pour elle, dit Mazyar, et il retire vite sa main quand Raha lui donne une tape. Qu'est-ce que j'ai dit ? Elle ne connaissait pas sa place en tant que femme, donc elle devait mourir. Ça me plaît.

Il se met à rire et les filles disent, *Tchegade khari* – qu'est-ce que t'es con !

Nous devrions changer de sujet. Si on nous entend parler de baha'isme, ça pourrait nous valoir des histoires. Mais Mazyar veut continuer la conversation. Il dit que ce qui l'ennuie avec les baha'is, c'est qu'ils veulent toujours vous convertir.

Bardia lui demande combien de baha'is d'Iran sont venus le trouver pour lui dire, hé la, et si tu te convertissais à notre religion ? Comme il ne doit plus y avoir de baha'is en Iran, pour autant que nous le sachions, Mazyar reste sans réponse.

— Moi, je préfère me convertir au zoroastrisme, continue Atossa. Ça, c'était notre passé glorieux. Imagine : être un roi achéménide à Persépolis !

— Tout notre passé était glorieux, même notre passé Pahlavi, en tout cas d'après mes parents.

Je me tasse, je ne sais pas ce qu'ils ont tous aujourd'hui.

— Ça suffit, je dis, on va s'attirer des emmerdes.

Mais Bardia ne lâche pas :

— Le gars qui a construit la tour Azadi, qui d'ailleurs s'appelait Chahyad quand elle avait été construite à l'époque du chah, c'était un baha'i.

— Non, je dis.

— Si, dit Raha. Il s'appelait Hossein Amanat, c'était un architecte irano-canadien. Un de nos profs nous l'a dit.

— Elle a ouvertement dit qu'il était baha'i ?

— Il. Oui, il l'a dit. Il a même ajouté que si *ina* – ces gens-là – l'apprenaient, ils démoliraient la tour.

— Personne ne démolirait Azadi.

— Tu es sûr que toutes ces religions sont iraniennes ? demande Raha.

— Certain. D'ailleurs, il y a plein de choses dans le christianisme, dans les rites et les dates comme Noël et tout ça, qui viennent du mithraïsme. Ils ont même ces temples qui s'appellent des mithraeums, en Italie et dans d'autres pays.

— Comment ça se fait que tu ne parles jamais de tout ça ?

— Je ne pensais pas que ça vous intéressait. En fait, un de nos cours porte sur les religions dans l'histoire iranienne.

— C'est vrai ? À l'université ? Je ne peux pas croire que vous parlez de tout ça en classe !

— Mais si, dit Bardia. Bon, on ne parle pas du babisme ni du baha'isme mais de tout le reste, oui. Le Dr Behrouzan, notre prof, est un grand savant.

— Il n'a pas peur que quelqu'un aille le dénoncer ?

— Je ne sais pas. Il n'a pas l'air d'avoir peur, et de toute façon ça fait partie de notre histoire.

— Pour *ina*, ce n'est pas ça qui autorise à enseigner le sujet pour autant. Est-ce que quelqu'un viendrait parler de Reza Chah ?

— Pourquoi est-ce que nous parlons toujours du passé ? dit Raha. Mon amou Djamchid…

Nous gémissons tous. C'est déjà assez pénible d'aller

chez Raha et d'entendre son oncle parler sans arrêt de l'Iran et des Iraniens. Si elle se met à le citer, en plus...

— Non, mais c'est vrai, dit Raha. Il a raison. Il dit que nous sommes toujours en train de comparer. Est-ce que cette religion est bonne ou celle-là ? Ce régime ou l'autre ? Est-ce que c'était mieux ? Est-ce que c'était pire ? Combien de gens on a torturés avant, combien on en torture maintenant ? Combien de gens ont été tués sous le chah et combien sous la république islamique ? Il dit que c'est une maladie de l'âme. Même ce régime parle toujours du passé, de l'Histoire, de l'Imam Hossein, mais aussi de Cyrus le Grand. Est-ce que rien n'a progressé, est-ce que personne n'a rien appris ?

— Pas Ahmadinéjad, en tout cas, je dis.

Nous rions tous, peut-être un peu trop fort. Les gens nous jettent un coup d'œil, puis reprennent leurs propres conversations. Ils sont tous plus ou moins de notre âge.

Raha

Nous sommes tous au centre commercial sur Vali Asr. Bardia et Mazyar sont devant, regardant une vitrine de vêtements de sport, tandis que Kian et moi restons debout sur place à décider si nous allons chercher des glaces ou continuer à nous balader, quand trois types en uniforme arrivent, nous entourent et nous demandent quel est notre degré de parenté. Ce n'était pas arrivé depuis si longtemps que nous restons abasourdis. Ma mère me raconte que durant les premières années après la révolution, un couple ne pouvait se trouver nulle part, même pas dans sa propre voiture, sans être questionné, mais ça ne m'était pas arrivé à moi depuis longtemps, et une seule fois en tout. Nous disons tout de suite que nous sommes mariés. Deux des hommes entraînent Kian plus loin et le troisième reste avec moi. Je me souviens depuis l'autre fois du genre de questions qu'ils vont nous poser. Ils ne vont tout de même pas nous demander notre acte de mariage, parce que les couples ne se baladent pas avec tous leurs documents officiels dans leur poche ; nos permis ne leur diront pas grand-chose, puisque les femmes ne prennent pas souvent le nom de leur mari, mais ils vont sûrement nous demander à chacun les noms de nos beaux-parents, notre adresse, et tous les détails qui leur viendront à l'esprit. Leur système ne marche pas trop avec les couples établis de longue date mais leur permet de découvrir les couples qui viennent de se rencontrer. En quoi ce harcèlement est utile et comment il peut aider la république islamique, je ne sais pas trop. Tout ce que j'apprends, en lisant le journal ou regardant les nouvelles sur les chaînes étrangères, c'est que nos revenus du pétrole diminuent, que le monde entier nous déteste, et que l'on ne sait pas si nous allons avoir l'arme nucléaire. Empêcher les filles et les garçons de sortir ensemble ne me paraît pas, à première vue, la solution à tous ces problèmes. Mais ces *ma'mour* veulent profiter de leur moment de gloire. Comme dit amou Djamchid, plus les gens sont petits et plus leur prétention est grande. Est-ce qu'ils y réfléchissent, même, à ces règlements qu'ils appliquent, ou agissent-ils au coup par coup pour faire peur aux gens ?

Je suis épouvantée par la violence des pensées qui me viennent dans cette situation. Je crois presque que je serais capable de tuer, je pourrais enfoncer un couteau dans le ventre d'un de ces gars ou lui démolir le visage pour faire disparaître ce sourire narquois. La pire des choses dans ces confrontations qui ont souvent lieu, c'est de constater à quel point je me déteste moi-même d'être emplie de tant de mépris, d'être ainsi sur le point de flipper. Au lieu de quoi, je suis calme, j'ouvre de grands yeux et prends une expression innocente, je les remercie de ne pas nous traîner en prison. Du coin de l'œil, je vois que Kian adopte la même attitude.

Après quoi, nous essayons de changer d'humeur et de faire semblant que tout va bien, mais ce n'est pas aussi simple. Nous sommes irrités contre nous-mêmes parce que nous avons beau essayer de nous détacher de ce moment, nous avons beau nous dire que ce n'est pas important qu'une figure d'autorité quelconque vienne à nous et nous sermonne sur la façon correcte de nous comporter, sur les tenues autorisés, sur ce que cette pieuse société musulmane attend de nous, ce que notre devoir envers notre pays devrait nous faire comprendre etc., nous ne nous y habituons quand même pas. D'abord, ça fait toujours peur parce que ça peut dégénérer. À l'occasion, sans aucune raison particulière, quelqu'un se retrouve arrêté et emmené, ou se voit condamné à cinquante coups de fouet ou à une lourde amende ou à une peine de prison. Mais surtout nous pèse le sentiment que nous ne pouvons rien décider par nous-même de ce que nous voulons être et ce que nous voulons faire. Nous devons obéir, c'est tout. C'est humiliant de devoir se plier ainsi à une réglementation quand on n'y croit pas, pas plus qu'au système qui l'impose. Même si nous nous répétons qu'il s'agit là d'êtres médiocres qui cherchent une justification à leur vie dans un court instant de ce qu'ils imaginent être leur pouvoir, nous perdons quand même le respect de nous-mêmes parce que nous n'avons pas le leur.

Après cet épisode, nous n'avons plus le cœur à faire du lèche-vitrine ni à manger des glaces, donc nous ne restons pas au centre commercial et allons prendre nos voitures. Elles sont au parking du premier, près du centre de retouches, un long couloir où des employés recousent des boutons, refont des ourlets ou des doublures.

— Je ne comprendrai jamais comment des gens peuvent travailler là, dit Atossa. Ils ne suffoquent pas, avec les gaz d'échappement ? Quel drôle d'endroit où établir un commerce !

Nous retournons chez Kian, Atossa et moi dans une voiture et les trois garçons dans une deuxième, afin de ne pas nous attirer d'autres pépins. Comme je conduis le long du parkway et qu'Atossa, encore furieuse à cause de l'incident au centre commercial, dit qu'elle ne peut pas supporter de voir un *ma'mour*, qu'elle déteste tout chez eux, leur vilain uniforme, leur grossièreté, le fait qu'ils sont tous *bi savad* – illettrés –, qu'ils arrivent ici de derrière leurs montagnes et pensent qu'ils sont devenus importants parce qu'ils peuvent bousculer les gens, j'ai une brève pensée pour Hossein et je dis qu'ils ne sont pas tous comme ça.

— Qu'est-ce que tu en sais ? lance Atossa, acerbe.

Chez Kian, il nous faut un moment pour oublier l'affrontement avec les gars de la sécurité. Je n'ai aucune envie d'entendre une autre discussion. Tout ce que je voudrais, ce serait que ça s'arrête ou de pouvoir partir à l'autre bout du monde et de ne plus jamais entendre parler de l'Iran. Non, ce n'est pas vrai. J'ai envie que les choses changent, et j'ai envie d'être là le jour où ça arrivera.

Kian va nous chercher des cocas puis dit :

— Dites donc les *batchéha*, les copains, ça vous dit de regarder quelque chose ? J'ai téléchargé le dernier Tarantino, *Inglourious Basterds*. C'est même pas encore sorti aux États-Unis, c'est une version piratée depuis un site de Hong Kong.

— Ah oui, je l'ai aussi mais je ne l'ai pas encore regardé, dit Mazyar.

Nous voulons tous occuper notre esprit à autre chose que le *choloughi* – l'agitation – de ces jours-ci et nous disons que nous voulons regarder le film, qui est vraiment, vraiment amusant. L'écran de télé de Kian est énorme et nous ne manquons aucun détail de l'action. Nous nous moquons des nazis et applaudissons l'escadron de la mort des juifs qui les tuent et les scalpent.

— *In djouhouda kheili zeranguan*, dit Bardia. Ces juifs sont malins comme des singes.

— Je serais bien content de les avoir avec nous.

— *Djouhoud djouhoudé*, dit Bardia. Les juifs, c'est les juifs. Il n'y a rien de pire.

Kian met sur « pause ».

— Nous voilà repartis, dit-il.

— Fiche-nous la paix avec tes histoires, je dis à Bardia. On croirait entendre Ahmadinéjad ! Qu'est-ce qu'ils t'ont fait, les juifs ?

— Ils n'ont pas besoin de me faire quelque chose à moi. Regarde ce qu'ils font aux Palestiniens !

La discussion s'envenime, Atossa criant pour nous faire taire :

— Je veux regarder le film ! Remets-le, Kian !

Quand le film se termine, Bardia dit, Wow, se débarrasser de tous ces salauds ! Imaginez un peu, les mettre tous ensemble, comme dans ce film – Ahmadinéjad, Khamenei, tous autant qu'ils sont, et les faire sauter !

— Sauf que ça ne serait pas dans un cinéma, à moins qu'on ne montre l'Imam Hossein à Karbéla ou un biopic sur la vie de Khomeyni, dit Kian.

Encore fâchée contre Bardia parce que je déteste le racisme, je remarque tout de même :

— De toute façon, tu serais incapable de faire sauter quelqu'un. C'est pas toi qui aidais le *ma'mour* blessé l'autre jour ?

— Je n'étais pas le seul…

— C'est bien ce que je dis. Je ne crois pas qu'aucun de nous pourrait blesser quelqu'un, encore moins le tuer.

Kian dit :

— Si tout ça doit continuer, je le pourrais sans doute.

— Tu pourrais scalper des gens ?

— Bon, d'accord, pas les scalper mais leur tirer dessus, tu sais, de loin. Me débarrasser d'eux.

Nous nous taisons tous un moment puis Mazyar dit qu'ils seraient remplacés par d'autres tout aussi horribles et peut-être même pires.

— Mais ce ne serait pas pour toujours, je dis.

Kian, prenant un air pénétrant, dit que rien ne dure toujours, et nous nous moquons de l'expression de grande sagesse qu'il a prise. Puis Atossa repart avec son histoire de vouloir se convertir au zoroastrisme.

— Vas-y, dit Bardia. Nous pouvons tous nous convertir à quelque chose d'autre. Je connais des gens qui le font. Ils deviennent chrétiens ou un truc comme ça.

— Moi je ne me convertirai pas, je dis. Pourquoi est-ce que je passerais d'une foi qui me dit que tout ce qu'on fait est un péché à une autre qui dit la même chose ? S'il y a un enfer et un paradis, on ira dans l'un ou l'autre de toute façon, quelle que soit notre religion, et moi je dis qu'il n'y a rien de semblable, et que tout s'arrête quand on nous met dans le trou.

C'est aux autres maintenant de se moquer de moi, de dire que je suis beaucoup trop sérieuse et que personne ne va se convertir à quoi que ce soit et n'ira en enfer.

Kian

Je fais ça si souvent ces jours-ci que ça me revient en rêve. C'est vrai, la nuit dernière j'ai rêvé que j'étais aveuglé par les gaz lacrymogènes et j'entendais des cris et des gens qui couraient, tout à fait ce qui se passe maintenant, sauf que là ça arrive en vrai. Ce n'est pas étonnant que je rêve de manifs, c'est là que je passe le plus clair de mon temps. Je ne suis pas allé à celle qui avait lieu sur Azadi hier, pourtant, et c'est une bonne chose parce que j'ai entendu dire qu'il y avait eu quatre mille arrestations. Là, je suis assourdi par le bruit des milliers de pierres que l'on cogne contre les grilles devant l'université de Téhéran. C'est le tout dernier truc. Quelqu'un déclenche quelque chose et tout d'un coup tout le monde suit. La première fois, c'était avant-hier. Comme nous courions dans toutes les directions, poursuivis par les *nirouyé entezami*, les forces de sécurité tout à fait féroces, un des manifestants a ramassé une pierre et s'est mis à la frapper contre les grilles d'un parc. D'une minute à l'autre, tout le monde avait ramassé des pierres et faisait la même chose. Le bruit est devenu impossible et les forces de police ont stoppé net, décontenancées, j'imagine, et incapables de se faire entendre par-dessus le vacarme. Maintenant, devant l'université, la même chose se produit pendant quelques minutes, le bruit assourdissant de milliers de pierres tapant contre les grilles. Puis les grenades lacrymogènes explosent et nous nous remettons à courir.

Je suis perdu. Je suis aussi aveuglé par le torrent de larmes qui coule de mes yeux. Je n'ai même pas un mouchoir, alors je tiens ma main devant mon nez mais ça n'aide pas beaucoup. J'entends quelqu'un, peut-être Bardia, qui crie, *zoud bach, zoud bach* – dépêche-toi ! Je tends une main devant moi, je ne veux pas rentrer dans un mur ou courir sous une voiture. Le téléphone sonne, le portable de Raha que je tiens encore. Une minute avant que les forces de l'ordre ne chargent devant l'université, notre groupe tout entier avait réussi à s'enfuir. En courant vers Ferdowsi, je me suis arrêté pour reprendre mon souffle, alors qu'il y avait un répit, les forces de l'ordre se trouvant plus loin. Des bruits secs me parvenaient, on aurait dit des coups de feu mais j'espérais que non ; personne n'avait mentionné de tirs aujourd'hui mais qui pouvait savoir. Je voulais appeler ma mère mais comme mon portable était mort, j'ai demandé le sien à Raha. Elle l'a tiré de la poche de son jeans et me l'a donné. J'allais passer mon appel mais Bardia qui nous attendait a crié, *zoud bachid batchéha*, dépêchez-vous les gars, alors que les *sepahi* avec leurs boucliers en plastique et leurs matraques commençaient à charger les retardataires, et nous nous sommes barrés. Il n'y avait aucun moyen d'arriver à Ferdowsi. Nous avons pris une rue à côté d'Enghelab et juste là le mur à côté de nous a été heurté par une balle lacrymogène qui nous a explosé presque en pleine face. Aveuglé, j'ai lâché Raha, en criant comme Bardia, *zoud bach, Raha, bodo, bodo* – cours ! Elle a répondu en criant elle aussi, de cette voix fluette et grinçante qu'elle a ces jours-ci quand elle a peur, disant qu'elle ne voyait rien. Puis quelqu'un m'a attrapé et m'a poussé dans l'entrée d'un building.

Les gens nous dépassent en courant. Les manifestants et les forces de l'ordre passent devant ce building. Les gaz se dispersent peu à peu mais je pleure encore et ma poitrine brûle, cependant, j'y vois graduellement plus clair. Je suis dans l'entrée d'une banque. Il y a quelques autres personnes là, y compris Bardia, mais je ne vois ni Raha, ni Atossa, ni Mazyar. Je lui demande s'il les a vus mais il dit que non en s'essuyant les yeux.

J'appelle Raha à tue-tête, hurlant sans arrêt, Raha, Raha ! mais il n'y a pas de réponse. Je ne peux pas croire que nous l'avons perdue. La rue est plus calme à présent, donc elle doit pouvoir m'entendre si elle n'est pas trop loin. Je continue à l'appeler, puis j'attrape Bardia.

— Où crois-tu qu'elle est ?

Il me pousse.

— Ça ne va pas, non ? Lâche-moi ! Ne t'inquiète pas, elle est sans doute avec les autres. Je les ai vus courir dans l'autre direction.

Je sais qu'il dit ça comme ça, qu'il ne pouvait rien voir du tout. Il reste encore du gaz dans l'air, donc il ne peut pas savoir que maintenant je pleure pour de bon.

— Qu'est-ce que je vais dire à ses parents ? je dis. Qu'est-ce que je vais leur dire ?

— Tu n'es pas responsable de Raha. Elle est assez grande pour savoir ce qu'elle fait.

Je pense à elle, si menue que n'importe qui pourrait la casser en deux. J'ai son visage devant les yeux alors qu'elle me disait ce matin qu'elle n'avait pas envie de sortir. J'ai insisté, con que je suis. J'ai dit que surtout aujourd'hui, parce que c'était une manif pour honorer les étudiants morts dans les troubles à l'université de Téhéran il y a dix ans, il était de notre devoir d'être solidaires. Quel con, non mais quel con !

Le portable de Raha que je tiens toujours sonne, me faisant sursauter. J'avais oublié que je l'avais. Je réponds en criant son nom, ce qui n'est pas tout à fait illogique parce qu'un instant, l'idée me vient qu'elle m'appelle d'un magasin ou quelque chose comme ça.

C'est Nasrine. Elle est étonnée, bien sûr, que je réponde sur le portable de sa fille.

— Où est Raha ? dit-elle immédiatement. Passe-la-moi !

Je sanglote à présent.

— Je ne sais pas, Nasrine djoun, nous avons été séparés.

— Vous êtes dans une manif ? demande-t-elle.

— Non, c'est fini. Il ne se passe rien ici. Il n'y a plus personne.

Elle n'écoute pas.

— J'ai dit à ma fille de ne pas y aller. Je lui ai dit que ça devenait dangereux, qu'ils vont se fatiguer de ce jeu et devenir beaucoup plus durs. Mais elle n'écoute jamais. Je ne sais pas ce que vous avez, vous autres jeunes, à ne jamais écouter !

Combien de fois les gosses doivent-ils entendre ça de parents qui l'ont eux-mêmes entendu de leurs propres parents ?

— Trouve-la, ordonne-t-elle. Trouve-la maintenant, Kian, ne reviens pas sans Raha ! Je te briserai les deux jambes, *be khoda*, je jure que je le ferai ! Pourquoi est-ce que c'est toi qui réponds, d'ailleurs ?

— Elle m'a donné son portable pour appeler ma mère. Le mien était mort.

— Et qu'est-ce qui s'est passé après ? dit-elle.

— J'en sais rien.

— Trouve-la, dit-elle encore, et elle raccroche.

Mais je ne la trouve pas. Avec Bardia, nous arrivons sur la place et cherchons partout, en faisant attention d'éviter les brigades antiémeutes qui sont là, formant un bloc solide avec leurs boucliers et leurs casques et leurs gilets pare-balles noirs. Ils n'ont pas le mot « police » en blanc sur leurs gilets, je ne sais donc pas ce qu'ils sont, *sepahi, gardé vijeh* – forces spéciales –, l'armée, qui sait ? Bien qu'ils crânent et prennent des airs de durs, ils ont l'air plutôt perdus aujourd'hui, comme si le cœur n'y était pas. Je suppose qu'ils doivent trouver ça aussi ennuyeux que nous, puisqu'il est clair que les manifestants ont abandonné et qu'il ne se passe plus rien. J'appelle le portable d'Atossa, espérant qu'elle est avec Raha, mais elle et Mazyar ont apparemment fait comme nous, ils ont couru, aveuglés par les gaz, puis, quand les choses se sont calmées, n'ont plus vu aucun d'entre nous et se sont dit que Raha était avec moi.

Après environ une demi-heure, je vois qu'il est inutile de continuer. Nous repartons vers la voiture, que nous avions garée assez loin. C'est partout la pagaille. Des bagnoles garées n'importe comment, abandonnées, les flammes qui baissent dans les poubelles auxquelles on a mis le feu, des affiches électorales déchirées, des débris non identifiables. J'appelle ma mère, lui raconte ce qui s'est passé et dis que je vais chez Raha pour l'attendre. Ma mère dit qu'elle aussi ira là-bas directement depuis l'hôpital. Quand j'arrive chez Raha, je trouve Nasrine hystérique de peur et d'inquiétude. Elle est en train de pleurer et étant donné que ses yeux sont tout gonflés et réduits à de simples fentes, ça dure sans doute depuis qu'on s'est parlé plus tôt. Loin de me briser les jambes comme promis, elle m'étreint et s'accroche à moi, me demandant si j'ai des nouvelles et me reprochant dans la foulée ce qui est arrivé. Je lui dis que je n'ai aucune nouvelle et ajoute que ce n'est pas ma faute.

— Si, dit-elle. C'est toi qui veux toujours participer aux manifs.

— Non, pas toujours. C'est elle qui a insisté, qui a dit que si nous y allons tous les jours, le gouvernement devra bien organiser de nouvelles élections.

— Même aujourd'hui ? crie Nasrine. Je sais qu'elle ne voulait pas sortir aujourd'hui ! Elle m'a dit ce matin qu'elle ne se sentait pas bien et n'irait nulle part. Puis je suis allée faire mon *kharid* – mes courses –, parce que nous n'avions plus rien à la maison, et quand je suis rentrée elle était partie.

Djamchid hoche la tête en me regardant.

— Vous autres gosses êtes vraiment naïfs, pas vrai ? Vous croyez que ce gouvernement va battre en retraite à cause de vos manifs ? Vous pensez lui faire peur ?

Je ne sais pas quoi dire. Nasrine, peu encline à discuter politique en ce moment, m'interroge à nouveau – à propos du portable de Raha, de la séquence des événements, des gaz lacrymogènes, veut savoir qui courait dans quelle direction. Je dois répéter toute l'histoire.

— Ça fait combien de temps ? demande Hormoz. Quand est-ce que vous étiez devant l'université ? Quand avez-vous tous été séparés ?

— Ça fait peut-être trois heures. La circulation était impossible jusqu'à Dezachib. Les choses sont redevenues normales seulement à partir de là.

D'une petite voix, Nasrine demande ce que nous devons faire.

— Rien, dit Hormoz. Nous restons tranquilles et attendons qu'elle nous appelle. Elle est sans doute cachée quelque part, comme l'autre jour quand elle était chez cette femme – comment s'appelait-elle déjà ? Khanom Delavaran. Elle va attendre que les choses se calment et puis elle appellera. Elle va devoir trouver un téléphone puisque c'est Kian qui a son portable, et elle appellera.

Il me lance un regard irrité.

— Ces gosses deviennent de plus en plus irresponsables.

Ça, ça me fâche vraiment.

— Pourquoi irresponsables ? je dis. Parce que nous voulons un avenir ?

Ma mère qui vient d'arriver met une main sur mon bras et me dit sévèrement de faire attention à ma façon de parler mais, pour remettre Hormoz à sa place, ajoute qu'avant-hier ce n'était pas seulement nous autres les gosses qui étions dans la rue mais eux tous également. Khan djoun qui est restée calmement assise comme elle fait d'habitude dit à ses fils et à sa belle-fille :

— Et il y a trente ans c'était vous tous et vos parents, y compris moi-même, qui étions dans la rue. Voyez ce que ça a donné.

Donc, nous attendons.

Raha

Ça y est, c'est arrivé, je suis arrêtée, je suis en prison. Je ne dirais pas que je n'y ai jamais pensé, ces jours-ci, ou que nous n'en avons jamais parlé avec les *bat-chéha*, mais cela paraissait si improbable que c'en était presque impossible. Avoir des menottes aux poignets ? Me retrouver derrière des barreaux ? Non, ça ne pouvait pas arriver.

Je ne voulais pas aller à la manif aujourd'hui. Je ne voulais même pas quitter la maison. Je me suis réveillée ce matin ne me sentant pas trop bien, me disant que j'avais peut-être attrapé quelque chose. Hier, j'ai été nager chez Pari djoun. On s'est bien amusés, malgré le brin d'inquiétude auquel on n'échappe pas. Je sais bien, elle dit qu'il n'y a aucun danger, que nous sommes au dernier étage et que personne ne nous voit, qu'en plus elle donne de forts pourboires et des bonus au portier précisément pour qu'il la prévienne si la police des mœurs survient. Ce n'est jamais arrivé, son mari faisant l'objet de beaucoup d'égards de la part des gens au pouvoir, mais tout de même, il suffit que quelqu'un apprenne que des hommes et des femmes sont ensemble dans une piscine. Bon, ce n'était que moi et la bande mais on ne sait jamais.

Encore une fois, il avait fait très chaud. J'ai nagé un peu puis me suis installée sur la terrasse, buvant un Zam Zam, regardant le noir nuage de pollution sur Téhéran. Je ne pouvais même pas voir les buildings en ville. À la minute où j'ai entendu des pas derrière moi, j'ai attrapé une serviette pour cacher mon maillot mais c'était seulement Kian, tout juste sorti de la piscine et trempé, qui s'est secoué sur moi, me faisant crier. Je déteste le fait que même quand nous sommes en train de nous amuser, il y ait toujours cette peur diffuse de quelque chose qui peut arriver, de *ma'mour*, des officiels faisant irruption et nous attrapant en train de faire ce que nous ne considérons pas comme mal mais eux, si, puisque pour eux, tout est mal. Nous nous sentons toujours coupables, nous avons le sentiment que nous commettons des péchés impardonnables, nous courons le risque d'être fouettés parce que nous profitons de l'été et nageons, ou parce que nous ne portons pas les couleurs autorisées, ou parce que trop de cheveux dépassent de nos foulards, ou parce que nous n'étions pas supposés avoir accès au film que nous avons regardé hier soir par satellite, ou parce que nous avons envoyé un texto ou un tweet où nous disions des choses qu'il ne fallait pas dire. Le fait est que malgré tous ces règlements absurdes, tout le monde fait ces choses que nous ne sommes pas supposés faire et tout va bien, il ne se passe rien. Et puis tout d'un coup quelque chose arrive et ça ne va plus bien, et nous devons payer le prix pour cette liberté dérisoire que nous pensions pouvoir nous accorder. Bien sûr, ce que nous faisons ces jours-ci est mille fois plus dangereux. Pour moi, ce n'est pas seulement être assise au bord de la piscine privée d'un appartement, à moitié nue, comme eux verraient la chose, avec mon petit ami en plus. Ça, ce serait déjà grave. De quoi être arrêtée. Il n'y a pas si longtemps, j'aurais même pu être lapidée. Mais ce que nous faisons depuis les élections repousse encore les limites de ce que nous nous autorisons à faire. Notre crime est beaucoup plus grave à présent, il est *siassi*, politique, le plus grave de tous.

Ma mère dit que ça pourrait être pire, que nous pourrions vivre dans des pays comme la Corée du Nord ou la Birmanie, qui sont comme des grands camps de concentration. Je sais que ça va provoquer une discussion avec mon oncle Djamchid. Non qu'il ne soit toujours affectueux et courtois, mais parfois c'est comme s'il laissait entendre que ma mère ne sait pas de quoi elle parle. Ou bien c'est la façon dont ma mère réagit, après quoi elle a l'air blessée et attend sans doute que mon père prenne son parti, ce qu'il ne fait pas. Mais je comprends oncle Djamchid quand il dit que ces comparaisons ne veulent rien dire – *delemouno khoch mikonim* –, que nous nous mentons à nous-mêmes. Il a raison. Je suppose que nous avons davantage de libertés ici qu'en Birmanie mais nous sommes quand même comme des souris dans un labyrinthe, cavalant, imaginant que nous allons arriver quelque part jusqu'au moment où nous nous heurtons à un nouveau mur.

Pari nous fait monter d'autres boissons fraîches. Encore une fois, mon cœur bondit quand j'entends quelqu'un venir mais ce n'est que la femme de chambre avec du sirop de grenade et des morceaux bien sucrés de *hendevaneh* – pastèque. Après quoi nous partons tous mais je ne suis pas dans mon assiette.

Ça, c'était hier. Ce matin, j'ai un début de mal de gorge et me dis que j'ai dû attraper quelque chose, assise sur cette terrasse, avec l'air pollué de Téhéran flottant jusqu'à

Chemiran. Mais quand les *batchéha* commencent à tweeter qu'on va tous à l'université de Téhéran et que Kian envoie un texto disant que c'est important, je décide d'y aller aussi. Nous trouvons beaucoup de désordre. Ce n'est pas comme dans les premières manifs où de grands groupes de gens marchaient ensemble. De plus en plus, les *nirouye entézami* – les forces de sécurité – utilisent la nouvelle tactique qu'ils essaient depuis plusieurs jours, chargeant constamment pour empêcher les groupes de se former. Nous controns en courant dans différentes directions, comme tous les manifestants présents ici aujourd'hui, ainsi, ils ne peuvent pas tous nous attraper, puis nous revenons tout de suite et essayons autant que possible de nous regrouper. Alors que nous nous éloignons en courant de l'université, allant vers Ferdowsi en remontant Enghelab, ils sont si près que j'ai vraiment peur mais nous arrivons à les semer. Kian me demande mon portable, je le trouve et le lui passe. Nous recommençons à avancer et juste là, alors que nous tournons un coin de rue, une grenade de gaz lacrymogène éclate contre un mur juste à côté et nous ne pouvons plus respirer. Je retire ma main de celle de Kian et utilise le coin de mon foulard pour essuyer les larmes qui coulent à flots de mes yeux. Je l'entends crier, *bodo, bodo*, et une minute plus tard me rends compte qu'il n'est plus là. Le temps que j'arrive à nouveau à voir – quoique tout soit brouillé et que je suffoque avec l'odeur des gaz lacrymogènes et des pneus qui brûlent –, moi et d'autres manifestants sommes entourés de policiers antiémeutes. Je ne vois ni Kian ni aucun autre des *batchéha*, et de toute façon ils ne pourraient pas m'aider.

Au début, je ne comprends pas trop ce qui arrive. Les hommes sont refoulés d'un côté, les femmes de l'autre.

Puis on nous pousse, braillant et criant, vers des mini-bus qui attendent. Une fille rouspète si fort que plusieurs *ma'mour* lui sautent dessus, la jettent à terre et se mettent à la tabasser. Elle continue à hurler, hystérique de colère, utilisant les jurons les plus crus. Incroyablement, les policiers l'écartent à coups de pied pour que les autres puissent monter. Comme je suis poussée vers le minibus, je tourne la tête pour regarder la scène et sens une douleur brûlante sur un côté de la nuque. Un des *ma'mour* a asséné un coup de matraque sur un manifestant et le bout de la matraque m'a atteinte. Puis un poing s'enfonce dans le bas de mon dos pour me faire avancer plus vite. Les policiers antiémeutes s'égosillent à crier *yalla, yalla* – allez – et poussent les gens derrière moi, de sorte que je suis obligée de rentrer dans le minibus. À l'intérieur, je me retrouve poussée au sol avec les autres femmes, coincée inconfortablement entre les sièges, pendant que les hommes occupent l'avant. Je me force à rester calme en me souvenant que ces jours-ci nous entendons tout le temps raconter que des centaines de gens sont arrêtés et relâchés presque tout de suite.

J'ai de la chance de n'avoir été frappée qu'une seule fois, et en plus d'un coup indirect. Je vois des gens autour de moi qui ont été tabassés sauvagement, comme la fille de tout à l'heure qui a été à présent jetée dans un coin du minibus, le sang coulant abondamment de son front. Un ou deux hommes recroquevillés vers l'avant sont ligotés dans une position horriblement tordue, leurs mains menottées dans le dos, leurs poignets attachés à leurs chevilles également enchaînées. Je ne comprends même pas quand les forces de sécurité ont eu le temps de les immobiliser ainsi. Ils ont dû être arrêtés ailleurs. Je regarde autour de moi mais ne vois pas un seul visage familier. Les vitres du minibus sont teintées en noir et le véhicule est plein à craquer. Je compte dix-huit sièges, mais il doit bien y avoir au moins quarante manifestants arrêtés. Une femme élève la voix avec urgence, crie, *sarkar, sarkar –*, monsieur l'officier –, où nous emmenez-vous ? Mais tout ce qu'elle reçoit comme réponse est un *khafe cho* – ta gueule – d'un des *ma'mour* debout près du conducteur.

Je ne vois pas grand-chose quand nous arrivons à destination et je n'ai aucune idée de l'endroit où nous sommes. Les gardes nous poussent pour descendre les marches, nous criant de faire vite. Les quelques hommes que j'ai remarqués au départ, attachés dans des positions bizarres, sont jetés comme des paquets hors du minibus, s'écrasant au sol avec des bruits sourds. Je descends en trébuchant. Des gardes en uniforme noir et tenant des matraques forment une haie des deux côtés. La femme qui descend devant moi se met à hurler, *vay, vay, tunnele vahshat* – le tunnel de la peur –, et je sens mes genoux céder en entendant ces mots effrayants dont je découvre tout de suite qu'ils sont bien adaptés à la situation. Les forces de sécurité se tenant là lâchent des volées de coups de matraque sur les têtes des gens débarquant des minibus qui courent comme ils peuvent pour y échapper et rentrer dans l'immeuble devant nous. Nous sommes pris entre les hurlements nous enjoignant de nous dépêcher d'un côté et des supplications terribles à entendre de l'autre. Je me retrouve à l'intérieur. Nous formons un groupe près de la porte d'entrée, entourées de *ma'mour* en uniforme et de quelques *bassidji* en civil. On nous sépare en plus petits groupes pour nous diriger vers des ascenseurs à l'autre bout du hall. Quelqu'un à côté de moi murmure *manfi char* – moins quatre – mais je ne sais pas ce que ça veut dire. Puis je suis poussée avec d'autres femmes dans l'ascenseur et quelqu'un appuie sur le bouton du quatrième sous-sol. On nous emmène dans une installation souterraine.

Nasrine

Je reste assise, la tête dans les mains, pendant que Hormoz et Djamchid sont pendus au téléphone, appelant partout. Entre ces coups de fil, mon cher Hormoz me regarde, ne sachant que faire pour me soulager, il offre d'aller me chercher du thé, du jus de fruits, une rasade de vodka. Il me dit, Pourquoi est-ce que tu ne vas pas t'allonger ? On viendra tout de suite te prévenir s'il y a du nouveau. Il écarte mes mains de mon visage.

— Laisse-moi te regarder. Je t'en prie, cesse de pleurer comme ça. Tes yeux vont te faire mal. Tu veux que j'aille te chercher des glaçons à mettre dessus ?

Djamchid, lui-même inquiet pour sa nièce, retient ses larmes en me voyant, moi, si mal en point. Il se joint à Hormoz pour insister afin que j'aille m'allonger. Homa et Kian aussi répètent la même chose mais je ne veux pas. Ils sont tous là avec nous pour que si Raha devait nous contacter, ou nous ou bien Kian, les autres l'entendent tout de suite. Nous nous assurons que les portables sont bien chargés. Quand il se fait trop tard pour appeler les gens, je ne peux pas m'empêcher de soulever sans cesse le combiné de l'appareil fixe pour vérifier la tonalité. Khan djoun va se coucher, suivie par Djamchid. Homa veut que j'aille m'allonger aussi et dit qu'elle va mettre des compresses fraîches sur mes yeux pour que je puisse me reposer, que j'ai besoin de repos maintenant. Je tends encore une fois la main vers la boîte de mouchoirs en papier et me mouche et dis que ce dont j'ai besoin en fait c'est de savoir où est mon enfant. Puis je cède. Hormoz et moi allons nous coucher, je dis à Homa que je vais me mettre un peu d'eau froide sur les yeux et que ça ira. Elle doit opérer tôt demain matin mais va quand même passer la nuit dans la chambre d'amis, avec Kian sur le sofa du salon, tous deux gardant leurs portables à portée de main, au cas où.

Au matin, les téléphones commencent à sonner. Nous sursautons à chaque fois mais ce ne sont que des gens que nous avons appelés la nuit précédente qui veulent savoir si nous avons des nouvelles. Quand Atossa appelle et que nous lui disons qu'il n'y a rien, elle dit qu'elle arrive avec ses parents. Bardia et Mazyar viennent aussi, avec des messages de leurs parents demandant s'ils peuvent faire quelque chose. Diverses connaissances nous proposent aide et soutien. Mais je ne vois pas quelle sorte d'aide on pourrait nous apporter. Khan djoun reste assise à côté de moi, alors que Hormoz et Djamchid partent avec le mari de Pari essayer de trouver Raha, refusant net de me laisser les accompagner. Pari, se comportant pour une fois de façon intelligente et non pas exécrable, comme de coutume, envoie un repas tout préparé avec sa cuisinière et des aides qui s'affairent dans la cuisine. Le déjeuner, quand il est servi, est suffisant pour nourrir cinquante personnes. J'essaie moi aussi de rester active et de m'occuper de tout ce monde qui ne cesse de défiler et de s'asseoir sur les chaises mises le long des murs pour faire de la place.

D'une certaine façon, cela me permet de ne pas tout le temps penser à Raha même si cela ressemble trop à un *madjlesse khatm* – une cérémonie de commémoration. Je chuchote ça à Hormoz quand il va à la cuisine chercher de la bière pour des invités, mais il me dit de ne pas raconter de bêtises, que tous ces gens sont des amis venus nous soutenir dans notre épreuve et que tout ira bien. Homa, qui est revenue de l'hôpital, est aussi à la cuisine, reprenant des forces avec un verre de vin. Elle entend notre échange et passe un bras autour de moi, tenant les mêmes propos. « Ne dis pas des choses pareilles, *azizam* – ma chère. Inch'allah, la prochaine fois que vos amis se réuniront, ce sera pour le mariage de Raha et Kian. Tu ne veux pas que nous commencions à planifier ce mariage ? Que nous n'attendions pas la fin de leurs études ? »

À ces mots, je me remets à pleurer à l'idée que je puisse ne jamais voir ce jour. Nous retournons au salon, je mange une ou deux cuillérées de la nourriture empilée sur une assiette que quelqu'un me force à prendre mais, encore une fois accablée, je dois m'excuser et retourner dans ma chambre.

Gita

L'attente va être longue. Je suis très peinée pour les Afchar et pour ce qu'ils subissent. Les semaines passées n'ont été faciles pour personne. Les familles soignent leurs blessés, enterrent leurs morts, attendent d'avoir des nouvelles de fils, de filles et d'autres de leurs proches qui ont disparu. Je suis si désemparée que j'éclate parfois en sanglots et dois enfoncer la tête dans mon oreiller pour que personne n'entende. Heureusement que Zohreh, la cousine qui m'héberge, est souvent sortie. Son égocentrisme m'agace. Tous les problèmes que connaît l'Iran ne sont destinés qu'à une chose, lui rendre la vie difficile, la bloquer dans des bouchons ou lui faire manquer un rendez-vous chez le coiffeur ou, pire encore, lui causer une détresse émotionnelle qu'elle est trop délicate pour supporter. Quand je mentionne que les Afchar n'ont pas de nouvelles de Raha depuis deux jours, elle se met les mains sur les oreilles en disant, *nagou* – ne dis rien. Je ne peux pas supporter ça maintenant !

La répression du gouvernement a été efficace pour calmer l'agitation. La vie à Téhéran est retournée à la normale, les rues sont nettoyées. Le *allah-o-akbar* – ou Dieu est grand – solitaire qui s'élève parfois la nuit depuis un toit en terrasse trouve rarement un écho. Ce cri me fait toujours penser à ma chère Raha qui le déteste, trouvant que les gens devraient se débarrasser de tous les slogans religieux. Pour elle, utiliser le *allah-o-akbar* soi-disant pour retourner les armes des mollahs contre eux ne marche pas et n'est que l'excuse d'un fanatisme chronique. Cette jeune femme m'a toujours surprise par sa maturité et sa façon de penser originale.

J'espère de tout mon cœur qu'elle est saine et sauve et que nous la retrouverons bientôt. En attendant, je passe autant de temps que possible avec Nasrine, Hormoz et Djamchid, leur répétant sans cesse que Raha est sûrement en bonne santé quelque part et que nous allons bientôt avoir des nouvelles, non que je le croie, mais que dire d'autre ? Tout ce que moi-même et d'autres amis de la famille pouvons faire est d'être présents. Le matin suivant sa disparition, Hormoz et Djamchid partent à sa recherche. Ils ont déjà appelé tous ceux à qui ils pouvaient penser – Homa les aide à faire des liste d'amis et de connaissances, ainsi que Pari, à travers ce fameux réseau de relations dont j'entends si souvent parler. Je sais que son mari va accompagner les deux frères Afchar, car il semble avoir beaucoup de poids dans les cercles du gouvernement. Ils se proposent d'aller d'abord dans tous les *kalantari* – les commissariats – principaux. L'étape suivante sera les hôpitaux, mais c'est Homa qui s'occupera de cela. Quand Djamchid revient avec Hormoz, n'ayant trouvé aucune trace de Raha, il m'explique qu'en fait ils ont suivi dans l'ordre les suggestions de gens qui se trouvent dans la même situation : *kalantari*, hôpitaux ; et enfin la morgue. J'ai peur que Nasrine n'entende mais elle est assise sur le sofa, pâle et silencieuse, l'air égaré et ne faisant pas trop attention à ce qui se passe autour d'elle.

Comme à l'accoutumée, Djamchid ne tient pas en place. Je ne l'ai jamais vu si tendu et inquiet. Nous discutons de différents scénarios concernant Raha, en essayant de rester aussi optimistes que possible pour sortir Nasrine du trou dans lequel elle est tombée. Comme ça n'a pas l'air de marcher, nous nous mettons à converser, à voix basse, à propos du régime. Quand je parle de nouvelles élections, Djamchid secoue la tête et dit que cela n'arrivera pas.

— Khamenei est fini s'il montre ce genre de faiblesse. Tu te souviens de cette phrase de Tocqueville que j'aimais souvent citer, que les mauvais régimes tombent quand ils essaient de se réformer ?

Ce rappel de notre cours sur l'histoire des révolutions à l'époque où nous étions tous deux étudiants me fait sourire. C'était il y a si longtemps et ça fait bizarre de citer Tocqueville. Djamchid continue :

— C'est vrai ! Regarde le chah. Il a creusé sa propre tombe le jour où il a admis auprès du peuple iranien qu'il avait fait des erreurs. Ce qu'il a fait, sans aucun doute, mais c'est maintenant que nous voyons combien nous avons été durs avec lui.

— Tu le regrettes ? je demande.

— Je mentirais si je disais que je ne pense pas que tous les Iraniens assez âgés pour se souvenir de lui le regrettent. Il nous manque et ce qui nous manque surtout c'est la vie que nous avions à cette époque. Comment pouvions-nous imaginer ce qui nous attendait ?

Je lui demande s'il pense que le Guide suprême voit les failles dans le système.

— Sans doute. Je suis sûr qu'ils crèvent tous de peur. Ça ne doit pas leur être facile de trouver le moyen d'expliquer pourquoi toutes sortes de gens sont dans la rue à soutenir les rivaux d'Ahmadinéjad, et pas seulement les gosses de riches habitant les banlieues nord de Téhéran. Évidemment, ils peuvent toujours soutenir qu'il s'agit d'ingérence étrangère.

Ah, ces plans diaboliques des étrangers ! Personne ne peut accuser les hommes qui ont été candidats contre Ahmadinéjad – Moussavi, ancien Premier ministre pendant huit ans, Karroubi, un religieux, et Rézaï, un ex-commandant des Gardiens de la Révolution – de ne pas avoir été approuvés et autorisés à se présenter aux présidentielles. Mais leurs supporters, eux, sont forcément des pions à la solde des puissances étrangères qui ne pensent qu'à leurs propres intérêts, comme je le dis à Djamchid.

— Nous disons toujours ça. Tu ne trouves pas que c'est un argument idiot ? dit-il comme il le fait souvent. Aux intérêts de qui devraient-ils penser ? Aux nôtres ? Si les rôles étaient inversés, est-ce que nous penserions à leurs intérêts ou aux nôtres ?

— Ce n'est pas seulement ça mais le fait que toute action d'un pays étranger n'a pour but ultime que la destruction de l'Iran. Même quand Bush a attaqué l'Iraq et l'Afghanistan, ce n'était qu'une excuse. Le véritable objectif était l'Iran.

— Bien sûr, dit Djamchid. Ne sommes-nous pas le centre de l'univers ?

Nasrine

Le lendemain, bien que les gens continuent à venir, les choses se sont calmées. Je ne me sens pas capable de faire grand-chose et reste assise là toute la journée, mon corps entier me faisant mal et mon cœur encore plus. Raha me manque tant que je voudrais fermer les yeux et ne jamais me réveiller. Je suis trop faible pour m'occuper de nos invités mais encore une fois Pari envoie son personnel avec de la nourriture et je n'ai besoin de rien faire. Puis elle arrive elle-même avec des amis et je lui dis que je lui suis reconnaissante de son aide. Pour une fois, elle est relativement silencieuse et se retient de faire des remarques déplaisantes alors que nous restons tous assis ensemble, parlant peu. Rien ne retient mon attention. Mon regard revient sans cesse vers le tableau au-dessus de la cheminée sur le mur qui fait face au sofa. Je me souviens bien de la galerie près du *farhangsara* – centre culturel – où nous l'avons achetée il y a quelques années, à une exposition d'un artiste assez coté qui peint toujours des fleurs. Le tableau représente un bouquet de six ou sept branches de glaïeuls violets sur un fond jaune, avec une seule branche portant des fleurs blanches. Je ne m'y connais pas en peinture mais Raha qui aime ce tableau m'avait expliqué comment la technique du peintre, ses coups de pinceau bien visibles et les couleurs plutôt violentes le rendaient saisissant.

Dans mon état d'esprit actuel, il représente quelque chose de tout à fait différent. Pendant toute la journée, je reste assise là à le regarder alors que Hormoz m'appelle d'un endroit puis d'un autre pour me tenir au courant des nouvelles recherches entreprises ce matin. Homa contacte encore des collègues, d'autres auxquels elle a pensé qui peuvent vérifier les urgences dans les hôpitaux où ils travaillent, tandis que Hormoz, Djamchid et le mari de Pari continuent à faire le tour des commissariats. Depuis hier, le mari de Pari appelle tous les gens qu'il connaît pour essayer de retrouver Raha. Ils n'arrivent à rien nulle part, y compris à la morgue qu'ils mentionnent quand ils reviennent dans la soirée, pensant que je suis dans l'autre pièce, sans voir que je suis revenue dans la cuisine où ils se tiennent tous pour prendre un verre. Au milieu de cette terrible inquiétude, c'est un soulagement d'apprendre que le corps de mon enfant ne se trouve pas quelque part dans un tiroir réfrigéré. Je demande s'ils ont vérifié les *bazdachtgah*, les lieux de détention provisoire et les prisons. Le mari de Pari dit qu'il a fait vérifier tout cela du mieux qu'il a pu.

Je demande s'il existe une base de données centrale avec les noms des gens qu'ils arrêtent.

— En principe, oui, mais là, avec tout ce qui se passe, ils n'auraient pas le temps de tout mettre. Cesse donc de t'inquiéter. Elle est sans doute cachée quelque part et réapparaîtra bientôt.

— Cachée de nous ? je dis, et je repars au salon.

Je m'assieds sur le sofa, immobile et muette, mes yeux sur le tableau. Les gens partent peu à peu jusqu'à ce qu'il ne reste que la famille. Hormoz me parle, Djamchid me suggère d'aller me reposer, Khan djoun me prend la main mais je ne peux pas réagir ni dire quoi que ce soit sauf répéter, Dites-moi que mon enfant n'est pas morte.

Hormoz me gronde, me dit d'arrêter de dire ça et ajoute que si elle avait été tuée, on l'aurait déjà trouvée.

— Peut-être que nous le saurons bientôt, comme Abol et Jila, je dis.

— Pourquoi Abol et Jila ? demande Hormoz, mais je sais qu'il se souvient bien de l'histoire à laquelle me fait penser le tableau aux glaïeuls : Abol et Jila étaient des amis proches dont la fille avait été exécutée il y a quelques années et qui, par la suite, inquiets pour leurs autres enfants, avaient émigré aux États-Unis. Mon mari et Djamchid tentent de parler d'autre chose mais je ne les laisse pas faire. Je dois revivre cette histoire dont nous avons parlé si souvent, l'histoire de la pauvre petite Fariba que tout le monde appelait Fafa depuis son enfance, qui avait été tuée sans procès et sans que ses parents puissent lui dire au revoir. La jeune fille avait été détenue pendant trois semaines avant son exécution, et bien que ses parents aient tout tenté et supplié toutes les personnes bien placées d'intervenir pour sauver leur fille ou tout au moins être autorisés à la voir, leurs efforts n'avaient servi à rien. Durant tout le temps que Fafa était en prison, nous et d'autres amis de la famille avions passé le plus de temps possible avec les parents, essayant de les aider à porter ce terrible fardeau avec des paroles de consolation et des messages d'espoir en interprétant les nouvelles de façon aussi positive que possible : « *Le dadsetan* – procureur – n'a pas encore formulé de chefs d'accusation, ce qui veut dire qu'ils n'ont rien contre elle », ou bien : « On ne l'a

pas encore transférée, donc ils vont bientôt la relâcher »,
etc. Des phrases vides auxquelles nous ne croyions pas
nous-mêmes mais que nous nous sentions le devoir de
répéter comme nous, nous trouvant dans la même situation, aurions voulu les entendre.

Un matin, nous avons été réveillés par un coup de fil
nous donnant la terrible nouvelle que nous avions eu si
peur d'entendre – Fariba avait été exécutée dans la nuit.
Avec Djamchid, nous sommes tout de suite montés en voiture pour aller chez les Nikpendar. Nous cherchions à nous
garer quand nous avons aperçu un homme s'éloignant de
leur maison, tenant à la main une tige de glaïeul. Sonnant
chez eux, nous avons trouvé la famille assemblée dans
l'entrée en état de choc, leur chagrin était insupportable
à voir. Je me souviens encore comme si c'était hier de la
façon dont j'avais pris dans mes bras Jila, la mère de Fafa,
la tenant serrée contre moi alors qu'elle hurlait sans cesse
le prénom de sa fille morte. Puis elle s'était arrachée de
mes bras et avait couru dans le couloir, claquant une porte
derrière elle. Abol, son mari, s'était tourné vers nous pour
demander d'une voix éteinte si nous avions vu un homme
s'éloigner de la maison, tenant à la main un *shakheh gol*
– une fleur à longue tige. Étonnés, nous avons répondu
par l'affirmative.

— Il était ici il y a une minute. Il nous avait apporté
cette fleur en cadeau, avec une boîte de *nabat* – de sucre
candi. Il s'est présenté à nous comme notre gendre.

Nous le regardons sans comprendre. Djamchid répète,
dérouté, Votre gendre ?

— Oui. C'est lui qui avait été avec notre Fafa afin
qu'elle…

Nous comprenons enfin ce qu'il ne peut pas se résoudre

à dire. Pour l'islam, les vierges vont droit au paradis quand elles meurent, mais comme la république islamique ne veut pas que ceux qu'elle considère comme ses ennemis puissent avoir accès au paradis, les jeunes filles sont systématiquement déflorées avant d'être exécutées. Comme tout doit se passer selon la loi islamique, on prononce la formule consacrée pour prendre une femme temporaire – ou *sigheh* –, afin que la jeune fille sur le point d'être tuée puisse être violée légalement. Après la mort de Fafa, nous avons entendu la même histoire à plusieurs reprises. De temps en temps, l'homme chargé de la besogne considère que pour se comporter comme il faut vis-à-vis de la famille, il se doit de mettre ses plus beaux atours et de venir lui rendre visite avec des fleurs et des sucreries, comme le ferait un gendre légitime.

Je sais que ce n'est pas bien de rappeler à tout le monde cette si triste histoire. Je sais aussi que c'est malsain d'envisager le pire, comme si le seul fait d'y penser pouvait encourager le destin à le faire survenir, mais je n'y peux rien. Hormoz m'entoure de ses bras mais je le repousse. Il me semble que me laisser consoler, si pur que ce soit, cela diminuera les chances que Raha nous revienne entière. Djamchid, qui est resté assis sans rien dire en secouant la tête, se lève, va vers le tableau, l'enlève et le pose par terre, tourné vers le mur, malgré mes protestations : je ne suis pas une enfant ayant besoin d'être protégée. Il dit que le simple fait de penser à l'histoire du glaïeul nous portera malheur.

— Je raccrocherai le tableau quand notre chère Raha nous sera rendue saine et sauve, si Dieu le veut.

Raha

Dans l'ascenseur, les gens supplient les gardes qui regardent droit devant eux, le visage impassible, comme si nous n'existions pas. Ils disent qu'ils ont des enfants malades à la maison, qu'ils ont laissé le repas mijoter sur le feu, que leur famille va s'inquiéter. Ils demandent s'ils pourront passer un coup de fil, combien de temps on va les garder, mais on ne se donne pas la peine de répondre. Une femme s'embarque dans des explications comme quoi elle était sur Enghelab, près de l'université, parce qu'elle passait par là pour aller rendre visite à quelqu'un. Une autre dit que son cousin fait partie du Conseil des Gardiens de la Révolution, une autre demande si elle peut appeler son fils. L'ascenseur s'arrête avec une secousse. On nous emmène en troupeau le long d'un couloir éclairé de tubes fluorescents et où résonnent des voix criant et jurant. Plusieurs gardiennes se tiennent devant une cellule ouverte dans laquelle elles nous poussent. Elles nous tendent une poignée de tongs en plastique et prennent nos chaussures. Elles jettent dans un coin de la cellule une pile de *tchador* marqués d'un logo et de l'inscription *sazéman zendanha* – bureau des prisons – mais aucune des prisonnières n'en prend. Mon besoin d'aller aux toilettes est assez pressant pour écarter toute autre pensée. Comme j'entre dans la cellule, je demande à une gardienne quand je pourrai y aller et elle répond d'un ton bourru que j'irai quand on me le dira, donc je n'ai plus qu'à bander mes muscles et respirer à fond. Il est clair que d'autres femmes autour de moi ont le même problème. Je m'occupe l'esprit en regardant ce qui m'entoure et me demandant comment ce groupe d'environ trente femmes va dormir sur les six couchettes superposées, trois de chaque côté. C'est tout ce qu'il y a, plus un lavabo dégoûtant avec un seul robinet et une quantité de verres et d'assiettes en plastique posés à même le sol. Une ampoule nue constitue le seul éclairage. Être au quatrième sous-sol a l'avantage de procurer un peu de fraîcheur, sinon, étant donné la chaleur torride à l'extérieur, nous étoufferions. Mais il n'y a pas beaucoup d'air.

Après un temps qui me paraît long, et alors que je pense ne plus pouvoir me contrôler, deux gardiennes ouvrent la porte pour dire que celles qui veulent utiliser les toilettes peuvent les suivre, sinon, la prochaine pause aura lieu dans six heures. Tout le monde se précipite. Quand nous arrivons aux toilettes, nous voyons qu'il n'y a que trois cabinets et qu'il faut encore attendre. Ma vessie est au bord de l'explosion lorsque mon tour arrive enfin, il n'y a pas une minute à perdre. J'ai des haut-le-cœur quand je m'accroupis sur les infectes toilettes à la turque, un trou à même le sol. Je baisse mes jeans en en remontant le bord pour qu'il ne touche pas les piles d'excréments. Je suis horrifiée à l'idée d'en recueillir sur mes pieds nus dans les tongs mais parviens à éviter cela. Je n'ai jamais rien vu d'aussi infect que ces toilettes. Même les murs sont éclaboussés de merde. De grosses mouches bourdonnent partout, si gavées qu'elles peuvent à peine voler. Plusieurs d'entre elles m'atterrissent sur le visage, ce qui me répugne, mais j'ai besoin de mes deux mains pour retenir le bas de mes jeans et ne peux pas les écarter ni me couvrir le nez pour éviter la puanteur indescriptible. Je ne peux même pas fermer les yeux, de peur de glisser dans le tas d'immondices. Avec un soulagement extrême malgré les circonstances, je parviens à me vider la vessie et ne vomis pas. Puis j'attends dehors avec les autres femmes jusqu'à ce que toutes aient fait leurs besoins et que les gardiennes nous ramènent à la cellule. Comme nous marchons le long du couloir, une grande gardienne avec un ventre aussi énorme que celui d'un homme me pousse et me dit de me couvrir la tête. L'écharpe que je porte, attachée souplement sur mes longs cheveux qui me tombent dans le dos, est faite d'un tissu léger et me couvre à peine le sommet du crâne. La raison pour laquelle la modestie est de mise quand il n'y a aucun homme dans les parages m'échappe mais il n'y a sans doute pas à discuter. Je n'ai rien d'autre pour me couvrir la tête, j'enfonce donc mes cheveux sous le col de mon *manto* et remonte l'écharpe sur ma tête, la nouant plus serrée sous le menton. Plusieurs des prisonnières tentent d'attirer l'attention des gardiennes pour avoir plus d'informations, n'importe quelles informations, sur ce qui nous attend mais personne ne se donne la peine de répondre.

On nous ramène donc à la cellule, sans trop de douceur, et les femmes y entrent et s'installent de façon à ce que tout le monde trouve une place. Une puissante odeur nous envahit, de peur peut-être, si la peur a une odeur, mais aussi de règles, de parties génitales non lavées, de transpiration et de pieds suants. Bien que la pièce soit bondée et malgré la proximité de tous ces corps, je suis contente, si tant est que je puisse être contente de quoi que ce soit, de la présence rassurante de toutes ces femmes. Les femmes se font davantage confiance les unes aux autres que les hommes. Celles qui se trouvent ici aujourd'hui échangent des informations, trouvent des mots encourageants. Elles sont assises tant bien que mal sur les couchettes, perchées en rang comme autant d'oiseaux sur des fils électriques. Certaines sont assises sur les *tchador* de la prison qu'elles ont étendus sur le sol mais je reste debout, appuyée contre le mur. J'aperçois une fille de mon âge, habillée comme moi en jeans et *manto*, mais elle ne répond pas à mon sourire quand nos yeux se rencontrent. Plus près de moi, des matrones portant un *tchador* noir les couvrant de la tête aux pieds me disent, « *madar*, petite mère, n'aie pas peur. Ils ne vont pas nous garder longtemps, ils veulent juste nous faire peur. »

Je ne peux même pas essayer d'imaginer ce que sera la suite. Combien de temps vais-je être détenue, de quoi serai-je inculpée, serai-je relâchée ou châtiée, et en quoi consistera le châtiment ? Je peux supporter le manque de confort s'il ne doit pas durer trop longtemps, le plus dur est l'incertitude. Je ne veux même pas m'autoriser à penser à mes parents ni à ce qu'ils sont en train de traverser, ignorants qu'ils sont de mon sort. Le bourdonnement des femmes autour de moi est parfois exaspérant. Elles se plaignent de la faim qui se fait sentir et toutes se posent plus ou moins les mêmes questions auxquelles il n'y a pas de réponse. J'ai envie de calme. Peu à peu, tout le monde se tait. Il ne semble pas que de la nourriture arrive, donc nous nous préparons du mieux que nous pouvons à dormir. Comme je ne peux pas continuer à rester debout, je me laisse glisser contre le mur, mes jambes repliées sous moi. Nous dormons.

Au matin, deux gardiennes entrent, poussant un chariot. Aussitôt, c'est une cacophonie de prisonnières criant, réclamant, implorant, insistant pour savoir ce qui nous attend. Les gardiennes balaient toutes les questions d'un revers de main et refusent la moindre interaction. Tout ce qu'elles font c'est de nous tendre une théière sale et craquelée avec un pot d'eau chaude et une pile de galettes de pain. Je fais comme les autres femmes, j'attends mon tour au lavabo, me passe un peu d'eau sur la figure et bois du thé tiède et mange un morceau de pain.

J'apprends à connaître certaines des prisonnières. Dans l'ensemble, elles sont amicales, sauf la fille qui ne dit pas un mot et ne regarde personne. Akhtar, une femme *tchadori* du quartier du *rah ahan* – la gare –, est la plus maternelle, s'assurant que personne ne s'approprie plus que sa ration de nourriture, que nous gardons l'endroit aussi propre que possible et des échanges corrects. Une autre femme *tchadori* du bazar est toujours d'accord avec tout ce que tout le monde dit et approuve en hochant la tête. Je me sens plus proche d'une femme qui nous dit être une avocate spécialiste des droits de l'homme, Katayoun. Les femmes parlent d'elles-mêmes et expliquent pourquoi elles ne devraient même pas se trouver ici. Je préfère me taire, sinon je dirai qu'aucune de nous n'est venue au monde pour ça.

D'après ce que j'ai vu dans des films et les bribes de sagesse acquises au cours des ans, je sais qu'il peut se trouver parmi nous des informatrices et fais attention à ne rien dire qui puisse m'incriminer. Comme je n'avais pas envisagé que mon avenir comprendrait un séjour en prison, je ne sais pas trop comment les choses se passent mais mon esprit a l'air de posséder des fragments de connaissances dont je ne savais pas disposer. Il y a une dizaine d'années, le frère de Bardia avait été arrêté et torturé pendant les troubles à l'université. Une ou deux fois, quand le sujet a été abordé pendant le récent *sholoughi*, l'agitation, Bardia nous a recommandé d'être prudents si jamais nous étions arrêtés. C'est son frère qui nous a parlé des informateurs dans les prisons. Je me souviens que la dernière fois qu'il a repris ce refrain, nous nous sommes tous moqués de lui, surtout moi. J'ignore pourquoi je me sentais tellement en sécurité et pourquoi la possibilité d'être arrêtée m'avait paru si infime. Toujours est-il que je me contente de dire des généralités.

Katayoun, l'avocate des droits de l'homme, a plus d'expérience qu'aucune d'entre nous, et à cause de son travail, et parce qu'elle a déjà été arrêtée. Elle nous dit que nous serons interrogées une à une et qu'ils devront soit nous inculper, soit nous relâcher. Quand nous lui demandons combien de temps cela va prendre, elle dit que le processus se déroule en général dans les deux ou trois jours.

— Qu'est-ce que c'est que cet endroit ? je lui demande. Es-tu déjà venue ici ?

— Non, mais j'en ai entendu parler. C'est un *bazdachtgah* situé dans le ministère de l'Intérieur.

— Qu'est-ce que c'est qu'un *bazdachtgah* ? je demande. C'est la même chose qu'un *zendan* – une prison ?

— C'est plutôt un centre de détention. Il y en a plusieurs à Téhéran. Avec les manifs, tout doit être plein à craquer, comme ici, *balatar az zarfiat* – en surcapacité.

En tant qu'avocate, elle a dû voir des choses dont je n'ai aucune idée, donc je l'interroge sur les prisons et les centres de détention. Le pire de tous est Kahrizak, dit-elle, mais on n'y incarcère pas de femmes.

Je n'ai jamais entendu ce nom. Elle me dit que peu de gens l'ont entendu.

— Ça se trouve à *kakhé sefid*, un quartier *djorm khiz* – engendrant le crime – au sud de Téhéran. Aucun avocat n'y a jamais mis les pieds, ni aucune organisation des droits de l'homme. Kahrizak ne dépend même pas de l'*edareye zendanha*, le bureau des prisons.

Je réponds que si je comprends bien, nous devrions toutes nous montrer heureuses de nous trouver au « moins quatre ». J'ajoute que comme c'est la première fois que je suis arrêtée, je n'ai pas de point de comparaison mais que le centre où nous sommes serait considéré à tout le moins comme un trois ou quatre-étoiles comparé à l'endroit dont elle nous parle. Les femmes rient de ma tentative de plaisanterie. Katayoun ajoute qu'en fait ce bâtiment abritait autrefois le quartier général du parti Rastakhiz. Comme les plus âgées des femmes hochent la tête d'un air entendu, je lui demande d'expliquer. Katayoun me répond qu'il s'agissait là du parti politique unique instauré dans les dernières années du règne du chah. Elle ajoute qu'avant le Rastakhiz, les autres partis étaient autorisés bien que les élections n'aient jamais été libres. Chaque fois que quelqu'un parle d'autrefois, je me rends compte à quel point j'ignore l'histoire récente de notre pays. C'est comme ça quand on n'a pas le droit de savoir, c'est là que les mensonges commencent.

Nous nous habituons à notre routine. Le petit déjeuner, si on peut l'appeler ainsi, comprend parfois une portion individuelle de confiture comme celles servies dans les hôtels bon marché. Pour les autres repas, les gardiennes prennent sur leur chariot un ou deux grands faitouts qu'elles posent à même le sol et reprennent quand elles apportent le repas suivant. Nous utilisons une louche pour verser la nourriture dans les assiettes en plastique que nous lavons de notre mieux dans le lavabo, ce qui n'est pas facile étant donné que nous ne disposons ni d'eau chaude ni de liquide vaisselle. Le premier jour, nous avons du riz trop cuit et quasiment froid en grumeaux et dans l'autre faitout des pois chiches et des morceaux de graillon flottant dans une sorte de sauce brune aqueuse. Je crains de me sentir mal quand j'avale la première bouchée mais j'ai faim et parviens à ne rien rejeter. Je préfère les repas plus neutres que nous avons parfois, une tranche de pain et une pomme de terre ou un petit bout de feta. Nous avons toutes faim et les portions ne sont pas grosses. L'eau du robinet, avec parfois des relents de vase, est tout ce que nous avons à boire, à part le prétendu thé du matin. Dormir ainsi à l'étroit la nuit, sans air et parmi ces femmes qui s'agitent et crient dans leur sommeil n'est reposant pour personne. L'odeur est difficile à supporter mais le pire problème est celui des besoins corporels car on nous emmène aux toilettes seulement trois fois par jour. Nous apprenons à boire le moins possible et à adapter nos autres fonctions aux circonstances.

Le quatrième jour, on vient nous chercher une à une pour les interrogatoires. Quand mon tour arrive, on m'emmène dans une autre partie de la prison, passant une ou deux portes que l'on déverrouille quand j'arrive, suivie de ma gardienne, jusqu'à un couloir désert, dans une pièce avec une fenêtre. Cette fenêtre est tout ce que je vois au départ, oubliant pendant un bref instant ce qui peut m'arriver. Je n'ai pas vu le ciel depuis quatre jours.

Deux hommes entrent, s'installent en face de moi à une table en bois, l'un avec un ordinateur portable devant lui.

— Nom ?

— Afchar Raha.

— Date de naissance ?

— 20 *dey* 1366.

— Adresse ?

— Numéro 17, Yasaman, à Elahieh.

— Tu sais pourquoi tu es ici ?

Comme je secoue la tête, l'homme se met à hurler :

— Tu es ici parce que tu complotes contre le *nezam* – la république islamique –, parce que tu conspires pour le renverser.

Éberluée, je réponds qu'il doit me confondre avec quelqu'un d'autre.

— Ne joue pas ce petit jeu avec moi, dit-il.

Sa voix est à la fois sévère et indifférente, voulant me signifier que je ne pourrai utiliser aucun truc qu'il ne connaisse déjà.

— Des gens plus forts que toi ont essayé et ne sont arrivés à rien. Tu nies avoir participé à des manifs ? Tu es étudiante à l'université, pas vrai ? Tu devrais avoir mieux à faire que d'aider les ennemis de notre chère patrie. Mais au lieu de soutenir le Guide suprême dans sa tâche difficile, au lieu de démontrer ton patriotisme et de défendre nos valeurs sacrées, tu obéis aux ordres de tes maîtres occidentaux qui encouragent cette agitation.

Épouvantée par ces accusations, je me contrôle et dis que je n'ai été encouragée par personne à quoi que ce soit.

— *Khafe cho* – ta gueule ! Nous avons une vidéo de tes actions. Nous savons exactement comment toi et *amsale to* – tes semblables – voulez corrompre le *mardome fahim o ghadr chenass* – le peuple intelligent et reconnaissant de ce pays.

Je suis dépassée. Malgré tous mes efforts, j'éclate en sanglots. L'homme continue comme si de rien n'était.

— Alors, dis-moi. Tu as un petit ami ? Ou plus d'un ?

Je secoue la tête.

— Tu vas prétendre que tu es une fille sérieuse. Allons, tu crois que je ne sais pas que vous autres n'avez aucune morale ? Dis-moi, ça fait combien de temps que tu couches avec lui ?

Et soudain, en un revirement déroutant, il cesse de me harceler et me demande si je veux un *nouchabeh* – une boisson. L'autre homme quitte la pièce et revient avec une boisson gazeuse à l'orange. J'aimerais avoir le courage de repousser la canette qu'il me tend mais la boisson fraîche me tente trop. Je bois à longues gorgées, je n'ai jamais rien goûté d'aussi bon. Et c'est tout. Ça se termine comme ça. La gardienne qui m'attend dehors me ramène à la cellule. Katayoun me dit qu'elle s'est inquiétée pour moi.

— T'ont-ils beaucoup fait d'*aziat* – embêtée ?

Je pleure à nouveau, dans ses bras cette fois.

— Ne pleure pas, *azizam* – ma chère. C'est leur méthode. Ils veulent vous faire peur, à vous autres, les gosses, pour que vous alliez dire à vos copains de ne pas participer à des manifs. Ils veulent faire peur à vos parents pour qu'ils ne vous laissent plus sortir dans les rues. Ils vont te relâcher dans un ou deux jours, fais-moi confiance.

Bien qu'avocate, Katayoun est profondément croyante. Le deuxième jour, elle demande un *mohr* – une pierre de prière – et se tient debout face à La Mecque, dont la direction est indiquée par une grande flèche sur le mur. Après m'avoir demandé si je veux me joindre à elle

– à quoi je réponds la vérité, qui est que je ne saurais pas comment m'y prendre –, elle se met à prier, son front touchant le *mohr* quand elle se met à genoux et s'incline. Les deux femmes *tchadori* prient aussi. Je n'ai jamais vu personne prier autour de moi, sauf notre bonne Banou que je regardais faire quand j'étais petite, et bien sûr Khan djoun. Les regarder prier était comme un jeu pour moi et en fait je m'amusais souvent à me tenir à côté de l'une ou de l'autre, me penchant, m'inclinant, m'accroupissant et touchant le sol du front comme elles faisaient avec la pierre sacrée. Khan djoun ne faisait jamais attention à moi, concentrée qu'elle était sur la prière, mais Banou était souvent distraite par mes pitreries et éclatait de rire, ce qui bien sûr anéantissait sa prière. En grandissant, je n'ai pas souvent eu l'occasion de voir des gens prier mais je connaissais suffisamment les coutumes pour dire *enshallah ghabouleh* – que votre prière soit exaucée – quand je tombais sur quelqu'un qui venait de terminer ce rituel.

Si j'avais jamais accordé la moindre pensée à la religion jusque-là, moi qui m'intéresse bien peu à la question, c'était pour accepter le fait qu'une religion ne vaut que par la qualité des gens qui la pratiquent. Dans un pays musulman, un bon musulman est quelqu'un qui ne triche pas, qui ne tue pas, qui cultive des valeurs de compassion, qui aide les pauvres, etc. En un mot, qui fait toutes les choses qu'un bon chrétien ou un bon bouddhiste ou un bon n'importe quoi est supposé faire. C'est le seul avantage que je trouve à la religion – elle empêche les gens de s'entre-dévorer. Et puis il y a ce qu'on fait dans notre pays au nom de la religion et qui vous fait perdre tout respect pour quiconque mentionne les mots « musulman » ou « islam ».

Je n'appartiens pas à une classe sociale où l'on assiste à la prière du vendredi ou à quoi que ce soit de semblable. Je n'ai vu l'intérieur d'une mosquée qu'une ou deux fois à l'occasion d'un *khatm* – une cérémonie de deuil. Quant aux mollahs, nous en faisions venir un pour officier à un *aghd* – un mariage religieux – ou une autre occasion. C'est là à peu près toute la place qu'occupe la religion dans la vie de ma famille et celle des gens que nous fréquentons. De temps en temps, il y a bien eu aussi un *sofreh* – un repas pour une fête religieuse quelconque – ou peut-être un *nazri* à l'occasion duquel nous envoyions de la nourriture aux pauvres pour aider à exaucer un vœu – une prière, pourrait-on dire. Mes parents m'expliquaient qu'avant la révolution ils ne connaissaient personne qui jeûnait pendant le ramadan malgré l'interdiction de manger, boire ou fumer en public de l'aube jusqu'au crépuscule. Maintenant, bien sûr, les gens font semblant de jeûner. Pour ceux qui le font pour de bon, le *sahari*, ou repas du petit matin, est une affaire de famille mais l'*eftar*, ou repas du soir, quand on rompt le jeûne, est souvent fêté somptueusement, de même pour les gens comme Pari qui prétendent jeûner sans le faire. Quant à moi, je n'ai jamais jeûné une seule fois, non plus qu'aucun de mes amis. Kian dit parfois qu'il y pense mais pour autant que je le sache, il ne l'a jamais fait.

Ici, j'ai l'occasion de poser à Katayoun des questions sur la foi et les rituels qui ne m'étaient jamais venues à l'esprit. Elle connaît beaucoup de choses sur la question, plus que beaucoup. Elle est pratiquante et ne remet pas en question les principes de l'islam mais ça ne la gêne pas de parler en détail de l'obsession de cette religion pour la sexualité. Non seulement les hommes peuvent prendre quatre femmes légitimes mais les musulmans, particulièrement ceux de la branche chiite, peuvent coucher avec autant de femmes qu'ils le souhaitent sous couvert de mariage temporaire. Il suffit au chiite de prononcer une courte formule afin de prendre la femme comme *sigheh*, ou épouse temporaire, pour au moins une heure, toute une vie au maximum. Katayoun, toute avocate des droits de l'homme qu'elle est, décrète que le principe de la *sigheh* est sensé puisqu'il reconnaît la nature essentiellement libidineuse des hommes. Ils sont comme ça, dit-elle, ils pensent sans arrêt au sexe, une fissure dans le plafond leur donne une érection. Elle s'excuse de parler de ces questions avec moi, une *dokhtar* – une vierge – qui ne devrait pas entendre certaines choses mais ajoute que c'est moi qui lui ai posé des questions. Elle me donne l'exemple du *tozihol masa'el* – ou explication des problèmes –, la compilation détaillée des règlements religieux que les membres haut placés du clergé se doivent de produire. Elle dit que tout le monde devrait en lire un, au moins la version de Khomeyni, pour comprendre l'islam. Tous ces livres, dit-elle, expliquent comment faire chaque pas dans la vie, y compris, littéralement, quel pied mettre devant l'autre pour entrer dans les toilettes. Mais ce sont les questions relevant du sexe qui sont les plus remarquables. Dans la version de Khomeyni du *tozihol masa'el*, il écrit par exemple que si un homme couche avec une enfant de neuf ans si brutalement que son avant et son arrière ne font plus qu'un, il ne doit plus avoir de rapport avec elle jusqu'à ce qu'elle soit complètement cicatrisée.

— Il dit aussi que si vous copulez avec un animal, que ce soit une poule, un mouton ou n'importe quoi d'autre, cet animal doit être détruit car sa chair n'est plus *halal* – autorisée. Il y a une exception pour les ânes ou d'autres animaux de valeur, qui doivent être envoyés ailleurs et servir un autre maître.

Elle jure qu'elle n'invente rien de tout cela et me dit de vérifier quand je serai sortie.

— Cette obsession pour le sexe est infinie, dit-elle encore. Dans les premières années de la république isla-mique – tu n'étais même pas née –, il y avait à la télé un programme que les gens appelaient le « Guili show », du nom de celui qui l'animait, l'ayatollah Guilani. C'était en fait la version télévisée de l'explication des problèmes, les gens appelant pour poser des questions incroyables. Ainsi, une femme avait présenté ce cas hypothétique : supposons qu'une femme ait couché avec son mari le matin, ne se soit pas lavée après puis aille coucher avec sa voisine que le sperme du mari pénètre. Est-ce que cette autre femme pourrait être considérée comme ayant commis un adultère avec le mari et être punie en conséquence ?

Je dis à Katayoun qu'elle invente mais elle jure que non, qu'il y avait des dizaines de questions du même ordre à chaque fois.

— Et là, c'était quoi la réponse ?

— Je ne m'en souviens pas. Mais tiens, voilà une autre question. Si un homme est couché dans son lit dans son appartement et qu'à l'étage au-dessous il y a une femme couchée dans son propre lit et qu'il y a un tremblement de terre et que l'homme tombe sur la femme et la pénètre, est-ce que cela peut être considéré comme des relations illicites et est-ce que l'un des deux ou tous les deux doivent être punis ?

Là non plus, elle ne se souvient pas de la réponse.

Dans l'espace limité de la cellule, chacune de nous entend ce que dit n'importe qui et participe parfois à la discussion. Akhtar dit que ce n'est pas là le vrai islam. Katayoun répond que ce qui importe, ce n'est pas ce qu'une religion est ou n'est pas à l'origine, c'est la façon dont elle est utilisée, surtout par un gouvernement criminel comme le nôtre. Sur quoi tout le monde se tait, craignant la présence de mouchardes.

Je ne dis rien de ma vie privée, de mes parents, de Kian, des manifs, de Moussavi, des élections. Chaque fois que le sujet se présente, je dis que je n'ai jamais été intéressée par la politique, que le jour où j'ai été arrêtée, je me trouvais là par hasard et que les forces de l'ordre m'ont ramassée avec les autres.

Le temps passe ainsi, un temps qui progresse sur un plan différent. Je peux honnêtement dire que je comprends à présent le concept de *barzakh* – de purgatoire. Une histoire de Kafka lue à l'école me revient en mémoire et je la ressasse, étonnée moi-même de me souvenir si bien de quelque chose à quoi je n'avais pas pensé depuis des années. Cette histoire était une fantaisie qui se passait dans un cadre tout à fait symbolique. Je pense à l'officier et à ce qu'il représentait, peut-être la destruction d'un système désuet. Mais ce dont je me souviens surtout, c'est de la qualité statique de l'histoire, comme si tout se passait simultanément ou ne se passait pas du tout. C'est ainsi que les choses se déroulent ici – lentement, en une répétition abrutissante. Trois fois par jour, nous recevons leur prétendue nourriture et trois fois par jour, on nous emmène aux toilettes. Je m'habitue à la faim et aux contraintes sur nos besoins naturels mais la saleté et la puanteur, y compris celle qui se dégage de mon propre corps, me sont insupportables. Au bout d'une semaine, on nous emmène par petits groupes aux cabines de douche dans une autre partie de la prison. Là, on nous donne une lamelle de savon, une serviette à mains et trois minutes pour nous laver du mieux que nous pouvons.

Le dixième jour, deux gardiennes arrivent ; ni pour apporter de la nourriture, ni pour nous emmener aux toilettes, mais spécifiquement pour me chercher, moi. L'une attend dans le couloir alors que l'autre, la plus jeune qui m'avait dit l'autre jour de me couvrir la tête, se tient à l'intérieur de la porte et hurle : « Afchar ! » Quand je lève la main, elle me dit durement de les suivre, *yalla, yalla* – dépêche-toi. Je demande où on m'emmène et s'il s'agit d'un nouvel interrogatoire – ce dont je doute, parce qu'il ne s'est rien passé de tel ces jours-ci. Impatiente, la plus jeune gardienne entre dans la cellule et me prend le bras. Katayoun se précipite, attrapant mon autre bras pour me retenir, et reçoit une gifle si puissante que sa tête part sur le côté et qu'elle est obligée de me lâcher. Akhtar la rejoint et se tient à côté d'elle et elles se mettent à deux pour demander aux gardiennes où on m'emmène, se voyant rétorquer un rude *bé to tcheh !* Ça ne vous regarde pas !

Plusieurs autres prisonnières élèvent aussi la voix, demandant où on m'emmène quand la même gardienne, qui est à peine plus âgée que moi mais fait deux fois ma taille, hurle, si fort qu'elle pourrait tenir un porte-voix, *khafeh shid* – vos gueules –, ou on vous embarque toutes !

Katayoun recule, la trace rouge de la gifle sur sa joue. Akhtar dit à la gardienne, *naneh*, petite mère, tu n'as donc pas de pitié ? Tu n'es pas musulmane ?

Personne ne peut m'aider à présent. Je suis les deux femmes, terrifiée mais essayant tout de même de me raisonner et de me dire qu'il s'agit sûrement d'un nouvel interrogatoire et que ce ne sera pas pire que la première fois. Nous suivons le même chemin, le long du couloir jusqu'à l'ascenseur, mais arrivées à celui-ci tournons à gauche dans un autre couloir. Je n'y vois pas trop clair ; mes yeux sont remplis de larmes et il fait sombre. Les gardiennes ne me disent pas un mot. La plus jeune est sur son portable, parlant d'une voix si basse que j'ai du mal à croire qu'il s'agit de la même personne qui hurlait il y a un instant. La plus âgée ne m'a pas regardée une seule fois et n'a pas dit un mot.

Nous franchissons une ou deux portes que les femmes ouvrent en appuyant sur un bouton situé sur le côté, puis nous arrivons dans une pièce semblable à la première salle d'interrogatoire où on m'avait emmenée, avec une table, deux chaises, un tube fluorescent qui grésille au plafond, mais pas de fenêtre. Comme le reste dans cet endroit, tout est sale et sent mauvais – les pieds, la vieille fumée de cigarette et Dieu sait quoi d'autre. Du plâtre écaillé est tombé du plafond sans que personne ne se préoccupe de donner un coup de balai, pas plus que pour ôter les détritus qui jonchent le sol, morceaux de journaux, gobelets en plastique. Une minute plus tard entre un homme, un gardien, je suppose, quoiqu'il ne soit pas en uniforme. Il me jette un coup d'œil pas particulièrement hostile mais pas amical non plus, avec une expression que je ne parviens pas à déchiffrer, comme s'il pesait le pour et le contre de quelque chose. Je suis suffoquée quand il me gifle à toute volée, si fort que ma tête heurte le mur. Je crie et lève la main pour toucher mon visage, entendant une voix de femme qui lui demande d'avoir pitié mais il agite ses mains pour faire sortir les gardiennes et elles s'en vont. Puis il revient vers moi et j'ai un mouvement de recul. D'un geste rapide, il arrache mon foulard. Je reste là, tremblante, ne sachant que faire. Ne pas avoir la tête couverte devant un homme comme lui est terriblement gênant parce que pour eux une femme aux cheveux découverts n'est qu'une putain, sauf si elle appartient à leur propre famille, qu'ils sont *mahram* – autorisés – à voir ainsi. Mon cœur saute dans ma poitrine, le sol se dérobe sous moi. J'ai peur de m'évanouir mais prends une grande inspiration et parviens à rester debout. La porte s'ouvre et deux autres hommes entrent. L'un des deux reste plus ou moins sur le côté mais l'autre se joint au premier et ils commencent à me pousser, assez fort pour que je manque tomber. Ils ont l'air de trouver ça très drôle, alors ils continuent, me poussant de l'un à l'autre, utilisant un langage obscène, m'attrapant les seins, les fesses, l'entrejambe. J'essaie de crier mais comme dans les pires cauchemars, aucun son ne sort de ma bouche. Puis je retrouve ma voix et me mets à supplier, supplier, tout en me détestant pour mon ton geignard et pour le vent bruyant qui m'échappe, les faisant hurler de rire. Les larmes qui ruissellent de mes yeux m'empêchent de voir. Un des hommes, le premier à être entré, me pousse dos au mur et, agitant un cutter au manche jaune, prend d'une main le col de mon tee-shirt et de l'autre coupe le tissu tandis que son camarade me plaque les bras contre le mur. Comme j'essaie de me libérer, la lame m'entaille profondément le côté de la gorge. En un instant, je suis éclaboussée de sang. Bien que je le voie, je ne sens pas la douleur et ne peux même pas penser au fait que je suis blessée, tant il est horrible de me sentir là, debout à moitié nue, à la merci de ces hommes et sachant que cela ne peut aller que de mal en pis.

Je dis, *agha, agha* – monsieur –, je vous en prie. Puis, m'adressant à lui avec le terme plus respectueux de *sarkar,* je me remets à supplier.

— Je vous en prie, je vous en prie, laissez-moi. Vous devez avoir une sœur…

Encore une fois, il me cogne la tête contre le mur, hurlant :

— Ne parle pas de ma sœur, *jendeh* – sale putain.

Je porte la main à ma tête, surprise de sentir la taille de la bosse qui s'est tout de suite formée.

Tout ce que je peux répéter, plus faiblement, c'est *agha, agha.*

Il baisse mes jeans et en un instant je me retrouve nue. Je crie et implore et essaie de me couvrir les seins d'une main et les parties génitales de l'autre mais il me gifle à nouveau et écarte mes mains.

— Tu vas être exécutée dans une heure, il me dit. Tu ne vas pas mourir vierge, ou tu irais tout droit au paradis ! Les putes n'ont aucune place au paradis !

Il met ses mains contre mes fesses pour me soulever et se pousse en moi. La douleur est inimaginable. Je perçois une clameur intérieure et j'entends un ricanement constant dont je comprends qu'il vient d'un des autres. Je suis secouée comme une branche, violemment, puis le garde pousse un cri et me lâche, me faisant tomber contre un tuyau qui court le long du mur et heurte ma cheville violemment sur l'os, me déchirant la peau et me faisant hurler de douleur. Reprenant difficilement mon souffle, je serre les jambes et tente à nouveau de couvrir mon corps de mes mains mais ne peux pas bouger davantage. Puis le deuxième homme m'attrape et me tire, me mettant à nouveau debout. C'est lui qui riait et criait des obscénités pendant que le premier garde me violentait. Là, il ricane comme un malade contre mon oreille. Pendant qu'il se pousse en moi à grands mouvements haletants, il décrit avec des mots crus et en grand détail ce qu'il est en train de me faire subir, puis continue à ricaner. Tout du long, il me tire les cheveux, les attrapant par poignées et me cognant la tête contre le mur. La troisième ou quatrième fois, j'ai l'impression que ma tête va éclater et ma cervelle en jaillir. Puis il tente de m'embrasser. Je trouve répugnant le contact de ses lèvres molles et mouillées, de son haleine qui pue à la fois le tabac et les oignons crus. Comme je tourne la tête d'un côté et de l'autre pour éviter le contact, un jet immonde de salive qu'il vient de cracher me coule dans la bouche. Il finit par me relâcher, me poussant contre le mur et, ricanant toujours, dit au troisième homme *nobate to* – à ton tour. J'entends alors ce garde défaire sa ceinture. Il ne dit pas un mot et, pour autant que je puisse le comprendre, ne me regarde même pas mais me pénètre rapidement et s'écarte au bout de quelques minutes. Je ne peux pas voir grand-chose mais sens qu'il remonte son pantalon qui lui est tombé aux chevilles. Je n'essaie même plus de me cacher le corps et me laisse glisser au sol, ma seule pensée étant de serrer les cuisses. Mais ce n'est pas fini. Deux mains me reprennent avec une violence inconcevable. En tournant la tête sur le côté et parvenant à ouvrir mon bon œil, je vois que c'est à nouveau le premier garde. Il me retourne, là sur le sol, et se met sur moi. Si ce que j'ai déjà subi me paraissait insupportable, ce n'était rien comparé à ce qui m'arrive à présent, la lacération de mon rectum. Complètement déconnectée de moi-même, je m'entends hurler comme une folle, des beuglements rauques qui n'ont même pas l'air de sortir de moi, comme si j'observais la scène à distance, ça ressemble aux récits de gens qui ont une expérience de mort imminente et se voient suspendus au-dessus de leur corps, séparés de lui. Après quelques soubresauts, l'homme pousse un cri, tout à fait comme la première fois qu'il m'a violée. Il se relève, j'entends des bruits de pas, l'un d'entre eux dit, *berim* – partons. Mais ils n'en ont pas tout à fait fini avec moi. Le premier garde, celui qui vient de me sodomiser, dit, « On va lui apprendre, à cette pute, à marcher dans des manifs ! »

Il me frappe la plante des pieds avec un objet dur, encore et encore. Je croyais qu'il ne me restait plus de cris mais je m'entends à nouveau hurler. Ils sortent enfin et je reste où je suis. S'il y a une échelle de la douleur, j'ai dû en parcourir tous les degrés. Je suis incapable de bouger, du moins je le crois, jusqu'à ce que j'entende des pas et que mon corps tout entier se tende. Puis quelqu'un s'accroupit à côté de moi et me touche le dos, disant, « *madar, madar...* » petite mère.

Je tourne la tête et distingue la forme de la gardienne qui n'avait pas dit un mot et ne m'avait pas regardée lors de notre trajet jusqu'à cette pièce. Elle m'essuie le visage avec un chiffon mouillé et pose sur moi le *tchador* réglementaire. Elle attend que ma respiration haletante revienne à la normale, puis m'aide à m'asseoir. Sa douceur, ses mots de compassion, *madar, naneh djoun*, me font sangloter mais je serre mes bras autour de moi pour me forcer à arrêter, parce que mon corps brisé est trop douloureux. Elle me prend contre elle, disant, *bebin toro khoda* – voyez, mon Dieu, ce qu'ils lui ont fait !

Après que je me suis un peu calmée, elle me dit, toujours de cette voix douce, comme si elle parlait à un enfant, qu'elle va me donner du thé puis m'emmener prendre une douche.

— Ne pars pas, je murmure. Je t'en prie. Ils vont revenir me chercher pour m'exécuter.

— Personne ne va t'exécuter. Ces animaux ont dit ça pour te faire peur. N'aie pas peur. Laisse-moi t'apporter du thé, ça te fera du bien.

Rien ne peut me faire de bien mais je suis trop faible pour m'accrocher à son bras et l'obliger à rester. Elle revient après quelques instants avec du thé léger mais chaud dans un verre et tenant dans l'autre main un morceau de sucre et deux petits biscuits. Je repousse sa main mais elle trempe un biscuit dans le thé et me force à en prendre une bouchée, puis à avaler une gorgée de thé par-dessus le sucre qu'elle met dans ma bouche. Elle a raison, ça aide.

Je ne peux pas encore me lever. Je suis meurtrie de partout, pas seulement au visage mais aux épaules. Les bouts de mes seins ont été pincés maintes et maintes fois, mon vagin me brûle, et encore plus mon anus, qui est sûrement déchiré. Sans compter la grande entaille qui court sur un côté de mon cou, mon œil gonflé, les élancements dans ma cheville qui a heurté le tuyau, les plantes enflées de mes pieds, mon cuir chevelu, après que mes cheveux ont été tirés si fort. Un mal de tête monstre martèle ma tête comme un écho dans un immense espace vide. Je ne peux pas penser au-delà de ce faisceau de douleur, même pas à la terrible profanation. Si j'avais jamais pensé à la façon dont je perdrais ma virginité, c'était en des termes vagues et agréables, en un moment d'intimité et de tendresse assez flou avec Kian, au milieu de l'océan de tulle et de satin de ma robe de mariée. Au lieu de quoi, j'ai été souillée dans une prison sordide.

Graduellement, comme je me calme, les paroles de la gardienne me reviennent. Je ne vais pas mourir. La vague de soulagement qui m'envahit me fait comprendre que j'ai peut-être pensé vouloir mourir mais que je n'y suis pas prête. Chuchotant toujours, je demande à cette femme si elle est sûre que je ne serai pas exécutée et elle répond oui. Je la remercie d'être bonne avec moi et lui demande son nom, mais elle refuse de me le donner.

— Tu n'as pas besoin de le savoir. Il n'a apporté que la honte sur moi et sur ma famille.

Elle me laisse encore me reposer quelques instants puis dit qu'elle va m'aider à me laver. Elle passe ses mains sous mes aisselles pour me lever mais cela me prend un peu de temps pour arriver à me mettre debout. Non seulement mon corps est complètement disloqué mais je parviens à peine à poser mes pieds enflés sur le sol et je ne peux pas non plus les glisser dans les tongs qu'elle va récupérer dans un coin de la pièce. Je ne cesse pas de pleurer. M'accrochant à elle, pieds nus, le *tchador* entortillé autour de moi, je me dirige vers la douche où elle m'emmène, m'arrêtant plusieurs fois au bout de quelques minutes pour tomber à genoux quand je ne suis pas capable de rester davantage debout. Nous avançons lentement, chaque pas éveillant la douleur, puis la gardienne pousse une porte et m'aide à entrer. Dans l'état où je me trouve, aucune vision ne pourrait être plus attrayante que ce compartiment de douche, tout primitif qu'il est. Depuis le début de mon agression, je n'ai cessé d'être consciente de la saleté gluante qui souille mes cuisses. Quand, avec l'aide de la gardienne, je défais le *tchador* enroulé autour de mon corps, je parviens à pencher la tête et à voir les longues traînées de matière visqueuse mélangée à mon sang. La femme ouvre la douche et me fait attendre pendant qu'elle règle la température, puis elle me donne un bout de savon et une petite bouteille de shampoing et m'y fait entrer. Je suis obligée de m'asseoir, parce que mes pieds ne me portent plus, mais c'est un soulagement inimaginable que de sentir l'eau couler sur moi. Si meurtri que soit mon corps, je ne peux cesser de le laver et le laver encore, comme si, en le faisant suffisamment, je pouvais effacer la souillure et redevenir celle que j'étais avant. Puis je shampouine mes cheveux collés et emmêlés, et là aussi, je rince pendant une éternité. La gardienne sort de sa poche un petit peigne avec lequel elle m'aide à me démêler. Après quoi, elle m'essuie sans appuyer avec une serviette qu'elle a apportée. Ensuite, elle produit une blouse à manches longues et un ample pantalon de coton dans l'entrejambe duquel elle met un morceau de tissu plié qu'elle attache avec des épingles de nourrice. Elle ouvre une petite boîte de vaseline qu'elle me dit d'utiliser sur mes parties intimes lacérées, puis m'aide à m'habiller en m'expliquant qu'elle garde quelques vêtements de rechange dans la prison. Je suis trop épuisée pour lui demander si c'est dans ce but spécifique, et de toute façon la question serait cruelle, alors qu'elle fait tout ce qu'elle peut pour m'aider. Quand je suis habillée, elle me donne deux aspirines qu'elle me dit de prendre afin de pouvoir dormir et elle me met dans la main une écharpe pliée, en polyester brillant, verte avec de grandes fleurs marron, en me disant :

— Garde ça pour quand tu sortiras sinon tu n'auras rien pour te couvrir la tête.

Quand je sortirai ?

Nous entreprenons l'insupportable voyage de retour à la cellule. Malgré mon état, je me rends compte qu'il vaut mille fois mieux être meurtrie et propre que meurtrie et couverte de la fange infâme de tout à l'heure. Lorsque la gardienne ouvre la porte de la cellule, il se fait un silence le temps que les femmes se ressaisissent, puis Katayoun, Akhtar et une ou deux autres m'aident à m'étendre sur une des couchettes inférieures. Bien que la cellule soit trop chaude, comme d'habitude, je claque des dents. Je tourne la tête vers le mur. Katayoun s'assied sur le bord de la couchette et me masse doucement le dos. J'entends les autres chuchoter, *heyvounak* – la pauvre – et *ajab balai* – quelle catastrophe ! Quand je peux, je demande à Katayoun de me donner de l'eau pour prendre les aspirines, puis je finis par m'endormir. Au matin, quand arrivent le malheureux thé tiède habituel et le pain, cette fois accompagné de feta, Katayoun me fait asseoir et trempe un bout de pain, dans le thé alors qu'Akhtar reste à côté de nous, m'encourageant de la voix, et m'oblige à prendre une ou deux bouchées, mais j'ai des haut-le-cœur et dois arrêter. Katayoun me dit que pendant mon sommeil, la gardienne qui m'a aidée est revenue apporter du désinfectant pour l'entaille dans mon cou. Les autres prisonnières s'approchent quand elle découvre la blessure jusque-là cachée par la blouse que je porte et leur expression me dit que ça ne doit pas être beau. Le désinfectant, sans doute de la teinture d'iode, pique, mais j'ai toujours été très raisonnable et je gémis à peine. Même petite fille, je surprenais les médecins quand on me soignait pour une égratignure ou une bosse ou qu'on me faisait une piqûre. Là, toutefois, ce que j'ai subi va au-delà de la douleur. Aucun centimètre carré de mon corps ne doit être intact.

Hossein

Je n'ai pas de nouvelles de Raha depuis deux semaines. Elle n'a pas appelé. C'est aussi bien. Moi aussi, je fais l'effort de ne pas l'appeler et de penser à autre chose quand j'ai son nom en tête, ce qui arrive souvent. Par moments, je me laisse emballer, je me dis que c'est une amie, qu'il est normal d'appeler une amie et de faire du *ahval porsi* – de demander si sa santé est bonne, des nouvelles de sa famille. C'est ce que font les amis. Puis je repars dans l'autre sens et me dis que nous ne sommes pas amis, que nous appartenons à deux mondes différents et que je ne serais jamais à la hauteur si je voulais sortir de mon monde et pénétrer dans le sien. Elle me regarderait toujours de haut, me verrait à travers les yeux de sa famille et de ses parents pour qui je ne serais pas seulement un garçon de ferme du Khouzistan mais, pire encore, un *sepahi*. Je ne m'autorise donc pas à appeler Raha, quoique parfois, quand je m'endors, je parvienne à imaginer autre chose, une autre dimension, un autre monde où je serais assez bien pour elle. Je me réveille à peine quelques minutes plus tard, le cœur cognant dans ma poitrine, et j'enfonce ma tête dans l'oreiller, me traitant de *ahmagh* – imbécile –, jusqu'à me rendormir. Comment puis-je arrêter ce cycle ? Quand nous suivions une formation sur la façon de traiter les drogués dans les services sociaux, l'instructeur nous répétait toujours que quand ils essayaient d'arrêter, ils trouvaient ça quelquefois facile au départ, puis traversaient une période vraiment dure et que c'était précisément là qu'ils devaient s'accrocher sinon tous leurs efforts auraient été vains. S'ils parvenaient à passer ce cap, ça devenait plus facile.

Donc, je me dis que si je laisse passer un mois, ou un an, ou même dix, je serai débarrassé de mon sentiment pour Raha, mais que si je cède et l'appelle, je me retrouverai à la case départ. Donc je ne le fais pas, jusqu'au jour où je ne peux plus supporter de ne pas entendre sa voix. J'ai cette image d'elle la première fois que je l'ai vue, allongée sans connaissance sur le sol près de Baharestan, ses paupières baissées sur ses joues pâles, sa lèvre supérieure un peu remontée sur ses dents. Je me persuade que ce n'est pas poli de ne pas demander de ses nouvelles, je prends mon portable, fais défiler jusqu'à son nom la liste des numéros sauvegardés et j'appelle. Je ne l'ai pas entendue depuis si longtemps que je ne reconnais pas sa voix quand elle répond, avant de me rendre compte que ce n'est pas elle. J'hésite entre raccrocher ou non, puis décide de ne pas le faire. Je dis *allo* et *salam*. La voix demande sèchement, *choma* ? Qui êtes-vous ? Je comprends que c'est sa mère, et là je ne peux plus raccrocher.

— Hossein.

— Quel Hossein ?

Je dis que c'est moi qui ai emmené Raha chez Khanom Delavaran le jour du *choloughi* à Baharestan.

Il y a un silence, puis elle comprend qui je suis. Elle dit, chuchotant presque, « Oh, Hossein ! »

Je demande si Raha est là et elle fond en larmes. J'avais

déjà trouvé sa voix triste mais, ne l'ayant rencontrée qu'une seule fois, je ne savais pas si la tristesse était chez elle un état permanent.

— Hossein, Raha n'est pas là. Nous ne savons pas où elle se trouve.

J'ai le soufflé coupé.

— Qu'est-ce que vous dites, Nasrine Khanom ?

— Elle a disparu il y a dix jours. D'abord, nous avons cru qu'elle avait été arrêtée mais nous l'avons cherchée partout, nous avons demandé à tout le monde. Nous n'arrivons pas à la trouver.

— *Vay khodaye man !* Mon Dieu !

J'ai du mal à croire ce que je viens d'entendre, je veux me cogner la tête contre le mur. Au lieu de quoi, je m'excuse d'avoir crié au téléphone et lui dis de ne pas s'inquiéter. Comme si ce n'était pas déjà assez idiot de lui dire ça alors que sa fille a disparu, je lui dis aussi de rester calme, que je la trouverai. Comment, je ne sais pas, mais je répète plusieurs fois, « Je la trouverai. »

— *Khoda omret bedeh*, Hossein djan. Que Dieu te bénisse, cher Hossein. Donne-moi ton numéro de portable pour que je puisse te joindre.

— Vous l'avez là, sur le *hamra* sur lequel je viens de vous appeler.

— Je sais, mais je ne veux pas avoir à le chercher. Je veux le mettre dans mon carnet.

Elle peut le copier depuis l'écran du *hamra* mais je sais que ces choses sont plus difficiles pour les gens d'un certain âge, donc je ne discute pas et lui donne le numéro. Puis elle me dit que je suis son seul espoir, elle décrit ses nuits sans sommeil, sa terreur à l'idée que Raha ait été tuée et jetée dans un trou sans que personne ne les prévienne, ou qu'on la retienne prisonnière quelque part, torturée, souffrant le calvaire. Elle dit toutes ces choses horribles que je ne peux pas supporter d'entendre. Mon imagination fait son propre travail, mes pensées sautant d'une image horrible à une autre. Toutes ces choses qui peuvent arriver, je les connais de l'intérieur, et même pire. Je parviens quand même à poser quelques questions à Nasrine Khanom. Est-ce que quelqu'un a entendu quoi que ce soit, même indirectement ? À quoi elle répond que non. Est-ce que Raha était dans une manif le jour où elle a disparu ? Elle dit, Oui, elle était avec ses amis mais eux sont tous revenus sains et saufs. Je lui demande aussi pourquoi elle a le *hamra* de Raha et elle répond que sa fille l'avait prêté à Kian pour passer un appel. Elle me donne toutes les informations qu'elle a sur le jour et l'endroit où Raha a disparu et me dit encore que je suis son seul espoir. Je la rassure comme je peux.

— *Motmaen bachid,* Nasrine Khanom, *motmaen bachid.*

Soyez tranquille, je lui dis, alors que je m'engage moi-même dans l'incertitude totale. Promettre est facile, mais que dois-je faire à présent ? Je reste assis, fixant le mur, quand mon téléphone sonne. On me demande au centre, chez mon oncle. Bien sûr, Agha Chahrvandi. Il est le seul qui puisse m'aider. C'est le lui demander qui va être dur.

Le *setad* – le QG des Gardiens de la Révolution – est comme toujours agité, avec beaucoup d'allées et venues mais pas autant qu'après les élections. Les choses se sont quand même un peu calmées. Il règne l'agitation habituelle, des gens en réunion dans leurs bureaux, certains la porte ouverte, des officiers parcourant les couloirs en parlant dans leur portable, des groupes se formant, se séparant. Comme j'ai besoin d'avoir autant d'informations que possible avant d'aller voir Agha Chahrvandi, je passe chez une de ses assistantes et lui demande si elle peut faire une recherche pour moi. Normalement, je ne suis pas autorisé à faire une telle recherche mais elle doit se dire que c'est pour Agha Chahrvandi. Je ne suis même pas sûr que les Gardiens puissent, depuis notre QG, aller sur le site de l'*edareye zendanha* – le bureau des prisons –, mais cela n'a pas l'air de lui poser de problème. Je lui donne la date des manifs à l'université de Téhéran, le 19 *tir* – 9 juillet – et attends, mon cœur battant la chamade, terrifié à l'idée que mon oncle sorte de son bureau et me voie. L'assistante est efficace et trouve rapidement l'information.

— Six cent soixante-dix-sept personnes arrêtées. Afchar… Afchar… Afchar… Elle fait défiler les noms. Tremblant à l'intérieur, je présente une apparence calme, ne voulant pas qu'elle voie là autre chose qu'une demande de routine.

— Ah, voilà, dit-elle. Raha Afchar, arrêtée à 17 h 30, emmenée au *manfi char*.

Je suis en train de la remercier quand mon portable sonne. Agha Chahrvandi veut savoir où je suis.

— Dans l'immeuble, Agha, j'arrive.

Je monte en courant chez mon oncle. Il me dit qu'il doit participer plus tard à une réunion confidentielle dans la maison d'un des commandants et me veut avec lui. Je dis *tchachm*, bien, et reste planté là, essayant de trouver les mots qui conviennent. Il est bien rare qu'Agha Chahrvandi ne se montre pas patient avec moi. Il attend une minute ou deux alors que je suis pétrifié, puis me demande, *ba man kar dachti* ? Tu as besoin de quelque chose ? J'aimerais rester calme et posé pour lui expliquer la situation, au lieu de quoi je me retrouve bêtement agité, balbutiant, cherchant mes mots. Je parviens tout de même à expliquer qui est Raha, comment je l'ai aidée lors d'une des manifs, l'ayant trouvée assez grièvement blessée, que j'ai rencontré sa famille qui me contacte à présent pour me dire qu'elle a disparu. Agha Chahrvandi me regarde avec une certaine curiosité.

— Et en quoi est-ce que ça te regarde ? demande-t-il, puis il me dit de fermer la porte que j'avais laissée ouverte sans m'en rendre compte.

Je m'excuse, vais la fermer tout en réfléchissant à une réponse, puis répète que la famille m'a contacté en pensant que je pourrais peut-être l'aider. J'ajoute, de façon aussi détachée que possible, que je ne leur ai fait aucune promesse mais que ce sont de braves gens, *mo'men* – pieux –, et que ça dépend entièrement d'Agha Charvandi de décider s'il veut les aider. Mon oncle ne me quitte pas des yeux et je sais au plus profond de moi qu'il n'est pas dupe. Il demande :

— C'est les parents qui t'ont dit qu'elle avait été arrêtée ?

Voilà la partie difficile. Je ne peux pas expliquer que les parents n'en savaient rien, et que c'est grâce à sa propre assistante que j'ai découvert le lieu de détention de Raha. Trébuchant sur les mots, je dis qu'elle est détenue au *manfi char*, sans préciser d'où je tiens l'information. Quand il me dit qu'en tant que manifestante, donc ennemie de notre pays, elle mérite d'être punie, je me surprends moi-même en rétorquant immédiatement que *jessaratan* – sans vouloir lui manquer de respect –, bien que d'accord avec lui sur le principe, dans ce cas particulier la jeune femme est trop naïve et ne s'est pas rendu compte qu'elle était influencée par des gens plus *zerang* – malins – qu'elle qui l'avaient entraînée dans ces activités sans qu'elle comprenne qu'ils poursuivaient leur propre but, la déstabilisation du pays.

Je continue à plaider sa cause, ajoutant que si Agha Chahrvandi intervient en sa faveur, face à cette action *ba savab* – charitable – elle fera certainement *to'beh* – se repentira – et ne participera plus jamais à quoi que ce soit du même style. Je dois être assez convaincant parce que mon oncle demande son nom puis décroche le téléphone, parle à quelqu'un qui lui nomme une autre personne qu'il appelle ensuite. Il s'informe sur les chefs d'accusation, demande si Raha doit comparaître devant un juge et sinon, quand elle peut être libérée.

Je suis dans un état second, mon esprit à la fois embrouillé et tout à fait concentré, alors que je me tiens debout devant son bureau, mes mains dans le dos afin qu'il ne les voie pas trembler. Il raccroche enfin et me dit qu'on doit l'appeler bientôt pour lui dire quand cette *bazdachti* – prisonnière – pourra être relaxée.

— Tu sais que le *ghazaiyeh* – le judiciaire – est jaloux de ses prérogatives et pas du tout content que nous intervenions mais ils ont accepté de s'occuper de cette affaire pour moi à titre tout à fait exceptionnel.

Je veux me précipiter et appeler Nasrine Khanom mais ne sais comment m'excuser et sortir l'attendre jusqu'à ce qu'il me fasse appeler. De toute façon, mon oncle n'en a pas fini avec moi.

— J'espère que tu n'as pas développé un intérêt particulier pour cette *dokhtar khanoum* – cette jeune femme –, dit-il.

Je le regarde sans pouvoir dire un mot. Il continue :

— Tu es jeune et elle est sans doute charmante, mais tu dois comprendre que tu n'appartiens pas au même monde.

Je ne sais toujours pas quoi répondre. Je peux seulement écouter tandis qu'il me prodigue du *nassihat* – des conseils.

— Tu n'es pas un enfant. Ne cause pas de chagrin à ta mère et à moi-même. J'ai assez de soucis comme ça sans devoir en plus m'inquiéter que tu t'attaches à quelqu'un avec qui tu n'as aucun avenir.

Raha

Deux jours après le viol, une gardienne vient me chercher le matin et me dit de prendre mes affaires. Je me couvre la tête avec le foulard que l'autre gardienne m'a donné et mets un *tchador* réglementaire par-dessus. Mes pieds n'ont pas désenflé et je ne peux toujours pas porter les tongs, je les laisse donc. Comme je pouvais m'y attendre, la gardienne ne répond pas quand je lui demande où elle m'emmène. Les premiers jours, Katayoun m'avait décrit le processus de relaxe des prisonniers quand ils étaient de simples *mottaham* – des prisonniers contre lesquels il n'y avait pas eu de chef d'accusation précis. Elle m'avait dit qu'on les emmenait en général dans un quartier calme, comme Farahzad, dans le nord-ouest de Téhéran, et qu'on les y relâchait.

— À partir de là, les gens peuvent aller dans un *ajans* – une compagnie de taxis-téléphone –, puisqu'il y en a partout, et appeler quelqu'un. En général, les autorités ne préviennent pas les familles pour leur dire de venir chercher les prisonniers, sauf dans le cas des *mahkoum*, les prisonniers dûment accusés et condamnés à une peine de prison quand celle-ci est menée jusqu'à son terme ou quand ils sont graciés.

Elle dit aussi que rien n'est gravé dans le marbre et

que la procédure peut varier d'une prison à l'autre et selon les caprices de la direction. Elle connaît tout de même assez le système pour me dire, dès qu'elle voit la gardienne, que je n'ai rien à craindre et que je vais être relâchée. En espérant qu'elle sait de quoi elle parle et que rien de mauvais ne m'attend, j'ai à peine le temps de dire au revoir à mes compagnes de cellule que je m'en vais, accompagnée de leurs vœux. Les deux derniers jours ont été insupportables, les fonctions corporelles les plus simples, une horreur, étant donné que je suis déchirée et saigne de devant comme de derrière. Mes compagnes ont été admirables mais, chuchotant avec difficulté, je ne peux même pas les remercier convenablement.

Pieds nus et hébétée, je suis la gardienne, une femme maussade que j'ai vue à plusieurs reprises et qui marche lentement à côté de moi, sans me parler mais en me tenant le bras pour m'aider à avancer malgré la douleur. Elle utilise une carte pour appeler l'ascenseur. En haut, elle appuie sur un bouton commandant une porte métallique qu'elle pousse. Tout est étonnamment silencieux, contrastant avec le couloir de la cellule que j'occupais. Pas de fracas, de chocs, de roulement assourdissant des chariots de nourriture, pas de prisonniers hurlant ou cognant contre les grilles métalliques. Nous traversons une petite pièce contenant quelques tables et des bancs, où un ou deux employés fixent des écrans d'ordinateur. La gardienne appuie sur une deuxième sonnette, on nous ouvre et nous entrons dans une nouvelle pièce. Un bureaucrate typique de la république islamique, avec le fond de barbe et le gros ventre habituels, regarde la gardienne qui s'approche de lui. Il me jette un regard indifférent, semblant trouver mes blessures et mes ecchymoses dénuées d'intérêt. Il imprime une page, puis pousse la feuille de papier vers moi et me dis de signer. Comme je parviens à lui demander de quoi il s'agit, il dit que c'est ma promesse de bien me comporter désormais, de respecter le *nezam* – l'ordre établi –, et que je dois signer si je veux être libérée. Je ne suis pas en état de discuter avec lui, je gribouille donc quelque chose du mieux que je peux. Dans la pièce suivante, un employé derrière un comptoir me montre des chaussures sur une étagère. J'indique mes baskets et mes chaussettes et il me les tend. De mon seul bon œil, je regarde mes affaires comme si elles appartenaient à une autre vie. Voyant ma difficulté à les tenir étant donné l'état de mes mains blessées, l'homme les met dans un sac en plastique, puis pousse vers moi un registre sur lequel j'appose un autre gribouillis. Encore quelques pas difficiles et je me retrouve dehors.

Le soleil est brillant, chaud, éblouissant. Mon bon œil parvient à distinguer les silhouettes de ma mère, de mon père, et d'amou Djamchid attendant près de la voiture. Comme je reste clouée sur place, incapable de bouger, prise dans un maelström d'émotions effrayantes et sans nom, ce sont eux qui s'avancent. Voyant mon état, ils osent à peine me toucher. Avec une extrême douceur, ma mère, qui n'essaie même pas de cacher ses larmes, me prend dans ses bras, faisant attention à ne pas toucher mes plaies les plus visibles, répétant *dokhtaram, naze delam, khoshgueleh khodam*, ma fille, trésor de mon cœur, ma toute belle à moi, puis me pousse dans les bras de mon père qui me prend contre lui, lui aussi le plus doucement possible, et enfin de mon oncle. Ils sont tous brisés, en train de pleurer. J'essaie de ne pas en faire autant, craignant les dégâts que les larmes peuvent causer à mes yeux meurtris. Ils m'aident à monter en voiture. Je m'assieds derrière, dans les bras de ma mère, pendant qu'amou Djamchid se met devant, à côté de mon père qui conduit. Personne ne sait quoi dire. Personne ne me pose de questions auxquelles je n'ai pas envie de répondre tout de suite. Je ne veux pas leur dire ce qu'ils devinent peut-être et sont terrifiés à l'idée de s'entendre confirmer.

Ma mère me tient, toujours avec cette douceur extrême, et continue à me murmurer des mots de tendresse. Elle me dit que j'irai bientôt mieux, que je vais me reposer et serai à nouveau moi-même, que je suis pour ma famille la personne la plus chère du monde. Puis elle ajoute que bien que j'aie tant souffert, elle est quand même heureuse que sa fille soit avec elle, et non pas un cadavre qu'on lave pour l'enterrer comme d'autres jeunes tués dans les manifestations depuis les élections. Amou Djamchid la réprimande, disant qu'imaginer une situation encore pire ne rend pas meilleure la situation présente. Ma mère soupire mais personne n'ajoute rien et pendant un moment le silence règne dans la voiture. Puis ma mère m'annonce que Homa a donné des instructions pour qu'on m'emmène tout droit à l'hôpital. Que puis-je dire ? Ils apprendront bien assez tôt ce qui est arrivé. Je ne peux pas le leur cacher et j'ai grandement besoin de soins.

Homa, à qui ma mère téléphone peu avant que nous arrivions, attend devant l'entrée principale avec un fauteuil roulant et deux aides. Elle se couvre la bouche de la main quand elle me voit mais, en professionnelle bien entraînée, se reprend tout de suite et me fait emmener directement au bloc opératoire, disant à mes parents de rester dans la salle d'attente. Une fois mon vilain foulard enlevé, on m'aide à me déshabiller, à mettre une chemise d'hôpital, et on m'allonge sur la table d'opération. Homa tourne doucement ma tête d'un côté puis de l'autre, regarde les différents bleus et ecchymoses, ouvre à grand-peine mes paupières gonflées et me dit que les yeux eux-mêmes n'ont pas subi de dommages, puis examine l'entaille sur mon cou. Elle me dit qu'on va s'occuper de mes blessures et faire tous les examens nécessaires pour voir ce qu'il y a comme traumatismes, s'il n'y a pas d'os brisés ni de problèmes au cerveau. Bien que je puisse à peine distinguer ses traits, je connais assez sa voix pour deviner qu'elle est horrifiée par mon aspect. Elle me demande si j'ai été frappée une fois ou plus et je réponds une seule fois. Puis elle me demande s'il y a eu autre chose mais je ne peux pas répondre, donc elle comprend. Elle me donne quelques instants pour me calmer, me touchant légèrement la main, puis me demande quand ç'a eu lieu. Lorsque je lui réponds que c'était avant-hier, elle dit qu'il n'y a pas de temps à perdre, que je dois être examinée sans délai par la gynécologue attachée à l'hôpital pour vérifier s'il n'y a pas de blessures internes qui nécessiteraient une intervention chirurgicale et aussi pour s'assurer que le rapport médical est complet et que tout est dûment enregistré. Quand la gynécologue entre, suivie de deux infirmières, Homa sort, disant qu'elle va attendre avec ma famille. Dès que le médecin procède à son examen, pourtant aussi délicatement que possible, la douleur est si intolérable que j'en oublie la bienséance et, malgré tous mes efforts, crie une ou deux fois. La voix du médecin, quand elle demande aux infirmières de lui passer tel ou tel instrument, ne me rassure guère, mais elle ne fait pas de commentaires. Lorsqu'on me retourne pour examiner mon rectum, je me mets à crier sans être capable de me contrôler et on doit me faire une anesthésie locale avant que le médecin puisse poursuivre son examen. En attendant que le produit fasse effet, une des infirmières me tient la main et approche sa tête de la mienne, tentant de me calmer en répétant, *afarin dokhtare khoob*, bravo la gentille fille, ça va être bientôt fini, encore une minute. L'autre infirmière me dit qu'elle doit prendre des photos et une vidéo pour documenter le traumatisme. Je les supplie de ne pas le faire, mais le médecin me dit qu'elles y sont obligées et me promet que personne à part les autorités médicales et judiciaires n'auront accès à quoi que ce soit. Cela ne rend pas la chose plus rassurante de savoir que des photos si intimes vont se retrouver entre les mains d'étrangers dans Dieu sait quel but. L'infirmière utilise un appareil numérique pour prendre des photos, non seulement de mes parties génitales et de mon rectum mais des nombreuses contusions et ecchymoses, de l'entaille que j'ai au cou, de la blessure à ma cheville gauche, des bouts de mes seins meurtris par les pincements répétés des gardes, de mon œil gauche qui reste fermé et de mes pieds enflés. Puis elle prend une vidéo avec une caméra et je détourne la tête, incapable de discuter plus longtemps. Voyant à quel point je suis mal à l'aise, le médecin me dit que comme tout est pris de très près, on ne me reconnaîtra pas et que de toute façon, dans l'état où je me trouve, personne ne pourrait mettre un nom sur moi.

Je leur suis reconnaissante de leur compassion et de la courtoisie qu'elles me montrent en me tenant constamment au courant et de ce qu'elles font, et de la raison pour laquelle elles le font. Une fois l'examen terminé, le médecin appelle un chirurgien pour me faire des points de suture au rectum. Comme l'anesthésie locale agit encore, l'intervention peut avoir lieu tout de suite. Puis le premier médecin remplit des formulaires dont elle me dit qu'ils vont être envoyés au bureau du *pezechki ghanouni* – le médecin légiste – avec les photos. Quasi suppliant, je lui demande s'il n'y a pas moyen d'éviter cela mais elle est catégorique et me dit que c'est la loi et qu'en plus je peux par la suite trouver cela utile que les démarches légales aient été faites en temps et en heure. Le médecin effectue aussi des prélèvements à l'intérieur de mon vagin comme de mon rectum mais elle me dit qu'après quarante-huit heures il ne sera pas facile de trouver du sperme, surtout que je me suis lavée. Puis c'est terminé. On me donne un verre d'eau et je reste là sur le dos, épuisée, pendant qu'on appelle Homa. Le médecin nous explique à toutes les deux que même s'il y a de sérieux traumatismes internes avec de grandes lacérations et même si je vais avoir très mal pendant plusieurs semaines, les tissus cicatriseront bien. La chose la plus importante, dit-elle, est que les organes reproducteurs n'aient pas été touchés, et que donc la possibilité pour moi d'avoir des enfants ne soit pas affectée. Elle pourrait aussi bien parler chinois, tant ses paroles me paraissent bizarres dans ce contexte. Après l'examen interne, mes autres blessures sont pansées, mes ecchymoses couvertes d'onguent, je reçois une poche de glace pour mon œil blessé, et on me pousse en fauteuil roulant jusqu'à une chambre privée et calme où m'attendent de magnifiques bouquets, éclairés par la lumière venant de la grande fenêtre. Quand je demande à ma mère de qui sont les bouquets, elle répond qu'il y en a un d'elle-même et de mon père, un d'amou Djamchid, un de Homa et un de Gita. Lorsque je suis installée, mon père et amou Djamchid entrent aussi me voir mais se contentent de m'embrasser tout doucement et disent qu'ils vont me laisser me reposer et reviendront le lendemain.

Je savais que Homa était une forte femme mais là, même diminuée comme je suis, je la trouve admirable. Elle est avec moi tout le temps, me soutenant avec bonté et perspicacité. Elle a aussi un sens parfait du moment où parler et expliquer les choses et de celui où elle doit garder le silence et respecter mon humeur fluctuante. Comme elle ne quitte pas mes côtés, je lui demande si elle ne doit pas travailler mais elle me dit que son seul ordre du jour est de s'occuper de moi.

— Nous devons te remettre en état.

— Ça, vous ne le pourrez pas, Homa djoun. Ce qui me remettrait en état, ce serait de redevenir comme avant, ce qui n'arrivera pas.

Ma mère, assise dans un coin de la pièce, pleure en silence.

Le lendemain, je subis un long processus d'examens approfondis, tant et si bien que je manque me sentir mal, surtout avec le martèlement de l'IRM. Homa me place en observation pendant cinq jours, la gynécologue revenant quotidiennement vérifier les progrès du traitement. Malgré la somnolence causée par les sédatifs dont on me bourre, il me semble à un moment qu'une femme qui s'assied à côté du lit et me pose des questions se présente comme venant du bureau du médecin légiste mais je n'en suis pas sûre. Homa me le confirme après. Mes parents et amou Djamchid sont avec moi tout le temps, ma mère passe les nuits dans ma chambre où on a ajouté pour elle un lit d'appoint. J'insiste pour qu'on me donne un miroir et je regarde mon image épouvantable pendant quelques instants avant de le rendre.

— Est-ce que je retrouverai jamais mon visage d'avant ? je demande à Homa.

— *Azizam*, ma chérie, évidemment. Tu es jeune et en bonne santé et il n'y a aucun dégât permanent.

Je dis que si, en fait, les dégâts sont permanents.

Le deuxième jour, Homa me dit que Kian est là et veut me voir, qu'il n'a pratiquement pas dormi depuis le jour de la manif où j'ai disparu et pas du tout depuis avant-hier, quand il a enfin appris que j'avais été arrêtée et torturée.

— Tu crois que ça lui ferait du bien de me voir dans cet état ? Moi pas. Remercie-le pour moi et dis-lui de revenir dans quelques jours.

Mes parents me ramènent à la maison et je reste au lit des jours et des jours, avec toujours l'un d'entre eux ou amou Djamchid avec moi. Ils ne me laissent jamais seule, sauf quand je dors. À la maison aussi, ma mère dort dans ma chambre les premiers jours. Je voudrais passer le reste de ma vie comme ça, rideaux tirés, sans sortir de mon lit. Une routine s'établit. Je me lève tôt, bois du thé, avale avec difficulté des céréales cuites et une salade de fruits coupés en petits morceaux, ceci pour faire plaisir à ma mère. Puis je prends ma douche, me savonnant encore et encore, me lavant les cheveux, et recommençant. Je dois utiliser un demi-savon et une bouteille de shampoing à chaque fois. Puis je retourne au lit. Mes parents et amou Djamchid ne mentionnent pas ce qui est arrivé, les yeux de Khan djoun sont infiniment tristes quand elle me fait sa visite quotidienne et passe un moment avec moi.

Une semaine plus tard, lorsque je reviens dans ma chambre après ma douche, je vois que non seulement le lit a été fait mais que des vêtements ont été posés dessus.

La fenêtre et les rideaux sont ouverts et le soleil entre à flots. L'air du dehors est clair, les montagnes toutes proches, les plus hautes ont encore un peu de neige au sommet. Je m'assieds sur le lit et dis que je ne peux pas encore me lever mais ma mère insiste pour que je fasse un effort. Je m'habille donc et vais au salon, regarde les nouvelles sur CNN, puis un début de film, mais je me sens au bord de l'évanouissement et dois retourner au lit. Après quelques jours, je regagne peu à peu des forces. Ma mère me dit que Homa – qui est passée presque tous les jours me rendre visite – va venir dans l'après-midi. Nous sommes plutôt consternées que Pari ait aussi insisté pour l'accompagner.

— Je suis sûre qu'elles ne resteront pas longtemps. De toute façon, il est temps que tu recommences à mener une vie normale.

— Une vie normale ? Ma vie ne sera plus jamais normale.

— Si, *azizam*, tu verras. Un jour, tout ceci sera loin derrière toi. Tu n'oublieras jamais mais tu y penseras moins souvent.

La sonnette retentit et ma mère va ouvrir, pendant que je reste sur le sofa, les jambes étendues parce que je ne suis toujours pas capable de rester debout plus d'une minute. J'entends les exclamations habituelles et l'échange assourdi de *ta'rof* – amabilités – puis ma mère revient avec Homa et Pari. Kian n'est pas avec elles. J'attendais peut-être qu'il passe outre à mon injonction de ne pas venir me voir tant que je n'aurais pas l'air normale. Il appelle souvent mais nos brèves conversations ne sont pas faciles, limitées aux nouvelles de ma santé et lourdes de non-dits.

Homa est vêtue de noir, comme d'habitude, mais bien

sûr, de la façon la plus élégante et raffinée qui soit. Des jeans et des bottes noirs, un tee-shirt noir à manches longues sous son *manto* également noir. Seul son foulard est dans des teintes pourpres. Pari, bien sûr, sort tout droit d'un magazine de mode, en Missoni – son couturier préféré – de la tête aux pieds, avec des vagues et des rayures d'un brun orangé discret. Je m'excuse de ne pas me lever.

Ma mère tient un immense bouquet.

— Regarde ce qu'elles t'ont apporté, *azizam*.

Homa la reprend :

— C'est Pari qui t'offre les fleurs. Moi, je t'apporte des *noun khamei*, les choux à la crème que tu aimais tant quand tu étais petite.

— Je les aime toujours, je dis. Merci Pari djoun, merci Homa djoun. Vous n'auriez pas dû vous donner ce *zahmat* – cette peine.

— Aucun *zahmat*, aucun...

Ma mère va s'occuper des fleurs et des choux à la crème. Pari s'installe en plein milieu du sofa en face du mien, ne laissant aucune place à Homa et à mon oncle qui prennent chacun un fauteuil. Elle me dévisage, ne faisant pas le moindre effort pour cacher sa curiosité. Les ecchymoses sur mon visage ont viré au jaune, et mes pieds ont retrouvé leur volume habituel mais je porte encore un bandage sur ma cheville blessée par le tuyau et un pansement sur mon cou tailladé par le cutter. Cependant je ne peux pas cacher le plus grand changement. Je sais que la peur et le désarroi se lisent dans mes yeux, dans ma façon de me tenir. Avant mon arrestation, j'étais une jeune femme de vingt-deux ans qui devait bientôt terminer ses études, se marier. J'aimais la vie, mes amis, Kian. J'avais aussi découvert l'action politique et nourrissais l'espoir que le régime deviendrait raisonnable et l'Iran, un pays civilisé. Mais à présent ? Que suis-je à présent ?

Amou Djamchid et les deux femmes bavardent, quand ma mère revient avec les fleurs.

— Je ne pensais pas avoir un vase assez grand.

Donnant à Pari la corde pour la pendre, elle ajoute :

— Je n'ai jamais eu un bouquet de cette taille dans cette maison, et elle repart vers la cuisine.

Pari produit cet effet sur les gens, les faisant se diminuer, ainsi que leur environnement, devant elle. Elle garde une minceur extrême et n'est pas plus grande que ma mère, elle fait donc six ou sept centimètres de moins que moi, mais elle réussit quand même à sécréter une autorité et une assurance extrêmes. Elle se tourne vers moi. *Khob*, tu m'as l'air très bien. Je m'attendais à te trouver beaucoup plus mal en point.

Homa lui dit sèchement :

— Cela fait douze jours.

Pari dit :

— Oui bien sûr. Mais tu penserais qu'une expérience aussi horrible…

— Elle est jeune, dit Homa. Elle est en train de guérir. Tu ne peux pas donner ton avis sur ce que tu ignores.

Comme prévu, elle ne parvient pas à empêcher sa sœur de répandre son venin.

— Je ne peux parler que de ce que je vois. Quand ma cousine Guitty a été attaquée il y a des années sur les collines derrière Vanak par ces *lat-o-lout* – ces voyous –, cinq ou six au moins, elle est restée malade pendant des mois et ne s'est jamais tout à fait remise. Ses cheveux sont devenus tout blancs avant même qu'elle atteigne ses trente ans. Les jeunes aujourd'hui ne ressentent pas les choses de la même façon.

Bouillant de colère, je fixe les dessins du tapis pour me ressaisir avant d'invectiver cette femme détestable ou lui envoyer ma main à travers la bouche. Puis je me lève et me force à boitiller jusqu'à la cuisine où ma mère a arrangé les choux à la crème sur un plat et est en train de verser le thé dans des *estekan* protégés par leurs porte-verres en argent. Elle comprend tout de suite qu'il s'est passé quelque chose.

— Qu'est-ce que cette *zanikeh* – cette bonne femme – t'a dit ? me demande-t-elle.

— Rien.

— Je suis sûre qu'elle a dit quelque chose. Tu trembles comme une feuille. *Khak bar sarech* – maudite soit-elle. Je ne saurai jamais en expiation de quel péché nous devons la subir. Homa djoun a sans doute été obligée de l'amener avec elle pour cette visite, sous peine de subir ses jérémiades. Ne t'en fais pas, elles ne vont pas rester longtemps.

Elle essuie une ou deux gouttes de thé sur le plateau et le soulève.

— Viens, *azizam*. Tu peux porter les choux à la crème ?

Nous retournons au salon. Pari lève la tête, vive et enjouée, ayant l'air de ne pas du tout se rendre compte que quelque chose est arrivé. Elle me dit, *beshin, azizam*, assieds-toi, ma chérie. Tu ne devrais pas marcher.

Je reprends ma place sur le sofa, sachant, telle que je la connais, que même si Homa lui a fait une remarque en mon absence, ce qui est peu probable devant amou Djamchid, Pari maîtrise l'art de secouer les critiques comme un canard secoue les gouttes d'eau de son plumage.

— Alors, dit-elle. Tu as pensé partir à l'étranger, t'installer ailleurs ?

Je réponds que je ne regarde pas aussi loin, que pour l'instant je veux terminer mes études quand l'université rouvrira, à la rentrée. Elle insiste et me demande si je ne veux pas quitter l'Iran.

— Non. Ma famille me manquerait trop.

— Et Kian aussi, sans doute, dit-elle, en jetant un coup d'œil à sa sœur.

— Bien sûr.

Je me prépare, sachant d'instinct qu'elle va attaquer.

— Ça doit être difficile pour lui aussi, dit-elle. Je veux dire... cette situation... devoir se marier avec quelqu'un qui...

Homa explose et se lève d'un bond, disant à sa sœur :

— Est-ce que tu réfléchis jamais avant d'ouvrir la bouche ? Allez, debout, on s'en va !

Pari ne peut pas être assez obtuse pour ne pas se rendre compte de l'effet de ses paroles mais elle joue la nonchalance avec son habituel *eva, tchi goftam* – qu'est-ce que j'ai dit de mal ?

Homa, furieuse, élève la voix :

— Tu n'as pas entendu ? Nous partons, maintenant !

Ma mère proteste, sans grande conviction, Restez, vous n'avez pas pris votre thé, mais Homa la remercie et confirme qu'elles doivent partir. Elle se penche et m'embrasse la joue, disant qu'elle est désolée, qu'elle me demande d'excuser Pari qui ne réfléchit jamais avant de parler. Elle comme moi savons qu'au contraire, Pari sait exactement ce qu'elle dit. Pour Homa, le comportement inimaginable de sa sœur est une raison de plus de se chagriner, ajouté au fait que la fiancée de son fils a été emprisonnée, torturée et violée, et que notre microcosme d'humanité a été mis sens dessus-dessous par cet événement. Sans compter la détérioration quotidienne de notre pays.

Amou Djamchid, qui n'a presque pas dit un mot durant la visite, échange des baisers avec les deux sœurs et les accompagne jusqu'à la porte avec ma mère. J'entends Pari, imperturbable, envoyer une nouvelle pique à celle-ci, disant qu'elle adore voir que tout reste inchangé dans notre appartement, que Nasrine est tellement plus sage qu'elle-même qui doit tout le temps refaire tout à neuf, à cause des *chakhsiyathayé mamlekati* – les sommités nationales – qu'elle et son mari sont toujours dans l'obligation d'accueillir. Me tenant derrière ma mère, je ne peux qu'imaginer son expression. En cet instant, je me dis que ça ne m'embêterait pas de quitter l'Iran si cela signifiait seulement ne plus jamais voir Pari.

Kian

Il y a des moments où j'oublie. C'est vrai. Raha redevient celle que j'ai connue et aimée. Rien n'a changé, mon avenir est avec elle, je veux bâtir ma vie autour d'elle. Cependant ça ne dure pas. L'ignoble histoire revient. Je ferme les yeux mais ce n'est pas comme si les images se trouvaient sur un écran devant moi que je peux faire disparaître si je ne le regarde pas. Elles sont dans ma tête, si nettes, si précises, que je me trouve aspiré à l'intérieur malgré moi et malgré tous mes efforts pour ne pas m'y laisser prendre. J'imagine Raha dans cette cellule sordide, ses vêtements arrachés, ces hommes qui se jettent sur elle, le sang, les cris. Je n'arrive pas à arrêter ces images, elles me donnent envie de mourir. Je m'allonge sur le dos, pose mes deux mains à plat sur mon ventre, inspire, expire, en comptant lentement, comme on nous a appris à le faire dans ce cours de yoga que Raha avait insisté pour que nous prenions, les filles et les garçons séparés, comme il se doit. Mais ça ne marche qu'une minute. Maintenant que je suis enfin autorisé à la voir, chaque fois que je lui rends visite je veux lui parler de ce poids que je porte en moi mais je ne sais pas par où commencer. Au départ, c'est elle qui tente d'aborder le sujet mais je l'arrête, me détestant de ne pas la laisser parler et ne lui disant pas ce que je ressens, moi. Je sais que la seule chose à faire pour résoudre le problème, c'est d'en parler, mais je ne peux pas. Les huîtres utilisent bien un grain de sable ou un bout de coquillage brisé pour fabriquer une perle autour, mais l'horrible viol est bien plus qu'un centre, c'est un corps étranger qui est devenu énorme dans mon esprit, et je crains fort qu'il n'ait déjà détruit ce que nous avions ensemble.

Ce qui est fait et ne peut pas être défait m'a projeté hors de tout ce que je connaissais, de tout ce en quoi j'avais confiance, de tout ce en quoi je croyais, et même de tout ce que j'aimais. Pire que l'humiliation et la douleur de Raha, pire que notre couple privé de sa réalité et le fait que nous nous retrouvons jetés dans deux coins différents et ne pouvant plus nous rejoindre, je déteste ce nouvel aspect que je me découvre, cette faiblesse. Je ne me croyais pas indécis, je pensais pouvoir être fort dans l'adversité, être capable d'aller au-delà de l'apparence des choses ou de l'opinion que les gens auraient de moi ou de ma vie, mais je découvre que rien de tout cela n'est vrai. Je continue à me raisonner, à me dire, et si Raha avait perdu une jambe dans un accident, est-ce que je ne l'aimerais plus ? N'est-ce pas la même chose ? Mais je dois admettre – honnête pour une fois – que non, si elle perdait une jambe, je ne pourrais plus l'aimer comme je l'aimais avant. Serait-elle responsable d'avoir perdu sa jambe, devrait-elle en avoir honte ? Devrait-elle payer pour cela ? Non, mais si elle avait une jambe artificielle, si elle marchait avec une canne ou ne pouvait pas marcher du tout, j'aurais, moi, honte devant les autres et je ne la verrais certainement pas comme je le faisais quand elle était indemne. C'est ça, la réalité.

Pendant la première semaine suivant la libération de Raha, ma mère me laisse tranquille, se contentant de me demander des nouvelles de Raha quand je l'ai eue au téléphone, me donnant elle-même des nouvelles quand elle va la voir – pratiquement chaque jour. Elle ne parle pas de ce qui est arrivé, ni de l'avenir, ni de ce que je ressens, n'ignorant sûrement pas que je me trouve aux prises avec des émotions nouvelles et désagréables. Puis elle commence à se fâcher. Un jour où je décris dans les termes les plus vagues une visite à Raha, ma mère va droit au but, me demande si Raha et moi avons parlé de son séjour en prison. Je dis que non. Elle poursuit avec une autre question, me demandant si c'est Raha qui ne veut pas en parler ou moi et je suis obligé d'admettre que c'est moi qui évite cette discussion, que Raha voulait l'avoir, au début, mais que je l'arrête toujours dès qu'elle essaie. Après quoi ma mère traverse une période de colère pendant laquelle elle me parle à peine.

Un matin, au réveil, je me rends compte que je n'éprouve plus rien pour Raha, que, ainsi que je m'en doutais, ce qu'il y avait a disparu. Je reste au lit toute la matinée, prenant le deuil, enfonçant ma tête dans l'oreiller, voulant me rendormir et me réveiller en aimant Raha comme je l'ai fait toutes ces années, ou au moins autant qu'hier, où je pensais encore qu'elle faisait partie de ma vie. Consciemment ou inconsciemment, j'attendais que la déception, le chagrin, le ressentiment et la honte que je laissais s'accumuler en moi s'atténuent avec le temps. Mais maintenant, là, alors que je ne suis même pas levé, je sais que c'est terminé. Je regarde la photo à mon chevet, celle de nous à Nowchahr, la villégiature au bord de la mer Caspienne. Je regarde ses yeux, ses cils. Je lui faisais fermer les yeux et passais un doigt sur ces cils, les trouvant incroyablement longs et fournis. Je me souviens lui avoir demandé une fois, alors que nous n'étions pas encore officiellement ensemble et encore moins fiancés si ses cils étaient rééls, question stupide, je le sais, parce ce qu'elle ne se maquille presque jamais et qu'en fait je n'ai jamais vu de femme avec des cils artificiels, même si je sais que ça existe.

Elle a éclaté de rire, de son rire adorable, à la fois ample et clair, et elle n'a pu s'arrêter, pliée en deux à partir de la taille comme ça lui arrive quand elle rit aussi fort.

Quand elle a été un peu calmée, elle a dit :

— Qu'est-ce que tu croyais ? Que mes cils étaient *ghollabi* – faux ?

— Je ne sais pas. Je n'en ai jamais vu de semblables.

Grimaçant de douleur, elle en a arraché un et me la tendu, disant, rien en moi n'est *ghollabi*, rien !

Je me souviens avoir regardé ce long cil déposé sur le bout de mon doigt du milieu et m'être senti rempli d'exaltation, mon cœur soudain si plein d'amour que j'aurais pu m'envoler. J'ai dit à Raha que c'était le cadeau le plus précieux que j'avais jamais reçu et elle a éclaté de rire encore une fois, montrant ses petites dents brillantes.

— *Heyvounak* Kian – pauvre Kian ! Si tu n'as jamais reçu un plus beau cadeau qu'un cil, je suis triste pour toi – *delam barat misouzeh*.

Je me souviens de la scène avec une telle précision que le temps est aboli. Je me retrouve tel que j'étais ce jour-là, le jour où j'ai découvert que Raha n'était pas seulement ma copine d'enfance mais l'amour de ma vie. C'est ça que j'ai perdu. Passé cet instant, je sais, pour la première fois depuis la libération de Raha, que je ne veux plus jamais la voir.

Je vais à la cuisine. Il est trop tard pour le petit déjeuner, et même pour le déjeuner. Je fais chauffer de l'eau au micro-ondes dans un mug et y mets un sachet de thé. Je regarde l'eau pendant qu'elle se colore, ajoute du sucre, et m'assieds à la table de la cuisine. Je n'ai pas faim. Raha, qui était le centre de ma vie, a disparu. Comment vais-je en retrouver un ? Ma mère n'est pas là, elle opère toute la journée à l'hôpital. Le soir elle rentre, épuisée, se verse un verre de vin et se laisse tomber sur le sofa. Je la suis au living et, l'appelant Homan djoun comme je le faisais quand j'étais enfant, lui dis que je ne peux plus être fiancé à Raha. Elle finit d'allumer sa cigarette, souffle la fumée, puis me regarde avec une expression dans laquelle je lis sa déception et des traces d'un autre sentiment dont j'espère qu'il n'est pas du mépris. Mais si c'en est, tant mieux, c'est exactement ce que je ressens envers moi-même. Elle me demande si Raha et moi avons parlé et je suis obligé de dire non. J'ajoute, *madar djan* – j'espérais que vous le feriez pour moi.

Elle me coupe vivement, levant la main qui tient la cigarette.

— Que je ferais quoi ? Tu veux que *moi*, je dise que c'est fini ? Non, ne me demande pas ça !

— Mais nous devons rompre nos fiançailles.

— Je crois qu'elle aura compris. Elle sait que mon fils n'est pas un homme, qu'il ne l'a jamais suffisamment aimée. C'est aussi bien qu'elle l'apprenne maintenant. Quel beau mari tu aurais fait ! Tu crois que la vie est facile ? Il y a des problèmes, tu sais, il arrive de mauvaises choses. Et

toi, tu te sauves et tu te caches dans un coin dès que ça
ne va pas comme tu le souhaites ?

— Ce qui est arrivé est plus qu'un simple problème.

— La façon dont tu vois la chose ne m'importe pas.
Mais ne me demande pas de me mêler de ça. J'ai tellement honte de toi !

Furieuse, elle écrase sa cigarette dans le cendrier et en
rallume tout de suite une autre.

— Tu es comme tous les hommes iraniens ! Ils sont
pleins d'arrogance et de suffisance et à la minute où
quelque chose arrive, ils se cachent la tête dans le sable
et attendent que ça se passe.

Mina

Je dois me dépêcher parce que Kazem a sa permission hebdomadaire de prison et doit arriver à six heures. Ces longues queues partout me tuent, je ne comprends pas pourquoi on doit attendre des heures rien que pour acheter du pain. Je n'en ai besoin que d'un seul. Kazem n'est pas un gros mangeur de pain mais il veut que celui-ci soit toujours frais, donc je dois l'acheter maintenant pour qu'il soit encore tiède quand il dînera. À part le *gheymeh*, je lui ai fait un *dizi*, il lui en faut à chaque repas. On le nourrit si mal en prison, je dois compenser quand il rentre à la maison, je ne veux que le meilleur pour lui. Le matin, je courrai chez le boulanger avant qu'il se réveille afin d'avoir du pain frais pour le *noun panir*, le pain et le fromage qu'il mangera avec ses quatre ou cinq verres de thé. Chaque semaine, quand il rentre pour vingt-quatre heures, c'est pour moi comme la première fois, le bonheur de le voir est neuf. Je laisse ouverte la porte sur la rue pour qu'il puisse rentrer directement, sans attendre. Je me hâte d'aller dans la cour dès que je l'entends, je le serre dans mes bras et le tiens jusqu'à ce qu'il s'écarte en riant. Je vois bien qu'il est un peu irrité, mais je ne peux pas me retenir, je voudrais le tenir contre mon cœur toute la journée. Mon fils, mon beau fils, enfin avec moi, même si ce n'est que pour peu de temps. Puis je le suis alors qu'il va vers la maison, je lui pose des questions, sur sa santé, sur ses camarades de cellule, sur le furoncle qu'il avait à la nuque la semaine dernière. Quand il dit que c'est fini, j'insiste pour qu'il baisse son col et me fasse voir. Il rit encore, *madar*, laisse-moi au moins arriver jusqu'à la maison, reprendre mon souffle.

Il se déchausse en entrant, s'assied sur un coussin à même le sol. J'arrange le grand coussin contre le mur de façon qu'il puisse s'y appuyer. Je lui apporte du thé. Je veux lui éplucher des fruits mais il dit, Non, non, ne fais pas de *zahmat*, ne te donne pas de mal. Laisse-moi profiter, être ici avec toi.

Il est content d'être à la maison, je le vois bien. Il demande de mes nouvelles en une ou deux phrases, pas davantage, et je ne voudrais pas lui gâcher cette courte permission hebdomadaire par des histoires désagréables. Jamais je ne lui raconterai ce que je vois dans mon métier, comme cette pauvre fille qui a été violée l'autre jour et s'est retrouvée brisée et blessée. J'ai bien essayé de l'aider autant que j'ai pu, plus que jamais honteuse du travail que je fais dans cette prison. Mais jamais je ne mentionnerai quelque chose de semblable à Kazem.

Maintenant, je suis là à m'énerver en attendant mon tour, bien que j'aie tout le temps avant qu'il n'arrive. Je me tiens dans la queue de ceux qui n'achètent qu'un seul pain mais un grand bonhomme dans la queue d'à côté, celle des clients qui en prennent plusieurs, resquille dans la nôtre. Une petite bonne femme qui fait la moitié de sa taille lui crie dessus, menaçant de le changer en eunuque afin de lui apprendre à faire le fanfaron. Tout le monde rit de sa colère mais le grand bonhomme reste là où il est. La queue pour un seul pain avance un peut plus vite que l'autre mais pas vraiment parce que tout le monde triche. Le client avant moi commande un pain, puis un autre, puis un autre. Il en achète quatre comme cela, payant pour chacun séparément. Il s'en va, ses pains sous le bras, évitant le regard des gens derrière lui qui grommellent et lui lancent des insultes. Il a son pain, qu'est-ce que ça peut lui faire ?

Hossein

J'attends encore et encore. Pourquoi je pensais que Raha m'appellerait, je ne sais pas. Elle n'est sûrement pas en état de le faire. Ce que je ne dis à personne, c'est que je me suis arrangé pour me rendre à Chariati après qu'on l'y eut emmenée et j'y ai obtenu quelques informations sur ce qui s'est passé au *manfi char*. L'infirmière en chef est un dragon irritable qui ne se laisse pas amadouer et menace de me faire jeter dehors et en plus de faire un rapport. J'ai eu beau supplier, me faire passer pour le fiancé de Raha à qui sa famille ne veut rien dire, il n'y a rien eu à faire. Mais une infirmière stagiaire m'a suivi dehors, dit à quel point elle était désolée pour moi et m'a chuchoté quelques informations, assez pour me faire vaciller et remplir mon cœur d'horreur. Un soir, je parviens à me faufiler jusqu'à sa chambre et aperçois Raha par la porte entrebâillée, mais il y a plusieurs personnes assises autour de son lit, et je pars sans qu'on m'ait vu. La voir ainsi, meurtrie, méconnaissable, la tête bandée, me brise au point que je cours dehors et me mets à sangloter, ne faisant pas attention aux gens qui me jettent des regards étonnés.

Plusieurs jours après qu'elle est rentrée chez elle, mon portable sonne alors que je suis assis dans un petit bureau au QG, attendant mes instructions pour la journée. Je saute si vite pour attraper le téléphone que je le fais voler en l'air et qu'il glisse à travers la pièce. J'écarte une chaise et arrive à trouver l'appareil alors qu'il sonne encore. Je vois le numéro de Raha mais c'est Nasrine qui m'appelle.

— Hossein djoun, je suis désolée de ne pas avoir appelé plus tôt pour te remercier. Je devais m'occuper de Raha.

Il n'y a pas trace de joie dans sa voix qu'elle garde basse comme si elle se trouvait au chevet d'une malade.

— Nous voulons tous te remercier. Je ne sais pas si nous l'aurions jamais revue si tu ne l'avais pas trouvée.

Je prononce des phrases de *ta'arof*, disant qu'elle n'a pas à me remercier, que je n'ai rien fait, puis demande des nouvelles de Raha.

— Elle ne va pas trop bien. Je la fais se reposer. Ça prendra du temps.

Je demande si je peux aider, si elle m'autorise à téléphoner dans quelques jours pour avoir des nouvelles fraîches. Ça ne serait pas convenable pour moi de mentionner les détails de la détention de Raha, donc je ne lui dis pas que par l'hôpital et un autre moyen, je sais ce qui est arrivé au *bazdachtgah* – au pénitencier. Comme toujours au travail, j'ai été totalement discret pour ne pas causer de problèmes à Agha Chahrvandi mais j'ai parlé à des gens de prisonniers récemment libérés en disant que je cherchais des informations spécifiques. Maintenant, je veux en savoir plus. Un gardien me contacte, le responsable des formalités de relaxe. Il me connaît depuis un bout de temps parce que nous sommes entrés chez les Gardiens en même temps et avons fait notre entraînement initial ensemble, mais lui a été depuis transféré au bureau des prisons. Il me donne le numéro de téléphone d'une gardienne dont il me dit qu'elle pourra peut-être me donner les renseignements que je cherche. Il promet de m'apporter son aide si j'en ai besoin mais s'assure aussi que je mets son nom et son numéro de portable dans le répertoire de mon *hamra*, voulant sans doute que je me souvienne de lui le jour où il aura besoin que je renvoie l'ascenseur. J'appelle le numéro qu'il m'a donné, celui d'une Mina Parsapour. Je me présente et lui dis que je vais passer la voir, sans donner d'explication. Elle proteste d'une voix apeurée et me demande de quoi je veux lui parler mais je réponds qu'elle n'a pas à s'inquiéter et raccroche.

Elle habite à Salsabil, dans une rue bordée de hauts murs avec au milieu un canal pas trop propre. Habillé en civil et portant une petite boîte de *chirini*, je cherche la maison, tandis que des enfants à vélo s'arrêtent pour dévisager l'étranger. La rue ressemble à celle d'Abadan où j'ai grandi avant que nous allions habiter la ferme et aussi à celle où j'ai trouvé Raha évanouie sur le sol le jour de la manif près de Baharestan. La femme qui m'ouvre la porte à laquelle j'ai frappé semble effarée. Petite et d'âge mûr, l'air encore plus courte parce que fortement voûtée, elle porte un foulard gris tiré bas sur le front sous un *tchador* bleu marine semé de petites fleurs. Je me présente et lui dis que je souhaite des renseignements sur la détention de Raha au *manfi char*. J'appuie bien sur le fait que je ne suis pas là en mission officielle mais en tant qu'ami de Raha. Elle ne me croit pas au départ, se disant, j'en suis sûr, qu'il ne peut rien y avoir de commun entre Raha et moi – elle n'a pas tort –, mais j'arrive à la persuader que je suis vraiment un ami de Raha. J'ajoute même que c'est moi qui ai découvert où elle avait été emmenée et l'ai fait libérer. Elle a enfin l'air convaincue et me fait entrer, m'installant non sur les coussins contre le mur mais à une petite table sur le côté de la pièce, et elle me sert un verre de thé dans un petit plateau avec du sucre en morceaux dans la soucoupe et quelques-uns des *chirini* que j'ai apportés dans une petite assiette. Puis elle s'assied en face de moi et, très à contrecœur, me raconte l'histoire par petits bouts, sans me donner les noms des gardes, disant qu'elle ne les connaît pas, ce qui ne peut pas être vrai. Ça n'a pas d'importance, je dois pouvoir trouver l'information facilement. Tout en m'efforçant de garder mon calme, je suis très secoué quand elle décrit l'état de Raha après le viol. Elle s'en aperçoit et, pour me donner le temps de me reprendre, elle se lève pour aller me chercher un autre verre de thé. Puis elle s'assied à nouveau et pousse vers moi une assiette de belles dattes charnues. J'essuie mes larmes et prends une datte tout en m'excusant, la pensée me venant que les dattes sont exactement ce qui convient à l'occasion puisqu'on les sert à des cérémonies de commémoration pour les morts et que ces gardes ont d'une certaine façon tué Raha, ou en tout cas la jeune fille qu'elle était avant son arrestation. Mina me regarde, de la pitié dans les yeux. Je sais que je suis pâle et ai les yeux cernés, n'ayant pas bien dormi depuis que j'ai découvert à l'hôpital ce qui s'était passé au *manfi char*.

— *Behech alagheh dari* me demande-t-elle. Tu as un sentiment pour elle ?

Je fais oui de la tête parce que c'est bien ça, j'ai un sentiment pour Raha. Elle secoue la tête.

— Tu sais qu'elle n'est pas pour toi.

— Je sais. De toute façon, elle est fiancée, elle va se marier.

— Et son *namzad*, son fiancé, il va l'épouser après ça ?

— Pourquoi est-ce qu'il ne l'épouserait pas ? je demande. Ce qui est arrivé n'est pas sa faute.

— Tu l'épouserais, toi ?

Mon cœur fait un bond douloureux et je ferme les yeux, les mots de cette femme faisant monter à mon esprit des images impossibles.

— *Albateh*, je dis, bien sûr.

Je pense à Raha telle qu'elle était ce jour-là, assise en face de moi dans le café, telle que je me suis souvenu d'elle si souvent, me regardant avec ce que dans mes moments de plus grande illusion je voulais voir comme de l'affection, me disant dans mes moments plus réalistes que c'était seulement de la gentillesse ou pire, de la curiosité.

— Mais elle ne voudrait pas de moi, je dis, ajoutant, pour atténuer dans mon esprit l'ampleur de ce qui serait sans aucun doute un rejet de Raha, je suis sûr que sa famille ne voudrait pas de moi.

Elle change de sujet, parle de sa propre honte à l'idée de ce qui arrivé.

— Je suis devenue gardienne de prison il y a déjà long-temps. Ça ne me plaisait pas alors, et ça ne me plaît tou-jours pas mais j'ai un fils, Kazem. Son père a été heurté par une voiture et tué il y a de nombreuses années et j'ai du l'élever toute seule. Quand j'ai entendu parler de ce travail, je n'avais pas le choix, je l'ai pris en me disant que je trouverais bien autre chose un de ces jours mais aucun autre travail ne pouvait me donner cette sécurité. Kazem a trente ans maintenant, il est né juste deux mois après la révolution, mais il est en prison à Evin depuis cinq ans. Il avait été en Turquie rendre visite à un parent qui l'a emmené à Sanandaj et il est devenu un des leurs.

— C'est un séparatiste ?

— Non, il faisait partie d'un *gorouheh nimeh mossalah*, un groupe en partie armé, une branche du PJAK kurde, mais il me jure qu'il n'a jamais été un de ceux qui attaquaient les forces de sécurité iraniennes et qu'il s'occupait davantage de stratégie. Je ne sais pas trop ce qu'ils font, la politique ne m'intéresse pas. Au départ, il ne me disait pas ce qu'il faisait et j'avais peur qu'il soit un *simpat*.

Elle veut dire un sympathisant des Modjahedin Khalgh, un groupe marxiste-islamique qui a aidé à amener Khomeyni au pouvoir et à établir la république islamique avant que le système ne se retourne contre eux et ne commence à les arrêter et à les exécuter. J'en entends quelquefois parler mais d'après les services de sécurité, il ne doit pas en rester beaucoup en Iran. Ils sont surtout en Irak, gardés dans un camp sous surveillance américaine. Tout le monde les déteste.

— Alors comme ça, vous êtes kurde ? je demande.

— Oui. Kazem a été arrêté durant un raid et condamné à une peine de trois à dix ans de prison, mais nous n'arrivons pas à obtenir d'autres précisions. Enfin, on ne le traite pas mal et depuis la condamnation, il est autorisé à rentrer chez nous le jeudi soir et à repartir le vendredi. Ça me donne de l'espoir et le courage de continuer à vivre. Mais je m'attends toujours à recevoir de mauvaises nouvelles.

— Vous ne devez pas penser comme ça, Mina Khanom. Vous devez faire du *tavakol be khoda* – avoir confiance en Dieu. *Inchallah*, tout se passera bien.

Il est temps de partir. Elle m'accompagne jusqu'à la porte. Nous nous arrêtons à côté du petit bassin dans la cour et regardons les poissons qui filent puis changent de direction tous en même temps. Mina ouvre la porte donnant sur la rue.

— Appelle-moi et dis-moi comment ça se passe, me dit-elle.

Encore secoué, je dis distraitement oui et la remercie. Elle referme la porte derrière moi. Elle pense sans doute qu'elle n'aura plus jamais affaire à Raha ou moi. Je m'interroge encore : aurait-elle voulu me demander si j'étais en position de faire quelque chose pour son fils puis s'était-elle dit qu'il valait mieux ne rien entreprendre qui rappellerait son existence aux autorités ? Qui sait, de la façon dont les choses se déroulent, peut-être que va finir la république islamique et que toutes les portes de prison vont s'ouvrir.

Raha

Presque pire que mes souvenirs de prison, il y a ma terreur lancinante d'être enceinte. J'en suis consciente toute la journée. Je ne peux même pas décrire l'angoisse qui me saisit quand j'y pense. Mon corps devient de glace et transpire en même temps, c'est un état bizarre. Parfois, mon esprit part ailleurs, puis la peur revient, ma tête part en arrière comme si j'avais reçu un coup. Je dois courir à la salle de bains et me vider. Homa m'a déjà dit que les tests étaient tous négatifs, aussi bien le test de grossesse que celui du sida – elle a l'intention de répéter ce dernier pendant plusieurs mois au moins –, mais j'ai besoin d'une preuve tangible.

Et puis ce matin, avant même d'être tout à fait réveillée, je prends conscience de crampes dans mes ovaires et mon bas-ventre. J'ai toujours détesté avoir mes règles, qui sont terriblement douloureuses, avec un écoulement de sang si abondant que je dois changer de protection toutes les deux heures – pour protéger le matelas, ma mère a posé une épaisse alèze au-dessus d'un revêtement en plastique –, mais ce matin je crie de joie quand j'écarte les draps et vois que je suis bien en train de saigner. Mes parents arrivent en courant et je remonte vite le drap. Tout d'abord, voyant les larmes couler sur mon visage, ils se précipitent vers moi en criant, Qu'est-ce qui se passe, qu'est-ce… ?

Puis ils remarquent le sourire à travers mes larmes et leur expression change, passe de la crainte à un tel soulagement que je sais qu'ils ont tout de suite compris. Je demande à mon père de quitter la pièce et de fermer la porte derrière lui. Il le fait, rayonnant de satisfaction, après avoir déposé un baiser sur mon front. Lui et ma mère ont dû souffrir le martyre en attendant ce moment. Je me laisse ensuite attirer dans les bras de ma mère qui s'est assise sur le lit pour me tenir et sanglote tout comme moi.

— *Khoda ra chokr*, répète-t-elle, Dieu soit loué.

Je ne relève pas, ça fait longtemps que j'ai cessé de louer Dieu pour quoi que ce soit. J'ai mon propre point de vue. Je ne l'ai pas maudit quand de mauvaises choses sont arrivées, mais je ne suis pas prête de lui offrir des louanges pour ce qui arrive maintenant.

Ma mère est tellement surexcitée qu'elle écarte le drap pour voir par elle-même. Je crie et lui arrache le drap que je rabats mais ça ne la gêne pas du tout. Elle se contente de me sourire, disant, Désolée, *madar*, j'étais si inquiète. Puis elle me serre à nouveau dans ses bras.

Je l'écarte.

— Est-ce que nous n'avons pas l'air *maskhareh* – ridicules –, toujours à pleurer et rire puis à pleurer de nouveau ?

— Il n'y a là rien de *maskhareh*. C'est la vie dans ce pays pourri avec toutes les horribles choses qui nous arrivent sans cesse. Comme si elle n'était pas assez difficile en soi ! Comme s'il n'y avait pas assez de problèmes, nous devons aussi faire face à ça !

Elle quitte la chambre pour que je puisse prendre ma

douche et m'habiller. Quand je vais dans la salle à manger pour le petit déjeuner, bien que personne ne mentionne la grande nouvelle, ils ont tous des yeux brillants de joie. Khan djoun, amou Djamchid et mes parents me regardent comme s'il s'agissait d'une grande célébration. Ma mère me dit qu'elle a prévenu Homa, qui est très heureuse pour moi. Ma grand-mère m'appelle, *bia indja azizam*, viens à côté de moi, ma chérie. Je me penche afin qu'elle puisse m'entourer de ses maigres bras et me serrer contre elle. J'évite de la serrer en retour parce que son corps me paraît plus fragile chaque jour, comme si la moindre pression pouvait la transformer en vapeur et la dissoudre dans l'air. Elle embrasse ma joue, encore et encore, de ses lèvres toutes ridées, chuchotant, *alhamdolella, alhamdolella*, Dieu soit loué.

Quand, au bout d'une quinzaine de jours, je dis à Kian qu'il peut venir me voir, il le fait presque tous les jours. Nous ne parlons pas beaucoup mais il reste avec moi pendant des heures et nous regardons des films ou écoutons de la musique. Un jour où je mentionne en passant la possibilité que je parte en Amérique, il me dit qu'il me rejoindra dès qu'il aura terminé ses études l'année prochaine. Mais je vois bien qu'il a changé. Avant, il aimait le contact physique, me toucher de façon agréable, caressante, sensuelle. Il aimait me tenir par la taille, me prendre la main quand nous étions assis l'un à côté de l'autre, faire courir ses doigts sur mon bras. Il aimait surtout m'embrasser, en des baisers prolongés que j'étais toujours la première à interrompre quand il me paraissait s'exciter trop. Mais il me touche à peine maintenant. Il ne m'a pas embrassée une seule fois et s'il me prend la main quand nous sommes assis côte à côte, j'ai l'impression que c'est plutôt par habitude et il la lâche vite à la moindre excuse, comme celle de ramasser un magazine qui a glissé à terre ou d'aller chercher une boisson à la cuisine. Nous ne mentionnons jamais le viol. L'air entre nous est chargé de reproches, de culpabilité, d'accusations, de sentiments dont nous n'arrivons pas à parler. Je rêve de me mettre dans sa tête, de voir tout ceci à travers ses yeux à lui et de trouver les mots qui arrangeraient les choses entre nous, puis je suis furieuse qu'il m'inflige cette situation au lieu de me montrer au moins de la compréhension et de la sympathie, à défaut d'amour. Un dur noyau de rancœur est en train de se former en moi à l'idée que je dois faire l'effort de composer alors que c'est moi qui supporte le souvenir et la douleur de ce que j'ai subi. Je n'arrive pas à dormir la nuit parce que je commence à voir Kian comme trop faible pour supporter ce fardeau et me demande comment envisager une vie dont il ne ferait pas partie. Puis je serre les dents, déterminée à ne pas autoriser que l'on me voie comme une victime. Si Kian ne peut pas me donner son amour, je ne veux pas de sa pitié. C'était mon choix de participer aux manifs après la fraude électorale. Que je reste brisée à jamais est le prix à payer, mais je n'ai pas de regrets.

C'est drôle comme je n'ai pas douté de lui les premiers jours, comme j'étais certaine qu'ensemble nous trouverions en nous la force de surmonter ce terrible événement. Nos familles sont proches et nous deux avons toujours été meilleurs amis depuis notre enfance. Je pouvais toujours trouver Kian, lui téléphoner, courir chez lui. Il était la première personne à qui je voulais parler de mes projets, de mes plans, de mes pensées, de mes amitiés, de mes souhaits. Mais maintenant que cette histoire effrayante m'est arrivée et a chamboulé ma vie de fond en comble, le sujet est tabou entre nous. Un jour où nous sommes au café et où je suis en train de boire un cappuccino, fermant les yeux chaque fois que je prends une gorgée tellement c'est bon, je commence à parler de tous les plats et toutes les boissons auxquels je pensais en prison et dis combien le cappuccino me manquait. Tout de suite, il devient pâle, ses yeux sont froids et il se forme une ligne blanche autour de ses lèvres serrées.

— Kian, je dis, Kian, tu ne veux pas entendre ce que j'ai subi ?

Il me regarde sans mot dire, furieux mais aussi gêné. Je veux crier, lui dire que s'il est *narahat* – malheureux –, je le suis mille fois plus, puis son portable sonne. Il jette un coup d'œil, me dit que c'est Mazyar et qu'il va sortir prendre cet appel parce qu'il y a trop de bruit dans le café. À ce moment-là, je sais sans l'ombre d'un doute que ce n'est pas Mazyar qui l'appelle. Quand je rentre, je confie à ma mère que je vais perdre Kian. Elle dit qu'il vaut mieux pour moi apprendre dès maintenant la vraie nature de Kian, que s'il m'aimait comme je l'aime, il me soutiendrait envers et contre tout. Je ne peux pas m'empêcher de pleurer. Kian a toujours fait partie de ma vie et de mon avenir. Peut-être que je me faisais une idée trop simpliste des deux.

Un jour, quand il est assis par terre pour faire un nœud à son lacet déchiré et qu'il parle vaguement du jour où nous serons mariés, je me penche et prends son visage entre mes mains.

— Arrête, je dis, tu ne veux pas te marier avec moi.

Il répond que je ne devrais pas penser comme ça mais

évite mon regard et je comprends alors que c'est vrai, que nous ne nous marierons jamais. Voilà où nous en sommes. Les semaines passées m'ont appris que la vie est bien plus compliquée que je n'imaginais et qu'il n'y a pas d'équation établie une fois pour toutes, bien je ne comprenne pas pourquoi cette leçon était si importante que j'aie dû payer un tel prix pour l'apprendre.

Kian regarde sa montre, se lève et dit qu'il doit partir rencontrer les *batchéha*, sans me proposer d'y aller avec lui. Il n'a pas un mot d'excuse, il ne se retourne pas quand il va vers la porte. Je ne prends pas la peine de lui dire que son lacet est défait. En sortant, il me lance qu'il reviendra bientôt. Mais il ne revient pas ce jour-là. Après ça, il passe une ou deux fois puis ne vient plus.

Ça va faire plusieurs semaines. Mes blessures se sont cicatrisées, la douleur est presque passée et je sais que je ne suis pas enceinte, mais le cauchemar revient toutes les nuits. Je suis dans une petite pièce carrée, mal éclairée, avec un plafond si haut que je ne peux pas le voir même en rejetant la tête en arrière. Les murs sont couverts d'excréments, la puanteur me donne la nausée. Mes vêtements sont arrachés, mon corps est égratigné et couvert de bleus, mais je ne sais pas comment c'est arrivé. Des mains sortent de l'ombre, me jettent à terre. Puis je vois les hommes debout en cercle autour de moi ; leurs rires et leurs commentaires railleurs que je ne peux saisir résonnent dans l'entonnoir au-dessus de nos têtes. Je remonte mes mains sur mon corps pour le cacher mais les hommes déchaînés, forcenés, les repoussent sans arrêt. Des trous apparaissent sur mon corps, des grandes taches comme des trous. Chaque fois qu'il y en a un qui apparaît, cette partie de mon corps s'efface. Je me tords sous le coup de la douleur insoutenable mais aussi me vois à distance devenir graduellement transparente, remplie de trous, comme si j'étais faite d'une dentelle hideuse. Je ne cesse de m'évanouir et de reprendre connaissance. Ma bouche est ouverte en un long cri mais aucun bruit ne sort. Mes yeux me font si mal que j'ai peur qu'ils ne sautent hors de leurs orbites, puis je n'ai plus d'yeux.

Le cauchemar est précis, avec les mêmes détails qui se répètent d'une nuit à l'autre. Je suis terrifiée à l'idée de m'endormir. Ma mère dort dans ma chambre pendant quelques nuits, comme elle l'avait fait quand on m'avait ramenée de l'hôpital, puis mes parents offrent de mettre un lit supplémentaire dans leur propre chambre mais je dis que je dois résoudre ça toute seule et je reste allongée là, espérant que le sommeil ne viendra pas. Quand il arrive, il ramène les mêmes images répugnantes. Je hurle, de ce même hurlement silencieux, jusqu'à ce que quelqu'un dise mon nom et me secoue. Je repousse les mains qui m'ont attrapée, puis sursaute, tout à fait réveillée. Mes parents sont à côté de mon lit, m'appelant :

— Raha, Raha, réveille-toi.

Ma mère me tient dans ses bras tandis que mon père me caresse les cheveux, encore et encore, puis va me chercher un verre d'eau et me le fait boire. Parfois, je ne peux pas le garder et dois courir à la salle de bains pour le rendre, tant les images encore en moi sont fortes.

Pendant tout ce temps, Homa est aussi prévenante que possible. Entre ses heures de travail à l'hôpital, elle vient souvent, ce qui n'est pas facile pour elle étant donné les distances et les embouteillages. Elle ne parle pas de Kian mais je sais qu'elle tente en partie de compenser la façon dont les choses se sont déroulées entre nous. Au bout d'un certain temps, s'apercevant que je ne suis pas beaucoup mieux mentalement bien que le physique soit presque tout à fait réparé, elle me dit que je vais avoir besoin d'un autre traitement et m'envoie chez un analyste qu'elle connaît, le Dr Djavahéri. Dès le départ, je me sens entre de bonnes mains. Direct, à la limite de la sècheresse, le médecin ne perd pas de temps à me montrer compassion ou sympathie ; il ne parle pas de guérison, il ne me suggère pas de me forcer à mettre cette difficile expérience derrière moi ou de me concentrer sur autre chose – trouver un hobby, voir des amis, et ainsi de suite. Au lieu de tout cela, il décrit le processus normal de résolution nécessaire afin qu'un traumatisme important diminue au point de devenir gérable. Il me dit que cela peut prendre des mois, et même des années avant que je reprenne le cours de ma vie et m'explique sans détour que le souvenir de ce que j'ai subi ne s'effacera jamais tout à fait mais s'atténuera avec le temps. Je lui demande pourquoi les cauchemars ont commencé à venir un certain temps après l'expérience proprement dite. Il me dit ne pas être sûr de la raison mais à son avis, il est possible que j'aie érigé des défenses au départ parce que je ne me sentais pas assez protégée pour m'autoriser à me souvenir mais qu'une fois rassurée et me trouvant saine et sauve chez moi, avec mes parents pour s'occuper de moi, tout a retrouvé l'intensité du premier jour et revient dans ce cauchemar récurrent.

Contre mon attente, il ne me prescrit pas de médicament.

— Je sais que certains de mes collègues le feraient, au moins pour le court terme, mais cela ne vous aiderait pas à résoudre le problème sous-jacent. Ce ne serait qu'une béquille.

Je le veux, ce médicament. Je prendrais n'importe quoi qui m'aiderait à sortir de ce trou dans lequel je suis tombée. Je lui dis que si je m'étais cassé une jambe, il me mettrait un plâtre pour donner à l'os le temps de se réparer.

Il a un de ses rares sourires.

— Je vois que vous êtes une fille intelligente, mais ce n'est pas la même chose. Notre mental est beaucoup plus compliqué que notre physiologie. Je vous vois comme quelqu'un de fort et je pense qu'il sera plus efficace de vous tirer de là sans aide chimique. Maintenant, si vous y tenez, je peux vous recommander un collègue.

J'ai déjà vu le Dr Djavahéri trois fois et suis habituée à son approche plutôt brusque. Je lui dis que je préfère rester avec lui.

Un jour, il me dit de but en blanc :

— Je vais vous suggérer quelque chose. La meilleure façon de soigner un traumatisme ou un état qui nous cause une grande angoisse mentale est de l'affronter directement.

— Comment cela ?

— Avez-vous déjà pensé à la possibilité de retrouver les hommes qui vous ont brutalisée, de porter plainte et de laisser le système judiciaire se charger du reste ?

Je suis secouée. Je n'aurais jamais envisagé une chose pareille.

— Non, sûrement pas ! Je ne pourrais pas supporter de me trouver face à eux. Si cela devait arriver, ils resteraient avec moi pour toujours, je ne pourrais jamais les sortir de ma tête. Ensuite, je ne crois pas que le système judiciaire entreprendrait la moindre action. Une publicité autour de ce qui s'est passé serait mauvais pour la république islamique.

— Je ne suis pas d'accord avec vous. Il y a déjà beaucoup de discussions autour de ce qui est arrivé dans nos prisons après les élections, et il me semble que les autorités ne seraient pas réticentes à rectifier le tir. Quant à vous, vous ne pouvez déjà pas, dans l'état actuel, vous sortir ces hommes de la tête. Ne pas affronter ce qui est arrivé peut fort bien accroître votre détresse mentale.

Je comprends que le Dr Djavahéri cherche à m'aider mais je me sens presque insultée, comme s'il réduisait mon expérience à quelque chose d'insignifiant, presque à une plaisanterie.

— Vous proposez quoi ? Ce qu'on voit dans ces shows américains où on est exposé à ce qui vous fait le plus peur, comme des araignées ou des serpents ?

— Oui, c'est le même principe. Si vous ne le faites pas, le souvenir de ce qui est arrivé peut vous handicaper à vie. Vous devez vous en débarrasser, ou tout au moins ramener les choses à des proportions que vous pouvez gérer, et la seule façon de le faire c'est d'accuser vos tortionnaires, de les remettre entre les mains de la justice.

— Docteur Djavahéri, je suis sûre que personne ne m'écoutera. Nous ne sommes pas en Suède. Nous parlons de gardiens dans une prison de la république islamique. Déjà, les femmes ne sont rien ici, alors une femme qui voudrait accuser des fonctionnaires du gouvernement, oubliez. *Havayé hamo daran* – ils se protègent les uns les autres.

— Je me rends bien compte que ce ne sera pas facile mais on ne sait jamais. Notre système judiciaire n'est pas aussi corrompu que certaines autres des organisations gouvernementales. De toute façon, rien que tenter le coup, prendre l'initiative, vous donnera un but, le sentiment d'accomplir quelque chose et peut beaucoup vous aider. Vous devriez parler à des avocats spécialistes des violations des droits de l'homme, peut-être à quelqu'un dans l'entourage de Chirine Ebadi. Je crois qu'elle-même n'habite plus l'Iran mais il y a d'autres personnes compétentes dans cette ville. Et vous avez sans doute aussi entendu dire que Karroubi demande au gouvernement de s'expliquer au sujet du traitement des prisonniers à Kahrizak et ailleurs. Rien de ce genre n'était arrivé jusqu'ici. Il me semble que vous avez une chance.

Je me sens belliqueuse.

— Vous vous lavez les mains de cette situation, docteur Djavahéri ? C'est ça que vous essayez de me dire ?

— Pas du tout. Au contraire, il faut que vous continuiez à venir me voir. Nous devons poursuivre notre discussion. Mais vous devriez aussi réfléchir à ce que je vous suggère.

Je m'en vais, complètement retournée. Je conduis jusqu'à la maison, mes pensées sautant dans ma tête comme autant de balles de ping-pong, puis je me calme peu à peu et me mets à penser à la possibilité de poursuivre ces hommes en justice, de les faire payer. L'idée commence à se faire jour en moi. Je n'en parle pas tout de suite à mes parents mais ils se rendent compte que je suis tout à fait absente et me demandent plusieurs fois ce qui m'arrive. Cette nuit-là, le rêve a changé. La cellule dégoûtante n'a plus que trois murs. Le quatrième côté est fait de barreaux avec une porte au milieu. De l'autre côté, quelqu'un tente de pousser la porte mais j'appuie moi aussi de toutes mes forces, en hurlant, pas de peur cette fois mais pour écarter l'intrus. Mes parents dorment tous les deux, j'entends mon père ronfler, je n'ai donc pas crié dans la réalité. Je m'entoure de mes bras, profondément soulagée. Il n'y a pas de doute, quelque chose a changé, quelque chose s'est passé.

Le changement doit se voir car le lendemain matin au petit déjeuner, mes parents me regardent comme s'ils attendaient que je dise quelque chose ou leur annonce une nouvelle. Khan djoun, proprette et minuscule sous son écharpe blanche, me laisse poser un baiser sur sa joue sèche et continue à plier de la feta dans la galette de pain qu'elle tient à la main.

— Donc, ce médecin n'est pas tout à fait aussi *bi khassiat* – inutile – que je le croyais, dit-elle. Pour la première fois, tu as la tête qu'une jeune fille doit avoir le matin. Ta mère me dit que tu as dormi toute la nuit.

— Oui, Khan djoun, et j'en suis très heureuse. Je dois vous parler à tous. Je ne sais pas ce que vous allez en penser, mais le Dr Djavahéri est d'avis que je porte plainte contre ces gardiens. Il dit que je devrais les poursuivre en justice.

Après un silence choqué, Khan djoun, qui à présent prend une gorgée de thé pour faire passer sa bouchée de pain et de fromage, dit, *afarin* – bravo. *Khocham amad* – ça me plaît.

Comme prévu, mon père cherche tout de suite la solution de facilité.

— Tu n'arriveras à rien. Ce sera mauvais pour toi, pour ton nom, ta réputation.

Sa remarque me met en rage.

— Quel nom ? Quelle réputation ? Tout le monde sait ce qui m'est arrivé. Qu'est-ce que je dois faire ? Disparaître ? Mourir, pour que les gens puissent oublier ?

Voyant son expression peinée, je baisse la voix et lui fais des excuses mais je poursuis quand même :

— Je n'ai pas honte. Je n'ai jamais eu honte. Perdre ma virginité de cette façon-là a été terrible, l'humiliation a été terrible et la douleur aussi mais je n'ai pas honte. Ce sont ces hommes-là qui doivent avoir honte.

Mon père baisse la tête en m'entendant parler si ouvertement mais toutes ces semaines, je me suis tue, détestant le rôle de victime sans défense qu'on me fait jouer, ne sachant pas comment le changer tout en me méprisant parce que, quelque part, j'y prends un certain plaisir pervers. Le Dr Djavahéri m'a donné un moyen de sortir de ce rôle.

Ma mère dit :

— Personne n'a honte de toi, personne n'a jamais eu honte de toi. Ton père n'a pas peur pour lui-même ou pour son nom mais pour toi. Si tu te lances là-dedans, Dieu sait où cela mènera. Tu seras dans toute la presse, tu devras affronter ces voyous.

Oncle Djamchid, qui nous a écoutés depuis le balcon où il fume sa cigarette matinale, rentre.

— Tu feras ce que tu dois faire mais réfléchis bien. Tu dois te rendre compte que cela n'aboutira probablement à rien. Ils ne laisseront même pas le processus s'enclencher, ils vont cacher ces hommes là où personne ne les trouvera.

Ma mère lui donne à peine le temps de finir sa phrase avant de me dire de ne pas hésiter si je sens que je dois le faire.

— Pas seulement pour toi, dit-elle, mais pour les autres.

Puis, comme pour compenser sa rebuffade à amou Djamchid, elle se tourne vers lui et demande :

— Où peut-on trouver un avocat ?

Mon oncle appelle d'abord Gita Radmanech. Il ne lui dit rien au téléphone mais l'invite à venir dîner le soir. Je m'étonne qu'il veuille lui parler, à elle, une étrangère qui en plus n'a pas habité l'Iran depuis un demi-siècle. Il dit qu'il veut d'abord présenter la situation à quelqu'un qui n'a aucun préjugé. Gita nous déçoit un peu, parce qu'elle reste neutre, mais je comprends sa prudence. Elle part bientôt et ne veut pas se retrouver à payer les pots cassés, pour cette bataille en particulier.

— Je suis avec toi, Raha djoun, dit-elle. Je voudrais tant voir ces hommes punis, mais je ne peux pas risquer de ne plus pouvoir rentrer aux États-Unis. Je suis professeur titulaire, la rentrée est pour bientôt, et je dois aussi penser à ma propre famille.

Ted, le mari de Gita, était bien assez inquiet quand elle avait entrepris son voyage. Elle nous l'avait raconté une fois :

« Ted avait si peur de me voir rentrer en Iran après quarante-cinq ans qu'il m'a presque demandé de lui signer une promesse écrite que je ne me mettrais pas en danger. »

Bien que n'étant pas venue en Iran sous un faux prétexte, Gita s'était gardée de rappeler à son mari américain que les élections présidentielles auraient lieu en Iran pendant qu'elle y serait. Elle s'était contentée de lui parler de l'invitation du centre d'études qui l'invitait à participer à un colloque, suite à un article qu'elle avait écrit dans une publication de politique internationale sur l'avenir de l'Iran. Tels de mauvais garçons se prenant constamment des coups de poing et se devant de riposter, dégradant encore leur image, les Iraniens avaient été agréablement surpris de l'analyse plutôt objective de Gita et avaient déroulé pour elle le tapis rouge et l'avaient invitée à rencontrer des collègues qu'elle avait trouvés bien plus intéressants et plus informés qu'elle ne s'y attendait. Mais qu'elle soit restée après ces contacts deux mois pleins après les élections risque de provoquer des questions de la part des autorités, qui pourraient chercher des motifs suspects à ce séjour. Être ressortissant d'un autre pays n'a jamais empêché la république islamique d'arrêter des personnes d'origine iranienne – même si cette origine remonte à un demi-siècle –, il est temps pour elle de faire ses valises et de repartir. C'est un fait qu'en ce moment même il y a en prison plusieurs citoyens à double nationalité.

Nous disons à Gita que nous aimerions seulement avoir son point de vue et que nous ne parlerons à personne de ce qu'elle pourra nous dire. Ma mère ajoute quand même que si je décide de faire quelque chose, cela tombera dans le domaine public et provoquera un scandale terrible, et que Gita peut souhaiter se tenir à l'écart.

— Il faut que mon nom ne soit jamais prononcé, c'est tout, et il n'y a pas de raison qu'il le soit, dit Gita.

Nous passons les deux heures qui suivent à parler des possibilités qui se présentent à nous. Tout comme le Dr Djavahéri, Gita suggère que j'aille voir Karroubi, qui a écrit à Rafsandjani, le président du *chorayé negahban*, ou Conseil des Gardiens de la Révolution, pour se plaindre formellement du traitement des prisonniers, et particulièrement des viols et des sévices qu'ils auraient subis. Gita dit que Karroubi a l'air sincère et qu'en plus il n'a jamais été mêlé à aucune violence ou aucun crime, contrairement à Moussavi, qui a été Premier ministre pendant huit ans et n'a rien fait pour empêcher que des dizaines et peut-être des centaines de milliers de jeunes Iraniens soient tués sur les champs de bataille ou déchiquetés sur des mines, ou périssent dans des prisons irakiennes, sans parler des innombrables exécutions et violations des droits de l'homme qui ont eu lieu durant son mandat. Toujours équitable, Gita ajoute qu'il est bien possible qu'il n'ait pas été dans une position lui permettant d'agir mais que dans ce cas il aurait dû démissionner.

Nous discutons de la façon d'atteindre Karroubi. Ma mère, et j'imagine ce que cela lui coûte de le dire, suggère que nous parlions à Pari.

— Elle et son mari connaissent tout le monde, tous ces gens du gouvernement.

— Karroubi, ce n'est pas le gouvernement, en fait c'est l'opposition.

— C'est pareil, il fait partie du système. De toute façon, elle saura comment le trouver, elle aime pouvoir jouer sur plusieurs tableaux.

Je dis :

— C'est vrai. Elle est venue au meeting de Moussavi avec nous, n'est-ce pas ?

Donc nous décidons de commencer par Pari.

Ma mère déteste avoir à reconnaître devant celle-ci qu'elle a besoin d'elle mais elle n'a aucune autre idée pour contacter Karroubi. Elle appelle donc Pari et demande si elle peut m'amener lui rendre la visite qu'elle a faite l'autre jour avec Homa pour la remercier de toutes ses *mohebat* – bontés. Son expression change quand Pari répond – avec humeur – qu'il était temps, mais ma mère préfère laisser passer parce que Pari gagnera toujours, quel que soit le jeu auquel elle joue, et jouer est son mode habituel de fonctionnement. Ma mère s'excuse donc et dit que nous avons été *guéreftar* – occupées.

En fait, Pari est enchantée de notre visite, encore une

occasion de papillonner, de faire étalage de son magnifique appartement, de ses meubles somptueux, de son apparence, ses vêtements, son maquillage, sa coiffure, ses ongles, le tout si parfait qu'on pourrait la croire prête à une séance photo pour un grand magazine de mode. Les tables basses, toutes les trois dispersées dans les divers coins salon de ce qu'elle appelle le living *khodemouni* – intime –, qui à lui seul contiendrait notre appartement tout entier, sont couvertes de cakes entiers, d'une variété de biscuits sucrés et salés, d'un assortiment de noix et de fruits secs. Sur l'une des tables se trouve un fastueux arrangement de fruits sur un plat à plusieurs étages. Après ses remarques habituelles, contenant toutes une pique – la première étant qu'elle n'attendait plus une visite en retour de la sienne, que *ghadima* – autrefois – la société suivait d'autres règles –, elle m'assaille de questions sur ma santé, mon état mental, et ainsi de suite, tout à fait consciente d'être en train de farfouiller. Elle est assez maligne pour se douter que nous avons une raison d'être là. Quand je lui dis que je veux porter plainte contre les gardes, elle est électrisée.

— Ils te tueront ! Même s'ils ne te tuent pas, ils vont traîner ton nom et celui de ta famille dans la boue ! C'est ça que tu cherches ?

Je n'ai jamais été impressionnée par Pari, ce n'est pas maintenant que je vais commencer. Je lui dis que pour l'instant il ne s'agit pas de penser aux parents et connaissances mais de voir si elle peut arranger une rencontre avec Karroubi. Lisant en elle comme dans un livre, j'ajoute mine de rien que si elle ne peut pas, nous trouverons un autre moyen. Comme toujours avide de démontrer combien elle a le bras long et connaît de monde, elle dit qu'elle va voir si c'est possible et nous prévenir. Ma mère et moi évitons de nous regarder mais une fois dehors, nous éclatons de rire à l'idée de cette femme déplaisante et de ses prétentions. Quand nous sommes un peu cal-mées, je dis à ma mère que ce n'est pas très charitable de notre part puisque Pari, quelle que soit sa motivation, va nous aider, mais ma mère dit que malgré toute l'aide que cette femme pourra nous apporter, elle la trouvera toujours insupportable.

Nasrine

Je sais bien que Pari connaît tout le monde mais suis quand même stupéfaite quand on a des nouvelles d'elle le lendemain même de notre visite, avec la date et l'heure de notre rendez-vous avec Karroubi, Hormoz, Raha et moi-même. Elle dit qu'elle passera nous prendre et viendra avec nous, elle n'est pas personne à rater l'occasion d'établir une connexion avec Karroubi, cela peut toujours être utile. Et aussi, notre chère parente doit toujours se trouver au centre des événements et se rendre aussi visible que possible. Quand elle arrive, je vois que par déférence pour le mollah haut placé que nous allons rencontrer, elle est discrètement vêtue de noir, mais toujours de ces vêtements de grande marque dont elle remplit ses valises quand elle voyage à l'étranger. Je n'ai jamais connu quelqu'un d'aussi vaniteux et n'arrive pas à décider si elle croit réellement qu'elle est cette personne admirable que tout le monde envie ou bien si elle se rend compte parfois de la façon dont les gens la perçoivent. Enfin, c'est tout de même un fier service qu'elle nous rend aujourd'hui.

Chez Karroubi, on nous fait attendre un peu dans un salon avec un beau tapis d'Ispahan. Plusieurs autres *moraje'* – visiteurs – s'y trouvent assis sur des chaises pliantes posées contre les murs, l'un avec une vieille serviette en cuir remplie à éclater. Un assistant vient nous appeler et nous emmène dans une petite pièce aux murs tapissés de livres, avec quelques fauteuils autour d'une table basse et un bureau dans un coin. Hormoz nous a prévenues, nous, les trois femmes, de ne pas regarder Karroubi directement ni tendre la main pour serrer la sienne mais l'*hodjatoleslam* prend les devants en nous serrant la main à tous, puis nous indique les fauteuils où nous prenons place. On apporte du thé, il y a des *chirini* sur la table et un plat rempli de fruits. Je ne sais pas pourquoi je m'attendais à ce que nous échangions quelques phrases banales au départ ou tout au moins que nous mentionnions le mouvement de réforme ou les protestations qui ont suivi les résultats des élections présidentielles, où il était après tout candidat, mais il ne parle d'aucun de ces sujets. Au lieu de cela, après quelques mots de bienvenue, il se cale sur son fauteuil et dit qu'il écoute. Hormoz prend la parole mais Karroubi lève une main pour l'arrêter.

— Je comprends votre souci en tant que père mais d'après ce que j'ai compris, c'est cette *dokhtar khanoum* – cette jeune femme –, Raha djoun, *dorosteh* – n'est-ce pas – qui est la victime. Je préfère que ce soit elle qui me décrive ce qui s'est passé.

L'*hodjatoleslam* n'est pas un mollah ordinaire. Direct, sérieux mais sans sévérité, il regarde ma fille avec une grande bonté. J'espère qu'elle ne va pas éclater en sanglots parce que ces jours-ci, à cran comme elle est, les signes d'affection ou de douceur la rendent émotive, tandis que la moindre confrontation ou la moindre discussion la transforment en une Raha dure et sévère que je n'ai jamais vue auparavant. Là, assise très droite, elle parle avec calme et concision. Je suis à la fois fière de ma fille et impressionnée par elle. Quelqu'un qui ne la connaîtrait pas la trouverait insensible. Mais moi je sais à quel point elle se contrôle. Comme elle commence à décrire la manifestation dans laquelle elle se trouvait quand elle a été arrêtée, Karroubi se tourne vers le jeune homme barbu assis au bureau pour s'assurer qu'il prend bien des notes sur son ordinateur puis demande à Raha :

— Où vous a-t-on emmenée ?

— Au ministère de l'Intérieur, au centre de détention dit *manfi char*.

— Décrivez ce qui est arrivé. Nous avons tout le temps, ne vous pressez pas.

Elle dit que le dixième jour de son incarcération, deux gardiennes de prison sont venues la chercher et l'ont emmenée dans une pièce qui ressemblait à une salle d'interrogatoire, dans une partie de la prison où il n'y avait personne d'autre. Elles sont sorties alors qu'un homme entrait, suivi de deux autres.

— Ils étaient en uniforme ?

— Non, en civil.

— Vous les reconnaîtriez ?

Raha dit oui, absolument. Puis elle continue à raconter son histoire. Elle dit que les hommes l'ont attaquée, la frappant et la violant, puis, baissant la voix, ajoute qu'ils lui ont aussi fait mal par-derrière. Elle prend de grandes respirations et doit s'arrêter de temps en temps. Je ne peux pas la regarder et fixe les pieds de Karroubi dans de grosses chaussettes blanches, sans chaussures ni pantoufles, et pense aux plaisanteries que les gens font sur les mollahs et le fait que ceux-ci doivent toujours se sentir à l'aise et nullement contraints.

— Ils disaient quelque chose ?

— Oui. Ils m'ont insultée avec des obscénités, affirmant aussi que cette société n'avait pas besoin de gens corrompus comme moi. Ils ont dit que ma famille et moi-même devrions quitter le pays parce que nous ne pourrions plus jamais relever la tête.

Raha a la voix qui se brise mais elle se retient de pleurer. Comme elle baisse la tête, Karroubi lui dit encore de prendre tout le temps qu'il faut. Après un moment, elle ajoute, L'un d'entre eux criait tout le temps qu'il me rendait mon vote.

— Vous n'avez pas besoin d'en dire plus. Ceci est une histoire terrible, ma chère enfant. Je vois bien que vous êtes bonne et vertueuse et que vos parents vous ont bien élevée. Je ferai tout ce qui est en mon pouvoir pour traîner ces voyous en justice, mais vous savez que ce n'est pas vraiment entre nos mains. Agha Karamati, ici présent, va vous donner le nom d'une avocate des droits de l'homme qu'il va appeler. Vous lui direz tout ce que vous m'avez raconté et elle lancera la procédure. Ah, un point important. Est-ce que tout ceci a été documenté et est-ce que par hasard vous avez été au bureau de *pézechki ghanouni* – la médecine légale ?

Je dis que nous l'avons emmenée à Chariati, où on l'a gardée plusieurs nuits.

— Vous avez donc de la documentation. A-t-on pris des photos ?

Hormoz dit que oui.

— Fort bien. Votre avocate aura besoin de monter un dossier solide à présenter à ce comité qui vient d'être établi pour étudier les cas comme le vôtre. Je ne sais pas comment il fonctionnera parce qu'il n'a même pas encore commencé son travail mais j'ai eu toutes les assurances d'Aghaye Rafsandjani qu'ils étudieront tous les cas qui se présenteront. *Inchallah*, si Dieu le veut, cela se fera. Je ne sais même pas s'ils accepteront votre dossier. Votre avocate me tiendra au courant. Que Dieu vous donne de la patience. Une grande injustice a été commise. Il y a trop d'histoires de ce genre, c'est une insulte envers notre pays et envers l'islam. L'idée que nos jeunes peuvent être exposés à des situations aussi horribles est insupportable, ces gens doivent rendre des comptes. Je ferai tout ce qui est en mon pouvoir pour saisir la justice.

Il nous serre la main à tous et prend celle de Raha entre les siennes. Elle le remercie et lui dit, Je veux que vous sachiez que j'ai voté pour vous.

Cela fait plaisir à Karroubi qui avec un léger sourire lui tapote légèrement la main avant de la lâcher. Agha Karamati sort avec nous et donne à Hormoz le nom et le numéro de téléphone de l'avocate, nous dit qu'il va l'appeler tout de suite, et nous partons. Dehors, Pari se tourne vers Raha, mais à la façon de respirer de ma fille, je vois qu'elle ne va pas bien. Comme nous approchons de la voiture, elle demande, Je peux être seule quelques instants ?

Pari, Hormoz et moi marchons jusqu'au bout du parking mais à travers les vitres remontées de la voiture, je peux entendre les terribles sanglots de mon enfant. Puis elle se met à hurler, de longs cris perçants. Pari lève les sourcils et dit, *eva* ! oh, là là ! Je me retiens à grand-peine de lui envoyer une gifle. Hormoz me tient le bras jusqu'à ce que le bruit se calme, puis nous retournons à la voiture. Comme nous sommes en route vers la maison, Homa m'appelle sur mon portable mais je lui dis que je la rappellerai. Je viens de dire à Pari que je ne veux parler de rien ; je suis trop fatiguée, et je ne veux pas qu'elle écoute la conversation. Lorsqu'elle nous dépose et que nous montons, j'appelle Homa pour lui raconter comment ça s'est passé. Quand elle me demande si Pari s'est bien comportée, je réponds que pour une fois elle n'a rien dit du tout. J'ajoute que nous lui sommes tous reconnaissants pour son aide. Homa connaît sa sœur. Là, tout ce qu'elle dit, c'est, *khoda ra chokr*, Dieu soit loué, et nous parlons des étapes suivantes.

Raha

Nous prenons rendez-vous avec l'avocate des droits de l'homme du groupe de Chirine Ebadi. J'aurais préféré y aller seule mais mes parents veulent m'accompagner. Nous allons à l'adresse qu'on nous a donnée, un immeuble récent sur Motahari, où mon père me dit que se trouvent la plupart des bureaux d'avocats. L'avocate, Jaleh Kazemi, est une femme d'âge moyen avec des lunettes à grosse monture, sans maquillage, en tailleur-pantalon rouge foncé peu seyant, la veste assez longue pour passer pour le *manto* obligatoire, avec un foulard peu serré sur la tête.

Elle nous présente son assistant, Ardéchir, un jeune homme qui se lève pour nous saluer puis se rassied devant un vieil ordinateur de bureau. L'appartement, rempli de meubles lourds, sent le renfermé, avec ses fenêtres closes contre le bruit de la circulation. Ma mère me dira plus tard que les meubles lui ont rappelé ceux de la maison de ses grands-parents sur Ferechteh quand elle était enfant. Le bureau de bois sombre verni est imposant, avec des coins arrondis et une sorte de frise sculptée qui en fait le tour. Comme les étagères autour de la table, il contient une masse désordonnée de boîtes et de dossiers débordant de documents. L'avocate nous dit que comme il y a régulièrement des descentes dans les bureaux d'avocats s'occupant des droits de l'homme, ils doivent cacher tout ce qu'ils peuvent et vivre comme des Gitans.

— Il nous faudrait dix personnes pour mettre un peu d'ordre dans tout ceci mais ça n'arrivera pas. Heureusement que nous avons des gens comme Ardéchir qui font tout sur l'internet.

On nous apporte du thé, après quoi l'avocate entre dans le vif du sujet. Tandis que son assistant tapote son clavier, nous donnons les informations portées sur ma carte d'identité, le numéro, la date et l'heure de mon arrestation, et toutes les autres informations possibles, en essayant de ne rien omettre.

— Nous devons penser au moindre détail et documenter tout ce qui peut l'être. Si un jour nous arrivons au tribunal, il faut que nous soyons prêts, avec des réponses à toutes les questions qu'on pourra nous poser.

Ma mère dit que le meilleur document sera le dossier d'hospitalisation.

— Je le sais bien, dit l'avocate, peut-être irritée qu'on lui dise comment faire son travail. Mais nous devons aussi envisager ensemble tous les aspects possibles de notre affaire.

Quand je lui pose des questions en lui donnant du madame Kazemi, elle me réprimande en disant qu'elle est le Dr Kazemi, en mettant l'accent sur « docteur ». Je m'excuse donc avant de poursuivre, plutôt rebutée par ses manières bourrues. Son assistant, Ardéchir, qui me jette un regard perçant quand je commence à entrer dans les détails m'a l'air beaucoup plus sensible que sa patronne mais à son âge – à peu près le mien, j'imagine –, il a été témoin de moins de violations des droits de l'homme, d'abus, ou eu moins de preuves de l'excessive brutalité de l'appareil d'état. Quand j'ai fini de raconter mon histoire, l'avocate pose quelques questions, puis se met à nous parler d'elle-même, comme quoi elle était en fac de droit quand la révolution a éclaté trente ans plus tôt et comment, l'année précédant la révolution, elle avait été attirée par des organisations de gauche, pas des *fedayan* ou des *modjahed* mais plutôt des groupuscules, sans spécifier lesquels.

— Moi, j'ai eu de la chance, mais beaucoup de mes amis ont été arrêtés et torturés. Nous avons appris par la suite que pour justifier son existence la Savak inventait des histoires à présenter au chah, à propos de complots menaçant la stabilité du régime, téléguidés par l'Union soviétique, ou Dieu sait quoi. Je crois que le chah n'avait aucune idée de ce qui se passait. Il était occupé par ses rêves de moderniser l'Iran et ne voulait pas entendre parler de ce qu'il appelait des « détails insignifiants ». Donc, il laissait faire sa police secrète qui se comportait de façon abominable. L'échelle n'est pas comparable, bien sûr, à ce qui est arrivé depuis mais ce qui se passait était encore moins pardonnable parce que le chah tenait à ce que l'Iran soit considéré comme un pays civilisé. La république islamique s'en fiche d'être considérée comme civilisée ou non. C'est comme les Saoudiens. Ça leur est égal de couper des têtes en public et personne, ni aux États-Unis ni ailleurs, ne dit mot, pour rester politiquement correct, pas plus qu'on ne dirait à des cannibales que ce n'est pas bien de manger les gens. Mais le chah ne voulait pas donner ce genre d'image, c'est donc déplorable qu'il ait tourné la tête quand il aurait pu arrêter tout ça. Il n'y aurait peut-être même pas eu de révolution.

J'ai presque cessé d'écouter, me demandant comment

elle peut parler comme ça sans discontinuer. C'est une curieuse personne. On dirait qu'elle s'est envolée de cette pièce et tournée vers autre chose, une vision dans sa tête, tournée vers peut-être. Mais les discussions à propos du passé, de l'avenir, ou ce qui aurait pu être ne m'intéressent pas en ce moment. Je me sens pleine de vie, sur le point d'accomplir quelque chose, de m'exprimer, et ça me transporte de joie. Je ne me suis pas sentie comme cela depuis si longtemps que je ne sais pratiquement pas quoi faire de cette énergie retrouvée.

Kian

Je devrais sans doute appeler Raha pour savoir comment les choses se présentent mais je ne le fais pas tout de suite. Ma mère est restée à la maison toute la journée, fumant, regardant les programmes en persan sur La Voix de l'Amérique. Elle est agitée. Après avoir parlé à Nasrine, elle me dit que la rencontre avec Karroubi s'est bien passée. Je dis que c'est une bonne nouvelle mais en fait je ne sais pas quoi penser. Quelque chose a été lancé, et je me demande dans quelle direction ça va nous mener. Non que cela me concerne directement mais j'ai quand même été fiancé à Raha, donc mon nom finira bien par apparaître. Je trouve que cela a été une erreur de saisir la justice. Se mesurer au gouvernement peut avoir des conséquences sérieuses. Je ne veux pas croire que Raha et sa famille et les gens qui les conseillent ne soient pas conscients de ce fait. Les choses ont changé, l'avenir s'annonce mal. Dire qu'il y a quelques semaines à peine nous étions si pleins d'espoir, certains que nous pourrions changer les choses ! J'ai appris ma leçon. On ne se mesure pas à un régime comme la république islamique. On ne se bat pas contre lui. On essaie de survivre.

Raha

Après ma libération, quand les gens me répétaient que les choses iraient mieux avec le temps, je ne les croyais pas et ça me mettait tellement en colère que je voulais riposter durement, crier qu'ils n'en savaient rien, qu'ils ne pouvaient pas comprendre ce que je traversais – et que je traverse encore chaque jour. Mais si incroyable que ça paraisse, les choses sont en train de s'améliorer. Je me sens mieux physiquement et la douleur mentale se calme aussi. Ce n'est pas plus facile, ce n'est pas que je me sente moins brisée, moins tourmentée qu'au premier jour. Rien de tout cela n'a changé. Le fait est cependant que la douleur et la détresse ne sont plus permanentes. Bien sûr, quand elles apparaissent, c'est toujours aussi mauvais. Je brûle de rage, avec un horrible sentiment d'impuissance et d'humiliation, avec le vœu impossible à réaliser de n'avoir qu'une formule magique à prononcer pour repartir en arrière dans le temps, là où rien de tout cela ne serait arrivé. Mais le souvenir, toujours vivace, me revient moins souvent, en tout cas pas tout le temps. Ma mère m'a souvent raconté que quand elle avait perdu son père qu'elle adorait, elle n'avait que dix-sept ans et pensait qu'elle le pleurerait à chaque minute durant le restant de sa vie, jusqu'au jour où elle-même mourrait.

— Et puis c'est devenu plus facile, je pensais à lui moins souvent, pas tous les jours, et en tout cas pas toutes les heures, et maintenant, quand je pense à lui, c'est avec des souvenirs d'amour, celui que je lui portais et celui qu'il me portait – des souvenirs doux. Il m'arrive d'entendre le son de sa voix, de revoir en esprit un endroit où nous avons été ensemble, ou son sourire si heureux quand il était content de quelque chose que l'un de nous autres, enfants, avions fait. Ou bien j'entends un morceau de musique qu'il aimait et c'est comme si quelque chose me frappait en pleine figure. Tout d'un coup, le chagrin et la nostalgie et le vide de son absence sont là, aussi forts que le premier jour où je l'ai perdu.

Pour moi, il n'y a aucune nostalgie dans ce dont je me souviens, ce n'est que de la répulsion et de la terreur, mais ce que l'histoire de ma mère signifie, c'est que les choses s'atténuent. Je suppose que ça ira encore mieux au fil du temps et qu'il y aura des heures, et même des jours, où je ne me souviendrai pas du tout de cette période passée en prison, des moments où cette pièce et ces hommes n'existeront plus. Tout ce qui subsistera sera le changement qui s'est produit en moi. La connaissance et la conscience qu'il y avait ma vie d'avant et qu'il y a ma vie d'après.

Depuis que Dr Djavahéri m'a encouragée à prendre le contrôle et a agir face à ce qui m'a été fait, je ne me suis pas autorisée à m'attarder trop souvent sur l'événement même, à le revivre. Je m'entraîne à être le moins émotive possible. Je vais rencontrer de grands obstacles sur la route sur laquelle je m'engage, et j'aurai besoin d'être lucide et alerte et de ne voir les choses qu'en termes de

A, B, C pour aller d'un point au suivant, sans m'arrêter sur la cause première de ce qui m'a amenée là. Je vais devoir parler à des gens qui – je n'ai aucune illusion à ce sujet – ne seront pas spécialement ouverts. Je dois pouvoir me contrôler, ne jamais me donner en spectacle. Et surtout, je ne veux ni pitié ni compassion, je ne fais que demander justice – quoique demander justice à la république islamique constitue une contradiction en soi. Mais tant que les gens n'insisteront pas pour que justice soit faite et que leurs droits soient respectés, le peu que nous avons disparaîtra tout à fait.

Le jour de notre second rendez-vous avec le Dr Kazemi, tout va de travers. Comme toujours, mon père ne trouve pas les clefs de la voiture, celle de ma mère est en répa-ration et amou Djamchid est sorti avec la sienne, oubliant en plus son portable là, dans le living. Nous appelons un service de taxis et pendant que nous attendons, continuons à chercher les clefs, que nous trouvons enfin entre les coussins d'un des sofas du living, de sorte que quand le chauffeur de l'*ajans* – la compagnie de taxis – sonne en bas, nous lui disons que nous n'avons plus besoin de lui.

Ensuite, les embouteillages sont encore pires que d'ha-bitude. Des ambulances et des voitures de police nous dépassent, toutes sirènes hurlantes. Il doit être arrivé un accident plus loin. La circulation se dégrade encore jusqu'à ce que les voitures ne passent plus qu'au compte-gouttes. Quand nous arrivons enfin sur le lieu de la collision, nous découvrons des voitures transformées en tas de ferraille et une foule de badauds. J'ai toujours détesté ce genre de spectacle, surtout s'il y a le cas des morts ou des blessés, comme c'est sûrement le cas ici, étant donné l'état des voitures. Je me détourne aussi vite que possible mais pas assez pour éviter de voir un petit corps sur le côté de la route, de la tête duquel une matière blanchâtre s'échappe. Je cache mon visage dans mes mains et me mets à pleurer pendant que mon père dit à ma mère :

— Tu as vu la cervelle de cette pauvre enfant répandue à terre ?

Je gémis et supplie, Je t'en prie... je t'en prie...

Ma mère dit, *nagou* – ne dis rien. Tu ne vois pas dans quel état est Raha ?

Quand nous arrivons enfin à Motahari, trouvons un parking, garons la voiture et nous mettons en route vers le bureau de Dr Kazemi, nous nous faisons arrêter par deux vilains corbeaux *tchadori*, la police du code vestimentaire. Elles ne jettent qu'un coup d'œil à ma mère mais m'arrêtent moi. Après m'avoir saluée poliment, elles me disent de ce ton prêchi-prêcha que je déteste que je devrais me rendre compte que je vis dans un pays musulman et me demandent si je pense que c'est correct de me promener habillée comme je le suis. Je ne sais pas de quoi elles parlent. Comme tous les jours, je porte des jeans et des baskets. Aujourd'hui, mon haut est un tee-shirt gris à manches longues sous un *manto* noir sans manches et je porte un foulard sur la tête. Je leur demande ce qui ne va pas dans ma tenue. La femme la plus proche de moi, celle qui nous a arrêtés, répond d'une voix mauvaise, douce, presque caressante, que je trouve si obscène que j'en ai la chair de poule.

— Ce n'est pas un *sarafon* que vous portez là ? dit-elle, parlant de mon *manto* sans manches.

— Mes bras sont couverts et ma tête aussi. Vous pouvez me dire où est le problème ?

Elle écarte ma question :

— Vous reconnaissez que c'est bien un *sarafon* que vous portez ?

— Je suppose que oui, *labod* – probablement.

Mes parents entreprennent de discuter avec la bonne femme, ce qui est la pire des choses. Elles sont comme des chiens enragés qui enfoncent leurs dents dans tout ce qu'elles peuvent mordre et ne lâchent pas. La femme se tourne vers eux et grogne littéralement :

— Parce que vous êtes fiers de la façon dont vous avez élevé votre fille ?

Je demande à mes parents de me laisser m'occuper de ça, ils s'écartent donc de quelques pas, mon père me disant qu'il va appeler le Dr Kazemi. Nous l'avons déjà appelée deux fois pour lui dire que nous étions pris dans des embouteillages.

— Appelez qui vous voulez, dit la bonne femme, pensant que nous utilisons ça comme une menace. Ça ne changera rien.

J'essaie de l'amadouer :

— Non, c'est juste que nous avons un rendez-vous et que mon père doit les appeler pour prévenir que nous sommes en retard.

Je vois ma mère serrer les poings, les ouvrir et les resserrer, j'espère seulement qu'elle ne va pas revenir engueuler la bonne femme. Il lui arrive parfois d'exploser quand les mille et une tracasseries de la vie à Téhéran, surtout avec la police du code vestimentaire et sa façon d'emmerder le monde pour un rien, l'exaspèrent trop. Je jette un coup d'œil à mon père qui lève une main après avoir parlé au Dr Kazemi pour nous signaler que tout va bien. La femme m'ordonne de rentrer chez moi me changer avant de sortir dans la rue. Je lui dis que nous avons un rendez-vous, elle répète, raison de plus, il faut faire bonne impression.

— *Khanoum*, madame, je dis d'un ton empreint de respect. Nous sommes déjà très en retard. Je vous en prie, laissez-moi partir et je vous promets de ne plus jamais porter ce *sarafon*.

Elle me dit de resserrer mon foulard puis me demande pourquoi je pense qu'un joli visage comme le mien a besoin de maquillage.

— Tu veux gâcher ton teint ? Tu veux que les hommes te trouvent *djelf* – vulgaire – et qu'ils aient des pensées indécentes à ton sujet ?

N'importe quoi pour me débarrasser d'elle. Je dis, *tchachm*, – bien –, je vais l'enlever.

Elle hoche la tête mais reste plantée devant moi à me dévisager. Beaucoup plus petite que moi, elle lève une main vers mon visage. Malgré le contact dégoûtant, je reste là bien modestement, ne souhaitant pas la contrarier. Elle repousse une mèche de cheveux qui dépasse de mon foulard. Je m'excuse encore et la remercie pour son *rahnamayi* – ses conseils. Elle ne voit aucune ironie dans mes excuses abondantes et mes remerciements et nous laisse partir. L'autre femme, qui n'a pas dit un mot, la suit. Ma mère a une expression de dégoût en les regardant partir. *Ekbiri* – vieille peau –, siffle-t-elle entre ses dents serrées quand les deux femmes sont hors de portée de voix, et elle crache par terre alors que nous poussons la porte de l'immeuble du Dr Kazemi.

Rien d'important ne se passe durant cette réunion. Notre avocate se contente de faire le point et d'énumérer les étapes franchies. Trois jours plus tard, elle appelle pour me dire que mon cas a été enregistré par le nouveau comité mis en place par le ministère de la Justice et que les avocats de son groupe avec lesquels elle a parlé sont d'avis que mon cas n'est pas sans espoir. Une semaine plus tard, elle téléphone pour dire qu'elle n'a pas encore de nouvelles et que tout dépend de ce que le procureur décidera de faire. S'il accepte qu'il y ait un procès, le cas ira au *dadgayé enghelab* – au tribunal révolutionnaire –, présidé par le juge Salavati, comme toujours pour les procès politiques. Je demande pourquoi on traiterait mon affaire comme un procès politique plutôt que criminel. Elle dit que l'attaque a eu lieu dans une prison où je me trouvais pour avoir participé à une manifestation politique. Je n'aime pas trop cela mais suis bien obligée d'accepter son argument. Maintenant, il faut attendre.

Le premier coup de fil arrive le lendemain matin alors que nous prenons le petit déjeuner. Amou Djamchid décroche. La voix à l'autre bout du fil est si forte que nous entendons tous ce que dit l'homme :

— *Na mossalmoun, tohin be moghadassat ?* Espèces de non-musulmans, vous insultez tout ce qui est sacré ? C'est quoi, les heures d'ouverture de votre bordel, et c'est quoi vos tarifs ?

Nous sommes tous sidérés et fixons mon oncle qui presse l'écouteur contre son oreille, cherchant une réplique cinglante. L'homme continue :

— Il paraît qu'elle est vraiment chaude, votre *jendeh* – pute –, Raha.

Amou Djamchid raccroche et fait semblant de rien mais il est pâle. Il dit qu'il s'agit d'*arazel-o-obash*, de racaille, et que ça n'a pas d'importance. Il a à peine le temps de porter le verre de thé à ses lèvres que le téléphone sonne de nouveau. Cette fois, c'est mon père qui se lève d'un bond, furieux, et décroche. C'est encore la même personne qui hurle :

— Nous allons la tailler si menu, votre *jendeh*, Raha, que le plus grand morceau qui restera d'elle sera son petit doigt !

À partir de là, c'est un coup de fil après l'autre. Au bout d'une heure ou plus, nous en avons tellement assez que nous retirons la prise du mur. Nous utilisons nos portables pour prévenir les gens qui pourraient avoir besoin de nous joindre et leur disons que nous ne répondrons pas au fixe. Le lendemain matin, toujours au petit déjeuner, ma mère, dans un de ces accès de colère qui altèrent parfois son humeur plutôt douce en général, rebranche le téléphone. Il sonne tout de suite. Elle prend l'écouteur et c'est à son tour de hurler :

— La *jendeh*, c'est la salope qui t'a mis au monde, *goheh sag* – espèce de merde de chien !

Il y a un silence, puis une voix de femme demande avec hésitation, C'est toi, Nasrine ?

Ma mère fait une grimace, gênée, et nous indique l'écouteur, formant les mots avec sa bouche, c'est Leyla. Il s'agit de sa cousine qui habite la Californie du Sud. Ma mère s'excuse, puis met le haut-parleur pour que nous puissions tous participer à la conversation. Leyla dit, Ne t'excuse pas, je peux deviner comment ça se passe là-bas. Alors, Pari nous a dit que Raha djoun avait décidé de porter plainte contre ces hommes ?

Nous envoyons des salutations et des vœux aux membres de la famille en Californie, puis continuons à manger pendant que ma mère parle encore quelques instants avec sa cousine, restant plutôt vague bien que Leyla veuille tout entendre de la procédure, des aspects légaux de notre dossier, ce que pense l'avocat, quand un procès pourrait avoir lieu. Ma mère termine la conversation et revient à table en soupirant, Pari a mis le monde entier au courant.

Le téléphone sonne de nouveau. Elle repart, décroche, porte l'écouteur à son oreille, et retire immédiatement la prise.

— Peut-être que nous devrions changer de numéro, dit-elle.

Mon père dit que ça prendra une éternité d'obtenir un nouveau numéro et mon oncle suggère que nous laissions le téléphone débranché et utilisions nos portables, comme nous l'avons fait hier.

— Et les gens qui nous appellent de l'étranger ? demande ma mère.

— Tu peux être sûre que Leyla est au téléphone à l'heure qu'il est, appelant tous les gens qu'elle connaît, donc ils sauront ce qui se passe, dit Khan djoun, vive, comme toujours.

— Ça c'est sûr.

Quand amou Djamchid part fumer sur le balcon, il remarque en face de l'immeuble une voiture garée avec deux hommes assis dedans. Il rentre et dit qu'il ne sait pas qui sont ces gens mais que c'est louche.

— Peut-être que nous devrions tous aller à l'hôtel ou ne pas sortir du tout.

Ma mère dit qu'il y a assez de provisions dans l'appartement et que nous pouvons toujours demander à Homa d'apporter ce qui manque.

Mon oncle va encore jeter un coup d'œil dehors et revient dire que la voiture n'est plus là. Je m'essuie la bouche et me lève.

— J'ai fini, *madar*. Je vais dans ma chambre rattraper mes lectures en retard.

Je quitte la pièce, entendant ma mère dire derrière moi combien elle est sidérée de me voir si calme.

— Si c'était moi, je pleurerais toute la sainte journée.

— Elle a assez pleuré quand elle est revenue, dit mon père.

La fois suivante où Homa vient nous voir, elle me demande après déjeuner de rester un peu seule avec elle.

— Je ne suis pas médecin, dit-elle à ma mère, je suis chirurgien, mais je veux me rendre compte par moi-même de la façon dont tout ceci affecte Raha.

Mes parents disent qu'ils allaient faire une sieste de toute façon et amou Djamchid va écrire dans son bureau. Homa me fait asseoir à côté d'elle sur le sofa et me prend la main.

— *Khoubi*, Raha djoun ? Est-ce que ça va ?

— Non, ça ne va pas. Mais il ne s'agit pas de l'état dans lequel je suis, il s'agit de ce que j'ai à faire.

— Ce que tu as à faire, c'est te reposer, aller mieux et mettre cet *etefagh* – cet événement – derrière toi.

— Je ne le mettrai jamais derrière moi. C'est comme ça que les gens deviennent ce qu'ils deviennent, à travers ce qui leur arrive de bon et de mauvais.

— J'ai toujours su que tu étais *aghel* – sage –, mais ce que tu dis là va au-delà de la sagesse. Tu as subi un terrible traumatisme, tu dois te donner le temps.

— Je vais me donner le temps, je vais me donner le temps jusqu'à la fin de ma vie. Je sais que peu à peu j'aurai moins mal, je me souviendrai moins. J'aurai des moments de bonheur, je saurai rire. En fait, ce matin, mon père m'a raconté une blague turque – vous savez comme il raconte mal les blagues – et ça m'a fait rire. Vous voyez, je suis traumatisée mais je reste moi-même. Oui, je rirai, j'aurai une vie. Les choses ne seront pas toujours aussi sombres que maintenant mais je dois accepter que ce genre de blessure ne puisse jamais tout à fait guérir. En tout cas – *jach mimouneh* –, la cicatrice restera, dans mon corps et dans mon cœur. Mais pour l'instant, j'ai d'autres choses à faire.

— La seule chose que tu as à faire, c'est ce qui est bon pour toi.

— Ce qui est bon pour moi, c'est ce qui est bon pour tout le monde. Si je peux poursuivre ces hommes en justice, s'il y a un résultat positif... Bon, je ne suis pas idiote, je ne pense pas qu'il n'y aura plus de viols, mais peut-être que les gens y réfléchiront à deux fois avant de commettre quelque chose comme ça. Si je peux empêcher cinq femmes, ou même une, de subir ce que j'ai subi, ça n'aura pas été pour rien.

— Tu veux devenir une militante ?

— Non, je n'ai pas ça en moi. Je ne peux pas agiter des drapeaux verts et scander des slogans et faire des discours. Je déteste que nous répétions toujours les mêmes phrases dénuées de sens. Nous parlons de notre chère *vatan* – notre patrie –, pour laquelle nous donnerions jusqu'à notre dernière goutte de sang, et de nos merveilleux *hamvatan* –, nos compatriotes –, et de nos martyrs et héros, mais en fait nous ne pensons pas ce que nous disons, nous le disons parce que tout le monde le dit. Non, je ne vais pas devenir une militante. Mais je réclame justice, je crois que les choses, même les plus mauvaises, n'arrivent pas sans raison. Je veux prendre ce qui m'est arrivé et en faire quelque chose.

— Tu es une optimiste, dit Homa. Je ne peux pas croire que tu le restes après ce que tu as traversé. Quant à moi, j'ai vu trop de mauvaises choses arriver sans que rien de bon n'en sorte. Je ne peux pas penser comme toi.

— Mais moi je pense comme ça, je dis. Je peux voir ça comme les gens de mon âge qui sortent dans la rue dire qu'ils ne veulent pas voir ça continuer. Et ces gens qui ont été tués, comme la pauvre Neda…

— *Digueh tchi !* Et puis quoi encore, s'exclame Homa. Tu ne veux pas être une militante mais tu veux être une martyre ?

— Non, Homa djoun. Je veux vivre. Et Neda n'est pas une martyre. Amou Djamchid a raison, « martyr » est un mot dégoûtant. Elle était jeune, à peine un peu plus âgée que moi. Elle était heureuse de vivre et peut-être que comme nous tous elle voulait un gouvernement qui nous donnerait davantage que le *velayate faghih* – la Tutelle du juriste. Grâce à elle, grâce à cette terrible vidéo de sa mort, le monde entier a pu voir à quel point les Iraniens sont malheureux, à quel point nous sommes prêts pour un avenir meilleur. On ne nous voit plus comme on nous a vus toutes ces années. Nous ne sommes pas tous des terroristes et nous ne ressemblons pas du tout à ces fanatiques religieux qui ont pris les Américains en otage il y a trente ans.

— Eh bien, dit Homa, tu connais ton Histoire ! Tu n'étais même pas née quand c'est arrivé.

— Comment est-ce que je pourrais ne pas la connaître ? Est-ce qu'on ne nous enfonce pas toujours tous ces événements détestables dans la gorge ? Est-ce que vous savez combien de fois j'ai dû réciter tout ça à l'école ? Est-ce que vous imaginez comme on nous mettait en rang dans la cour avant de rentrer en classe, année après année, pour répéter toutes ces bêtises, mort à ceci et mort à cela, et toutes nos merveilleuses réussites, et tous ces slogans prétentieux et creux ? Je détestais tout ça, nous le détestions tous !

— Je sais bien, dit Homa. J'étais malheureuse quand Kian était petit, j'avais si peur que tout ce lavage de cerveau et cette propagande marche avec lui et qu'il devienne l'un des leurs. Je veux dire...

Elle s'arrête, sans doute de crainte de me faire du mal en mentionnant Kian, mais en fait ça m'est égal. Du moins, il me semble que ça m'est égal. Je pose la main sur le bras de Homa, sans parler, pour lui faire comprendre qu'elle peut parler de Kian ou pas, que c'est comme elle veut.

— Je déteste cette culture, je dis. Tous ces gens qui glorifient la mort, le martyre, qui vont pique-niquer dans les cimetières, qui plongent leurs mains dans le sang des blessés dans les manifs et commencent à hurler à la mort. J'aimerais tant que nous soyons civilisés !

— Tu es comme Kian, complètement occidentalisée ! Je suis d'accord avec toi sur beaucoup de choses mais je ne pense pas que la vie en Europe ou en Amérique soit toujours meilleure que la nôtre. Il doit y avoir un juste milieu. Ce serait bien que nous ne soyons pas considérés comme des barbares mais que nous ne voulions pas non plus être des Occidentaux.

— Je ne suis pas occidentalisée, je suis iranienne. Mais je veux que l'Iran soit un pays dont je puisse être fière. Et pas que pour son passé. Aussi pour son présent. Nous parlons sans cesse de notre musique et de notre art et de notre architecture et de nos poètes. Il vaudrait mieux parler des Iraniens d'aujourd'hui et de leur place dans le monde. Tout ce que nous faisons c'est exporter l'islam et encourager les terroristes et les extrémistes partout. C'est ça notre image, et ce n'est pas beau. J'en ai assez d'avoir honte de l'Iran.

Gita Radmanech vient dîner. Je suis triste à l'idée qu'elle reparte bientôt pour les États-Unis. Elle me plaît comme personne, elle est directe et tout à fait incapable de méchanceté. Elle demande comment ça se passe avec le Dr Kazemi. Ma mère dit que l'avocate a l'air d'être une personne capable.

— Tant mieux, c'est aussi bien que Karroubi ne vous ait pas envoyé chez Chirine Ebadi.

— Je ne crois pas qu'elle soit encore en Iran, je dis. Pourquoi ? Vous ne l'aimez pas ?

— Je ne la connais pas mais d'après ce que j'entends, elle est très islamiste. Elle n'est même pas contre le *velayate faghih* – la Tutelle du juriste. En fait, je l'ai entendue parler récemment aux États-Unis et elle défendait avec véhémence le principe d'une *umma*, ce rêve d'une nation islamique unique qui comprendrait le monde entier. Franchement, j'ai trouvé ça plutôt inquiétant, et même terrifiant.

Khan djoun n'accepte de rester à l'écart d'aucune discussion familiale. D'ailleurs, sa participation ne cause aucune perturbation ni ne nous oblige à surveiller ce que nous disons. Elle est à la fois sage et intelligente et a été témoin d'assez de changements dans sa vie pour observer la plupart des situations objectivement. Elle fait souvent des remarques et des suggestions utiles mais la plupart du temps elle écoute sans rien dire. Diverses maladies l'ont fragilisée et vieillie bien plus que son âge et nous voudrions bien l'épargner, mais comment l'épargner contre son gré ? Depuis que j'ai été arrêtée et torturée, ma grand-mère ne cesse de pester contre le destin et de demander des explications à celui qu'elle appelle « son » dieu. Quand le Dr Kazemi appelle pour dire qu'elle a trouvé les noms des gardes et que mon père les écrit, elle surprend notre conversation et lui ordonne de lui lire les noms. Obéissant à sa mère, il prend le papier et lit à voix haute :

— Lotfali Baradaran, Emad Karadji, Rahmatollah Tchaitchi.

Khan djoun pâlit, puis se met à pleurer.

— *La'anat, la'anat* sur ces animaux ! se met-elle à crier. Qu'ils soient maudits ! Que leur *djad-o-abad* – leurs ancêtres – ne connaissent jamais la paix dans leurs tombes et que leurs descendants crachent sur celle qu'ils auront !

— Calmez-vous, Khan djoun, vous allez vous rendre malade.

— Pas davantage que quand ils ont torturé mon enfant, la lumière de mes yeux, dit-elle d'une voix brisée.

Comme elle se frappe la poitrine dans un paroxysme de chagrin, mon père attrape son bras maigre pour l'empêcher de se faire du mal. Elle finit par se calmer, met un morceau de sucre dans sa joue et avale quelques gorgées du verre de thé qu'elle a toujours à côté d'elle, comme une personne énervée ou fâchée allumerait une cigarette.

Lors de notre visite suivante chez l'avocate, je commets encore la même erreur que le premier jour et l'appelle Khanom Kazemi, ce qui la fait me corriger à nouveau et dire sévèrement, « *Dr* Kazemi. »

— Désolée, docteur Kazemi. Savez-vous combien de temps tout ceci va prendre ?

— Je n'en ai aucune idée. Avec le nouveau comité mis en place par Rafsandjani et chargé d'enquêter sur les abus des droits de l'homme après qu'Aghaye Karroubi s'est plaint des cas de viol et de torture, il faudra un certain temps. Je ne suis même pas sûre qu'ils ne fermeront pas boutique après un semblant d'activité. Après quoi, notre dossier retournerait devant la cour habituelle, ce qui serait encore plus lent. Pour l'instant, il faut attendre qu'on nous fixe une date pour la première audience.

— Mais ils regarderont le dossier ? demande mon père.

— Je pense que oui. Ils peuvent aussi conclure que le cas est sans valeur, étant donné la nature de la plainte, mais ils nous donneront une réponse. C'est une obligation légale.

Ma mère demande :

— Depuis quand est-ce qu'il y a des obligations légales dans ce *kharab chodeh* – ce maudit pays ?

— Depuis que nous avons entrepris de gros efforts pour que cela soit le cas, rétorque le Dr Kazemi, mécontente.

Ma mère, d'habitude facilement intimidée, se force à poursuivre.

— Y a-t-il un angle religieux qui nous permettrait de poursuivre ? Est-ce que nous ne pourrions pas dire que ces gardes sont de mauvais musulmans puisqu'ils n'ont même pas lu le *khotbeye sigheye movaghat* – la formule obligatoire pour prendre une femme provisoire ?

L'avocate n'a pas l'air impressionnée.

— Vous voulez peut-être assurer la défense de votre fille vous-même. Apparemment, vous n'avez pas besoin de mes services.

Ma mère rougit mais résiste crânement.

— Non, docteur Kazemi, je n'ai pas les qualifications nécessaires. Je n'ai pas étudié le droit. Mais je me posais la question de savoir si on ne pourrait pas utiliser l'argument que ces hommes ont forcé ma fille l'un après l'autre sans même se chercher de justification religieuse.

Mon père me tape sur l'épaule. Je me rends compte que je suis tout à fait tassée sur ma chaise, mes mains serrées sur mes genoux et les yeux fermés, me disant que ça ne peut pas être en train d'arriver que nous soyons tous là à discuter ouvertement de cet événement répugnant dont même aujourd'hui j'arrive à douter qu'il soit arrivé.

Le Dr Kazemi reprend son ton sec et cassant.

— Ils n'ont pas besoin de justification s'ils ont considéré votre fille comme une *assir jangui* – une prisonnière de guerre –, une ennemie ou une *mohareb* – quelqu'un qui a déclaré la guerre à Dieu. N'importe laquelle de ces catégories rejette la personne hors de l'islam, et on peut donc la traiter comme une infidèle. De toute façon, la formule pour prendre une épouse provisoire ne s'appliquerait pas dans son cas parce qu'il y a eu trois hommes. Or un seul homme à la fois peut recourir à une épouse provisoire. Une période de trois mois et dix jours doit ensuite s'écouler avant qu'un autre homme puisse la prendre, au cas où elle serait enceinte du premier homme. Ça permet de connaître le père de l'enfant quand des questions d'héritage se posent.

Comme nous n'avons pas d'autres questions à poser, elle met fin à l'entretien en disant qu'elle nous préviendra dès qu'elle aura des nouvelles. Apparemment, elle n'entend rien parce que douze jours se passent, et bien que nous laissions des messages et arrivions même une fois à parler à son assistant Ardéchir, il ne semble pas qu'il y ait du nouveau et nous n'avons aucune idée du progrès de notre affaire, ni même si progrès il y a. Et puis, alors que nous finissons de dîner un soir, le téléphone sonne. C'est le Dr Kazemi. Elle annonce à mon père que l'audience préliminaire devant un juge est fixée au lendemain matin.

— Elle nous attend à huit heures à son bureau pour que nous y allions ensemble, dit-il quand la conversation se termine. Elle a recommandé que tu sois habillée modestement.

Comme je ne m'habille pas en général de façon voyante, la remarque me déplaît mais je n'en veux pas à mon avocate qui pense à tous les détails qui peuvent aider. Quand nous arrivons le lendemain matin, la première chose qu'elle fait après les salutations c'est de nous sermonner pour avoir appelé et laissé plusieurs messages et aussi parlé à Ardéchir.

— Je vous avais prévenue que je vous appellerais si j'avais des nouvelles. Comme je n'avais pas de nouvelles, je n'ai pas appelé.

Sa logique est imparable, mais ni moi ni mes parents n'allons nous excuser.

Au ministère de la Justice, on nous indique une salle d'attente où un certain nombre de personnes sont assises sur des chaises plaquées contre les murs. Elles disent *salam* quand nous entrons, nous répondons et prenons nos sièges, après quoi personne ne parle. Je porte comme d'habitude sur la tête une écharpe pas trop serrée d'où sortent quelques mèches de cheveux, sur mes jeans un imperméable informe – pas de *manto* moulant – et bien sûr n'ai aucun maquillage. Les quelques femmes assises là arborent toutes des *tchador* noirs. Je chuchote au Dr Kazemi que nous aurions peut-être dû mettre des *tchador* mais elle tapote mon bras en un geste amical inattendu et me dit que je suis très bien comme ça. Nous attendons un peu, entendant de temps en temps des éclats de voix dans le couloir, de gens mécontents du progrès de leur affaire ou des retards, ou pour une autre des mille raisons que l'on a d'être frustré par l'administration. Le juge qui nous reçoit enfin sort du même moule que beaucoup d'autres officiels de mi-niveau – gros ventre par-dessus sa ceinture, chemise blanche sans cravate avec un seul bouton défait, barbe grise bien nette, crâne dégarni. Il serre la main de mon père seulement, puis nous indique les chaises devant son bureau. Ensuite il fait le tour de celui-ci et s'assied, les yeux fixés sur son ordinateur. Au bout de quelques instants, nous comprenons la raison de cette attente quand un mollah plutôt jeune et portant le turban noir des descendants du Prophète arrive en se pressant, tenant quelques dossiers. Il nous sourit, nous serre la main à tous, y compris les femmes. Pendant la demi-heure qui suit, nous subissons un interrogatoire en règle, le juge posant ses questions directement à mon père et parlant de moi à la troisième personne. Les questions deviennent précises et prennent un ton d'accusation. Je me retiens de ne pas fondre en larmes. À un moment donné, le juge se tourne vers moi et me demande si je connaissais d'avant l'un ou l'autre des trois hommes, « en supposant qu'il y en ait eu trois » et si quelque chose dans ma tenue ou ma conduite avait pu provoquer l'attaque.

Le mollah tape sur la table et dit, cette *dokhtar khanom* – cette jeune femme – a été violée et torturée en prison. Ceci est une honte pour nous tous. Même si elle avait dansé nue devant ces hommes, il n'y a aucune excuse pour ce qu'ils ont fait. Il se passe trop d'histoires semblables.

Mes parents et moi échangeons un regard, le Dr Kazemi fixe ses bottes, le juge n'a pas l'air impressionné.

— Les jeunes personnes de nos jours vont au-delà de ce qui est acceptable, ensuite elles sont *narahat*

– malheureuses – quand quelque chose arrive. Ceci est un pays musulman, il faut respecter la sensibilité des gens.

Le mollah l'interrompt :

— Il me semble que nous avons assez d'éléments pour que le *dadsetani* – le bureau du procureur – puisse mener son enquête. Nous devons faire comparaître ces gardes, les interroger, puis Raha Khanom doit les identifier.

Le juge dit, avec un sourire en coin :

— Il est vrai qu'elle les connaît bien.

Le mollah le tance vertement :

— Agha Hodjati, *harfe dahaneto befahm* – surveille ta façon de parler.

Puis il nous demande si ça ne nous ennuie pas d'attendre dehors. Nous sortons tous les quatre, fermons la porte derrière nous, et attendons dans le couloir. Derrière la porte fermée, nous entendons le mollah dire au juge qu'il pourrait s'agir là de sa propre sœur ou de sa fille, que cette enfant a assez souffert. Il poursuit, disant :

— Nous devons créer une atmosphère de confiance dans ce pays afin que les gens se sentent protégés.

Le juge élève la voix :

— Elle n'a pas besoin de protection, tous ces gens sont déjà protégés par leurs maîtres à l'étranger. Au lieu de traîner en justice nos propres *nirouye entézami* – nos forces de l'ordre – et porter des accusations contre eux, nous ferions mieux de poursuivre les gens comme cette fille et apprendre d'où ils tiennent leurs ordres.

— Assez, dit encore le mollah.

Mon père chuchote, *jozve bazichoune* – ça fait partie de leur jeu.

La porte s'ouvre, le juge nous dit *befarmain* – veuillez entrer – sans daigner nous regarder.

Nous reprenons nos places. Il est toujours derrière son bureau, à regarder son écran. Il appelle quelqu'un, commençant l'échange en disant, *baz ham az ina* – toujours les mêmes –, ce qui confirme, si nous l'ignorions encore, qu'il tient les gens comme nous en piètre estime. Il dit à la personne à l'autre bout du fil qu'il lui envoie le dossier avec tous les détails et nous fait attendre pendant qu'il tapote sur son clavier. Ensuite il s'appuie à nouveau contre le dossier de son fauteuil et dit à mon père qu'après une enquête préliminaire, on nous préviendra de la prochaine étape.

Son attitude dédaigneuse m'exaspère.

— Excusez-moi, je dis, j'ai l'impression que vous ne me croyez pas.

— Parce que je devrais ? Si vous pouvez prouver vos accusations, je vous croirai. Mais sans preuves… Ces jours-ci, n'importe qui peut se présenter et dire ce qu'il veut. C'est devenu un jeu. Les gens se livrent tous à leurs *tassfiye hessab* – leurs règlements de comptes.

Mon père dit :

— Je vous prie de vous adresser courtoisement à ma fille.

— Je m'adresserai à elle comme il me plaira. Ça ne m'étonne pas qu'elle soit devenue ce qu'elle est, avec des parents comme vous.

Mon père se mord la lèvre et se tait, sachant que nous sommes à la merci de ce juge si nous voulons que notre cas progresse. Le Dr Kazemi intervient :

— *Djenabe aghaye ghazi* – Votre Honneur –, notre dossier est complet et prêt à être présenté au comité. Aghaye Karroubi dit…

Le juge l'interrompt :

— Aghaye Karroubi dit beaucoup de choses.

Le mollah, qui n'a pas parlé depuis quelques instants, reprend la parole.

— Nous avons le plus grand respect pour Aghaye Karroubi et pour son jugement. Nous regarderons ces documents avec la plus grande attention. S'il apparaît que votre cas le mérite, il sera certainement étudié.

— Si cet honorable comité décide que le cas mérite d'être présenté ajoute le Dr Kazemi, puis-je espérer que l'on me préviendra s'il faut ajouter d'autres pièces ?

— Bien sûr, dit le mollah poliment, tandis que le juge secoue la main d'un air dégoûté et dit que nous pouvons partir.

Dehors, mon père laisse éclater sa colère :

— Comment se permet-il de s'adresser ainsi à ma fille ? C'est ça, notre système judiciaire ?

Le Dr Kazemi, qui marche à côté de moi, m'étonne en passant son bras autour de mes épaules et en me serrant brièvement.

— Raha djoun, dit-elle, vous voulez quand même continuer à poursuivre cette affaire ?

Je suis tellement tendue que, comme si souvent ces jours-ci, mes poumons même se sentent comprimés.

— Oui, docteur Kazemi. Je vous l'ai déjà dit, je ne vais pas reculer.

Tenant toujours mon bras, elle s'arrête et me fait face.

— Vous devez savoir à quel point cela va être difficile. Aujourd'hui, vous avez eu un exemple de la façon dont les gens vont vous traiter. Vous avez la vie devant vous. *Azizam*, ma chère, si vous étiez ma fille, je vous conseillerais de mettre cette histoire derrière vous et d'oublier ce qui est arrivé.

— Oublier ?

C'est une première avec mon avocate. Jusqu'à aujourd'hui, je n'ai jamais senti de sa part la moindre sympathie ou la moindre compassion mais je vois à présent qu'elle n'est pas la personne froide que j'imaginais. Se donner une apparence dure et insensible peut n'avoir été que son refus de s'impliquer personnellement dans ce qu'elle considère sans doute comme une cause perdue.

Quand nous rentrons après cette entrevue, nous devons, comme toujours, décrire par le menu tout ce qui s'est passé à Khan djoun et à amou Djamchid qui rentre du balcon où il fumait en nous attendant. Il souffle, furieux, quand nous rapportons les propos du juge suggérant que j'ai peut-être provoqué mes violeurs, mais quand nous décrivons le comportement du mollah, il hoche la tête avec approbation. Mon père répète ce qu'il a dit pendant que nous attendions dans le couloir, hors du bureau du juge, que ça faisait partie de leur jeu. Oncle Djamchid dit qu'il ne pense pas, que certains de ces mollahs sont très différents de ce que nous imaginons. Khan djoun dit que les mollahs se valent tous.

— *Na madar* – non mère –, dit amou Djamchid, tous les mollahs ne se valent pas. Ce sont des gens, vous savez, et les gens ne se valent jamais tous.

— Ce n'est pas toi qui dis toujours que tous les Iraniens se valent ? À t'entendre, nous sommes tous illogiques, arrogants et ignorants tout à la fois.

Amou Djamchid se tape plusieurs fois sur la bouche.

— *Zabounam lal* – que je devienne muet – si j'ai jamais dit ou pensé une chose pareille ! Certainement qu'il y a des caractéristiques nationales, mais même celles-là ne sont pas partagées par tous les Iraniens à l'intérieur et à l'extérieur de l'Iran. Il y a des exceptions. Nous connaissons tous des exceptions.

Il rit et ajoute, pour alléger l'atmosphère :

— Nous, par exemple !

Le lendemain matin, je rencontre Hossein dans le parc. Il m'a fait promettre de le tenir au courant du progrès de notre affaire et je lui dois au moins cela après ce qu'il a fait pour moi. En lui donnant les détails de l'entrevue avec l'avocat et le juge, je mentionne la date du viol (que nous n'appelons jamais ainsi, disant toujours *oun etefagh* – cet événement). Je ne m'étais pas rendu compte qu'il ne savait pas exactement quand cela avait eu lieu et je suis choquée de le voir pâlir puis tomber dans un état de chagrin incroyable. J'ai déjà remarqué en d'autres occasions à quel point il peut devenir émotif – après tout, nous autres Iraniens avons l'émotivité dans nos gènes –, mais là ça va au-delà. Il a l'air d'avoir du mal à respirer. Les jointures de ses mains qu'il serre au bord du banc ont blanchi, il garde les yeux fermés et n'arrête pas de secouer la tête. Je dis son nom plusieurs fois mais il n'a même pas l'air de m'entendre. Quand il ouvre les yeux, il me fixe en répétant sans arrêt :

— *Ihab bar saram, khak bar saram* – que je meure ! Qu'est-ce que j'ai fait ? C'est ma faute !

Je suis stupéfaite, je ne sais pas quoi dire. Maintenant, c'est moi qui répète :

— Mais pourquoi ? Pourquoi, Hossein ?

Il est hors de lui et je ne sais pas comment le calmer, je ne sais même pas quels mots dans notre conversation ont pu le mettre dans cet état. Je voudrais au moins pouvoir détacher du banc ses mains qui le serrent ainsi mais je ne peux pas, nous sommes en public.

— Je t'en prie, parle-moi. En quoi est-ce que c'est ta faute ?

— Parce que j'aurais dû t'appeler plus tôt. Je ne t'avais pas parlé depuis plusieurs jours et je voulais entendre ta voix mais je n'ai pas appelé. Je me disais sans cesse, *salah nist* – ce n'est pas une bonne idée –, que si tu avais besoin de me parler pour une raison quelconque, tu m'appellerais.

— Et pourquoi est-ce que ce n'était pas *salah* ?

Je ne sais pas quel genre de réponse j'attends – j'espère qu'il ne va pas me dire que je commence à occuper une place trop importante dans sa vie.

— Je ne voulais pas te déranger, c'est tout. Tu as tes amis, ta vie, je n'ai pas à t'appeler simplement pour demander de tes nouvelles. Je ne voulais pas devenir *mozahem* – gênant.

— Tu ne seras jamais *mozahem*. Mais ça ne me dit toujours pas comment quoi que ce soit peut être de ta faute.

Il est plus calme à présent et me regarde, secouant toujours la tête.

— Pendant tout ce temps, je pensais qu'*oun etefagh* – l'événement – s'était passé peu après ton arrestation. Maintenant, tu me dis que c'était presque à la fin. Donc, si j'avais appelé plus tôt et découvert que tu étais en prison, j'aurais pu te faire sortir avant que quoi que ce soit arrive.

C'est à moi de le fixer, sans doute la bouche ouverte. C'est vrai, si j'étais sortie une semaine plus tôt, ou même la veille du viol, rien ne serait arrivé. Mais comment pouvons-nous jamais savoir les conséquences d'une action de notre part, ou même du manque d'action ? Jamais je ne pourrai blâmer Hossein pour ce qui est arrivé et je le lui dis. Je lui dis aussi que s'il n'avait pas été là, j'aurais pu rester en prison encore beaucoup plus longtemps, Dieu sait pour combien de temps, et que Dieu sait quoi d'autre aurait pu m'arriver. Il me dit que je suis *mehraboun* – bonne –, mais qu'il n'oubliera jamais ce qu'il m'a fait. J'ai beau discuter, aucun de mes arguments ne le fait arrêter de se blâmer.

Hossein

J'essaie de garder mes distances avec Raha mais ce n'est pas facile. Je ne l'appelle pas mais je suis toujours prêt à la voir quand elle appelle, ce qu'elle fait assez souvent. Ses parents m'invitent à leur rendre visite et j'accepte, tout en sachant que je ne serai pas à l'aise. La première fois, j'appuie sur l'interphone en bas et on m'ouvre, puis je sonne à la porte de l'appartement et le père de Raha m'accueille. Il me serre la main et m'accueille chaleureusement, me mettant à l'aise. Je suis près de la porte, en train de retirer mes chaussures, quand je sens une autre présence et lève la tête mais détourne vite le regard parce que je vois Raha, tête nue, qui passe au bout du couloir. Hormoz, surprenant mon expression, se retourne et voit sa fille filer comme une flèche au fond de l'appartement et refermer une porte derrière elle.

— Nous t'attendions plus tard, dit-il en guise d'explication. Ne t'en fais pas, Raha est comme ta sœur.

Je bafouille qu'elle n'est pas ma sœur, que peut-être je ne devrais pas rester puisqu'ils sont tous en famille, mais Agha Hormoz ne veut rien entendre et me prend par la main, disant que moi aussi je suis de la famille, m'entraînant à l'intérieur, me faisant asseoir, ajoutant que le thé va arriver dans une minute. Ce ne serait pas poli de ma part de m'attarder sur l'incident, je le remercie donc et, comme il est de coutume, vais m'asseoir sur le siège près de la porte, loin du sofa occupant ce qu'il est convenu d'appeler *bala*, ou « le haut » de la pièce. Mais Agha Hormoz insiste pour que je prenne place sur le sofa, ce que je fais après quelques *ta'arof* – échanges de politesses. Nasrine Khanom arrive et vient s'asseoir à côté de moi. L'autre monsieur, Agha Djamchid, prend un fauteuil. Raha entre, apportant le thé, la tête couverte à présent. Elle a sur la tête un de ces foulards légers que les filles portent aujourd'hui et qui ne cachent rien, mais au moins le principe est-il respecté de ne pas être nu-tête devant un homme qui n'est pas un *mahram* – un parent proche. Je prends un *estekan* – un verre de thé – et la remercie. Elle indique sur la table le sucrier contenant le sucre candi et pousse un plat de *chirini* vers moi, puis elle s'assied sur une des chaises. Elle remarque que je suis en chaussettes et me dit qu'il n'était pas nécessaire d'enlever mes chaussures. Je n'avais pas vu qu'eux portent tous les leurs. Son père la réprimande ; elle rougit et s'excuse, disant que c'est tout aussi bien de rester en chaussettes. La conversation porte sur les derniers développements de l'affaire judiciaire. L'avocat leur a dit que les trois hommes ont été emmenés pour subir un interrogatoire.

— Arrêtés ? je demande.

— Non, seulement interrogés, dit Raha. Le Dr Kazemi a appelé tout à l'heure, j'attendais que tu arrives pour te raconter. Bien sûr, ils ont tout nié et ont été relâchés. Le Dr Kazemi dit qu'elle ne sait pas ce qui va se passer maintenant.

J'avais parlé de Mina à Raha. La mère de Raha me

demande si à mon avis la gardienne de prison témoignerait et je me vois obligé de lui répondre que je suis certain que non.

— Son fils est en prison. C'est une mère, elle ne fera rien qui pourrait mettre son fils en danger.

Un silence se fait, puis j'ai soudain une idée vraiment tirée par les cheveux, une idée qui me paraît folle dès que je la partage avec eux.

— Évidemment, si nous pouvions le faire sortir de prison et même du pays, ça changerait la situation. Peut-être qu'elle accepterait de témoigner.

— Vous croyez que ce serait possible ? demande Agha Djamchid.

— Je n'en ai aucune idée.

Je ne réponds pas tout à fait honnêtement parce que je pense déjà à Agha Chahrvandi et me demande comment je pourrais avoir le courage de l'aborder avec une nouvelle requête.

Quand je prends congé et qu'ils m'accompagnent à la porte, Agha Djamchid m'arrête avec une question :

— J'ai voulu vous demander ceci à plusieurs reprises mais j'oublie à chaque fois. Je sais que les familles de certains des manifestants arrêtés ne pouvaient pas les trouver parce que les prisonniers donnaient des faux noms.

Je dis que c'est bien le cas, me souvenant de ce qui est arrivé au fils d'Agha Rouholamini.

— Mais Raha nous dit qu'elle a donné son nom, alors pourquoi est-ce que mon frère et moi n'arrivions pas à la trouver ? Nous avons été partout pendant deux jours, sans succès.

Je ne connais pas la réponse mais nous comparons les

dates et Raha nous dit qu'elle a été interrogée le quatrième jour après son arrestation.

— Voilà, dis-je. Vous l'avez cherchée les deux premiers jours alors que son nom n'a été mis dans le système que le quatrième.

Leurs visages se défont. Nasrine Khanom dit que s'ils avaient continué leurs recherches jusqu'au quatrième jour, ils l'auraient trouvée et rien ne serait arrivé. Raha, dont je connais la force de caractère, entoure d'un bras les épaules de sa mère.

— *Madar djan*, dit-elle, ce qui est arrivé est arrivé. Ça ne sert à rien de penser à ce qui aurait pu être différent.

Agha Chahrvandi sait écouter quand on lui présente un problème et il peut aussi débloquer les situations rapidement lorsqu'il décide de le faire. Il est au courant que Raha a porté plainte. Bien que mécontent et m'ayant dit plusieurs fois qu'elle ne devrait pas poursuivre l'affaire, que cela ne serait pas bon pour elle, que les gens allaient parler, qu'il allait, lui, regretter de l'avoir aidée, il me semble qu'il entre une certaine part d'admiration dans son ton. Mais je dois me tromper. Encore une fois, je dis, comme je l'ai fait auparavant, qu'elle est déterminée à obtenir justice et ajoute que c'est une insulte à notre pays de laisser toutes ces erreurs et tous ces crimes avoir lieu.

— *Jessarat nabasheh*, je dis, je ne veux pas manquer de respect, mais ne pensez-vous pas, Agha, que *belakhareh* – qu'en fin de compte – quelqu'un doit payer ? Ne pensez-vous pas…

Je me tais, effrayé par ma propre impertinence. Mon oncle jette un coup d'œil à la porte pour s'assurer qu'elle est bien fermée puis se met à marcher de long en large, perdu dans ses pensées. Il s'arrête enfin devant la fenêtre et regarde au-dehors, toujours silencieux. Le bâtiment de l'autre côté de la rue est en train d'être démoli. Le projet était de le remplacer par un parking mais le *sepah* – les Gardiens – n'en a pas autorisé la construction. J'attends, pensant qu'il va me dire comme il le fait parfois que je parle de questions que j'ignore, mais ses mots me surprennent quand il se décide à me répondre.

— Ne t'inquiète pas pour ce genre de choses. Peut-être que le pays ne va pas rester ainsi beaucoup plus longtemps.

Ce n'est pas seulement ses mots qui me surprennent mais la façon dont il les dit, comme s'il était triste. Me voyant étonné, mon oncle balaie l'air de la main.

— C'est la vie, tout ça ! Les choses changent tout le temps. Nous faisons ce que nous pouvons, chaque jour. Ce qui implique de nous assurer que les erreurs et les crimes ne se répètent pas trop souvent.

C'est la première fois que je l'entends parler comme cela. Je sais que la mort du fils d'Agha Rouholamini à la prison de Kahrizak l'a vraiment affecté. Mon oncle était avec la famille quand ils ont reçu le corps. Il n'en a pas parlé mais j'ai appris que le garçon, Mohsen, était mort à l'hôpital où il avait été amené depuis Kahrizak. Il paraît qu'il était couvert d'ecchymoses et de plaies et que sa mâchoire avait été brisée. Depuis sa disparition, son père l'avait cherché partout, y compris sur les listes de prisonniers, mais le garçon s'était fait enregistrer sous un faux nom, sinon on l'aurait trouvé et il aurait probablement eu la vie sauve. Mon oncle m'avait fait appeler dans son bureau le jour où le corps avait été rendu à la famille. Il voulait que je porte quelque chose à Karadj. La télévision était allumée. Le chef de la police, le général Ahmadi Moghadam, était en train de parler. Il disait que personne n'était mort à Kahrizak sous la torture, que les manifestants arrêtés avaient apporté en prison le virus de la méningite qui avait tué plusieurs prisonniers. Je regarde mon oncle et vois qu'il essuie des larmes. Me voyant surpris, il m'explique qu'il pleure pour Mohsen Rouholamini, qu'il connaissait le garçon depuis qu'il était enfant, qu'il était comme son propre fils. Je sais que nos aînés disent toujours qu'un tel ou une telle est comme leur propre fils ou leur propre fille et que dès qu'un problème arrive, c'est comme s'ils ne savent même plus de qui il s'agit. Un tel ou une telle n'est plus personne et n'a certainement aucun lien du sang avec eux. Mais je connais aussi assez Agha Chahrvandi pour savoir que dans ce cas en particulier, il pense ce qu'il dit et qu'il est réellement affecté. Il se mouche et secoue la tête en regardant la télé comme si le général Ahmadi Moghadam pouvait le voir. Le chef de la police parle encore du virus et mon oncle dit « Sans doute inoculé par la CIA et par les sionistes. » Je comprends d'après son ton qu'il est en train de se moquer de la version officielle mais je n'ose pas rire parce que je n'en suis pas sûr. Il me dit qu'il est fatigué et qu'il veut aller à son *bagh*, sa villa en dehors de Téhéran, à Facham, jeudi, et passer la nuit là-bas. Il dit que nous pourrions tous y aller. Lui, sa femme et leurs trois enfants, Mortéza et moi.

— Dis-le à ta mère si tu lui parles sur Skype aujourd'hui. Elle sera contente que tu puisses te reposer un peu, ma pauvre sœur s'inquiète toujours tant pour toi ! Savoir que tu dois prendre soin de Mortéza ne lui facilite pas la vie.

Je ne me permets pas de discuter avec lui, sinon je lui dirais que ni lui ni moi ne pouvons imaginer à quel point nous deviendrions amers si nous avions perdu nos deux jambes et dépendions des autres pour tout. Mais c'est vrai que Mortéza est difficile, surtout qu'il est si *mo'men* – pieux.

Mon oncle me donne l'enveloppe pour la direction du *sepah* à Karaj et dit de la porter tout de suite parce que c'est urgent.

Depuis l'autre jour, je pense qu'il doit regretter d'en avoir trop dit mais aussi qu'il avait éprouvé le besoin de vider son cœur, d'une certaine façon. On peut garder longtemps les choses à l'intérieur de soi mais pas toujours. Je sais cela et je connais aussi toutes ses préoccupations. Ça m'embête donc beaucoup de lui demander encore quelque chose. Je me rends compte que ce que je vais lui demander peut lui causer de gros problèmes mais je dois le lui demander, à cause de Raha. L'avocate à laquelle elle parle et les gens du bureau d'Agha Karroubi sont de bon conseil, et ils sont tous d'accord pour dire que la seule chose qui aiderait vraiment serait d'obtenir de Mina Khanom qu'elle accepte de témoigner. Mais pour qu'elle le fasse, il faudrait non seulement faire sortir son fils Kazem de la prison d'Evin mais aussi du pays. Je ne sais pas comment présenter à mon oncle une requête aussi excessive. Après ma première visite à Mina Khanom, je suis retourné la voir encore deux fois, par devoir et aussi parce que j'ai de la peine pour elle. Je peux imaginer combien ce serait dur pour ma mère si j'étais en prison, et Mina Khanom n'a personne au monde à part son fils. C'est comme ça que les gens sont, maintenant, seuls. J'entends toujours dire que les choses étaient différentes autrefois, avec des familles étendues et des amis autour de vous pour se réjouir de ce qui arrivait de bon et aider dans les difficultés. Ce n'est plus la même chose, avec tous les changements, tous les événements, tous les hommes tués à la guerre, tout ce monde en prison, tous les gens qui se déplacent sans cesse d'un bout du pays à l'autre ou qui même quittent l'Iran pour aller ailleurs chercher du travail ou une vie meilleure. Mina Khanom n'a que son fils, personne d'autre. Mais à dire vrai, j'ai aussi gardé le contact avec elle au cas où son témoignage pourrait aider Raha.

Agha Chahrvandi qui est retourné à son ordinateur lève la tête et me voit toujours là.

— Qu'est-ce que tu attends ?

Ce doit être une des choses les plus difficiles que j'aie jamais eu à faire. Mon oncle a déjà été si bon pour moi et ma famille et a tant fait pour Raha que je ne sais même pas comment aborder le sujet. Il est peut-être normal qu'il m'ait fait engager, je suis son neveu. Normal aussi qu'il me traite différemment des autres au *sepah*. Mais je ne devrais pas ajouter à ses problèmes en lui demandant trop de faveurs et je ne l'avais jamais fait jusqu'à tout récemment.

Je commence à parler deux fois mais n'arrive pas à trouver mes mots et ça l'irrite.

— Dis ce que tu as à dire ! Je dois étudier quelque chose avant ma réunion pour les préparatifs du jour de Qods.

— Agha, je suis désolé mais comme vous savez, Raha…

— Raha, Raha, Raha ! J'ai assez entendu ce nom ! Tu devrais cesser de te préoccuper d'elle et retourner à ta propre vie. Je t'ai déjà dit que ce n'était pas bon pour toi, tout ça !

— Je sais bien, *dayi djan* – mon cher oncle –, croyez-moi, je sais bien. Mais je dois l'aider. Je dois compenser pour ce qui lui est arrivé.

Agha Chahrvandi a l'air furieux mais je l'ai souvent vu faire semblant d'être fâché ou mécontent quand il ne l'est pas vraiment.

— Pourquoi te sens-tu responsable ? dit-il, élevant la voix. Ce n'est pas ta faute.

— Non, bien sûr, mais *gonah dareh* – elle a besoin d'aide. Maintenant que nous savons qui sont ces gardes, j'ai pensé que la femme, la gardienne qui a aidé Raha après l'agression pourrait l'aider, témoigner de ce qui est arrivé.

— Pourquoi ? Elle était là ? Tu veux dire qu'elle était témoin du viol ?

— Pas exactement mais c'est elle qui a dû emmener Raha chez ces hommes et aussi elle qui l'a aidée après, qui s'est occupée d'elle, elle est *delsouz* – compatissante.

Mon visage brûle de honte à l'évocation de cet épisode honteux, mais il doit comprendre comme c'est important. Son témoignage serait précieux.

— Et alors ? Pourquoi est-ce que cette *dokhtar khanom* – Raha – ne le lui demande pas ?

— Ce n'est pas ça, c'est son fils.

Quand j'ai fini d'expliquer la situation du fils, ses problèmes politiques et sa peine, Agha Chahrvandi hoche la tête puis s'assied en silence, se grattant le menton. Il semble arriver rapidement à une conclusion, ou bien il a hâte de me voir partir. Ses doigts tambourinent sur son bureau.

— Donne-moi le nom de ce garçon et les détails de sa peine. *Hala bebinim* – nous verrons.

Cinq jours plus tard, c'est fait. Le fils n'est pas seulement hors de prison, mais hors du pays. Tout se passe pendant sa visite hebdomadaire à sa mère le jeudi, donc il ne reparaît pas du tout à Evin alors qu'il était supposé retourner en prison. J'entends parler des événements seulement après coup. Je ne me rendais pas compte à quel point Agha Chahrvandi était puissant – arriver à faire un coup pareil dans un délai si court est incroyable. Je rends tout de suite visite à Mina pour lui dire qu'elle n'a plus besoin de s'inquiéter pour son fils, mais quelqu'un est déjà passé lui donner la nouvelle. Elle nage dans le bonheur. Quand elle dit qu'elle ferait n'importe quoi pour moi, n'importe quoi, je lui demande bien sûr si elle témoignerait contre les gardiens qui ont attaqué Raha, et elle dit oui sans hésiter une seconde.

J'appelle Raha et lui dis que j'ai de bonnes nouvelles.

— Dis-moi, fait-elle.

— Non, pas au téléphone.

Je suis prudent, mais aussi, je n'ai pas si souvent l'occasion de la voir et je ne vais pas laisser passer celle-ci. Elle suggère encore une fois le parc. Je lui dis que je travaille jusqu'à quatre heures.

— Tu peux ne pas venir en uniforme ? dit-elle.

C'est une des choses que j'aime en elle, elle est directe, elle dit ce qu'elle pense au lieu de jouer et de faire des simagrées. Je lui dis que dans ce cas je la verrai à six heures parce que je devrai rentrer me changer. Quand j'arrive au parc, à l'endroit où nous nous sommes déjà rencontrés deux ou trois fois, elle m'attend sur notre banc habituel, la tête dans un livre. Je reste à distance une minute ou deux, la regardant lire. Jusqu'à ce que je rencontre Raha, je n'avais jamais trop fait attention aux femmes, à leur corps, à leur allure. On m'a appris à ne pas les observer et à garder mes pensées pures jusqu'à ce que le jour arrive pour ma famille de me choisir une épouse qui convienne. J'ai donc toujours regardé les femmes plutôt du coin de l'œil, presque par hasard. Avec Raha, c'est la première fois que j'ai une approche directe, que je suis assez près d'une femme pour voir le grain de sa peau, les deux petites courbes au coin de ses lèvres, et sa fossette. Ce n'est pas une fossette comme celles des enfants d'une de mes parentes, en plein milieu de leur joue, qui deviennent de parfaites petites dépressions quand ils rient, mais plus haut sur sa joue gauche, presque sous son œil, comme un petit bassin de chair qui s'ouvre là, quelque chose à quoi je pense quand je m'endors le soir, dont j'essaie d'imaginer quel effet ça ferait de passer mon doigt dessus. Je reste où je suis et continue à la regarder, me demandant comment son corps, si droit et si mince, peut aussi avoir l'air aussi fort, comme si elle faisait du sport. Puis elle lève la tête et me voit. Elle ferme son livre, me faisant un petit salut de la main.

— Qu'est-ce que tu lis ? je lui demande après nos salutations.

— L'histoire de la vie d'un architecte célèbre.

— Il s'appelle comment ?

— Mies van der Rohe.

— C'est quoi comme nom ? Il n'est pas iranien ?

Elle sourit :

— Non, il n'est pas iranien. Alors, c'est quoi ta bonne nouvelle ?

— Mina a accepté de témoigner.

Elle se redresse d'un bon et se met à sauter sur place en criant, Quoi ? Quoi ? Quoi ?

Les gens qui passent dans l'allée la regardent, étonnés. Elle se rassied et m'attrape la main.

— C'est toi qui lui as fait accepter ? Je suis sûre que c'est toi, Hossein djoun, tu as réussi !

Le contact de sa main me brûle, alors je retire la mienne, mais sans brusquerie.

— Écoute, garde ce que je vais te dire pour toi, ne le

dis même pas à tes parents. Je crois que son fils a été libéré et envoyé à l'étranger.

Elle me fixe de ses yeux brillants de bonheur.

— C'est ton oncle qui a été son *parti*, qui a pu lui obtenir ça ?

— *Taghriban* – à peu près. Mais ne me pose pas davantage de questions et n'en parle à personne pour le moment.

— Excuse-moi, je suis indiscrète. Mais je dois le dire à mes parents, ils vont être si contents !

Je dis d'accord, heureux qu'elle soit honnête avec moi, qu'elle ne me fasse pas une promesse qu'elle brisera aussitôt rentrée chez elle.

Elle poursuit :

— Remercie ton oncle pour moi mille et mille fois. La seule chose qui compte maintenant, c'est d'obtenir un résultat. Je suis tellement, tellement contente ! Désormais, nous avons une chance. Merci, Hossein djoun, *donya ro behem dadi* – tu m'as donné le monde !

Je ne sais pas si je lui donne le monde mais elle me le donne à coup sûr chaque fois qu'elle m'appelle Hossein djoun.

Raha

C'est aujourd'hui que doit avoir lieu la confrontation avec les gardes. Quand je me lève, je trouve Homa dans la cuisine, prenant le petit déjeuner avec mes parents. Je fais le tour de la table pour embrasser tout le monde, ma mère, Homa, mon père, ma grand-mère, mon oncle Djamchid. Homa me dit qu'elle allait à l'hôpital mais est passée chez nous pour voir ce que je vais porter. Tout comme ma mère, elle veut me faire des recommandations à ce sujet, mais je leur dis à toutes deux que je peux décider par moi-même.

— Ma fille est devenue *sarkhod* – indépendante ! dit ma mère, l'air pas forcément mécontente.

Je bois un thé avec mon toast et pars me préparer. Je prends une douche et m'habille, mettant des jeans, des baskets, un *manto* marron pas trop serré mais pas non plus informe, et le foulard sombre que je porterais normalement, sans me couvrir entièrement les cheveux. Je ne me maquille pas. Quand je reviens au salon, tout le monde m'inspecte de la tête aux pieds. Ma mère me dit que je devrais tirer mon foulard plus bas sur mon front mais je refuse.

— C'est comme ça que j'irai. Des hommes qui seraient

excités à cause de ces deux mèches de cheveux qui dépassent seraient excités par n'importe quoi. Je ne vais pas faire semblant d'être quelqu'un que je ne suis pas.

Quand ma mère me rappelle que j'ai fait plus attention aux apparences quand nous avons été rendre visite à Karroubi, je lui dis que c'était par respect pour un religieux, qui de plus est du côté des réformateurs. Elle secoue la tête mais n'a plus d'arguments à m'opposer. Homa m'a apporté des tranquillisants au cas où l'idée de voir les trois gardes m'angoisserait au-delà du supportable. En fait, je suis nerveuse mais prends de grandes inspirations et essaie consciemment de détendre chaque muscle de mon corps. Quand Homa me tend un des comprimés, j'hésite puis le prends. Je suis restée réveillée la moitié de la nuit, dans les affres de l'épreuve qui m'attend.

La confrontation doit avoir lieu dans un des bâtiments du ministère de la Justice. L'adresse qu'on nous a donnée n'est pas celle du ministère même mais celle du bureau d'un procureur. En fait, l'endroit a tout l'air d'un commissariat. Bien que nous arrivions en avance, le Dr Kazemi est déjà là. À la réception, une assistante nous dit que nous n'aurons pas longtemps à attendre, et de fait, on m'appelle presque tout de suite. Seule le Dr Kazemi est autorisée à m'accompagner, pas mes parents. On nous emmène toutes les deux dans une pièce avec une fenêtre haut placée et plusieurs chaises métalliques autour d'une table. Un homme qui est là, manipulant l'équipement d'enregistrement et de vidéo, nous dit que la personne du bureau du procureur a pris du retard. À travers la porte entrouverte, je vois un visage familier et reconnais Mina, la gardienne de prison. Comme rien n'a l'air de se passer pour l'instant, je sors la saluer. Elle m'entoure affectueusement de ses bras. Quand elle me demande ce que je fais là et que je lui dis qu'il va y avoir une confrontation avec les trois hommes, elle hoche la tête, sérieuse, et me dit que ce doit être un moment bien dur pour moi. Elle me dit qu'elle-même vient de les identifier, mais je ne veux pas en entendre davantage. Je réponds que je les verrai moi-même bien assez tôt. La dernière fois que j'ai vu Mina, les circonstances ne se prêtaient pas à un examen détaillé mais je me souvenais quand même d'elle et je la trouve bien changée, comme si sa peau était plus claire, moins grise, son expression, moins tendue. Je lui demande des nouvelles de son fils, expliquant ce que Hossein m'a dit, et une expression de pur bonheur envahit son visage.

— *Azizam*, dit-elle, ma chère, il est au Danemark, il est sain et sauf. Nous avons parlé une ou deux fois.

Je l'embrasse sur les deux joues, disant que c'est là une très bonne nouvelle.

— Ce que je vais dire est terrible, dit-elle, mais c'est une conséquence de ce que tu as subi. Pourquoi est-ce que tu as dû payer si cher pour que je puisse avoir, moi, ce bonheur ?

Elle se met à pleurer.

— Mina djoun, ne pense pas comme ça. Nous devons toujours payer un prix. Pense à ton fils qui est en sécurité, pense que tu n'as plus à t'inquiéter pour lui. Souviens-toi aussi qu'à cause de ce qui m'est arrivé au *manfi char*, les choses vont s'améliorer pour d'autres.

— Tu es si bonne, dit-elle, se frottant les joues des deux mains pour essuyer ses larmes.

Un petit homme rondouillard et rasé de près passe rapidement à côté de nous, puis revient et me demande si je suis Khanom Afchar. Quand je réponds par l'affirmative, il se présente comme Damghani, du bureau du procureur, et me dit que nous allons commencer. Comme nous entrons dans la pièce, il demande qu'on amène la première personne. La porte s'ouvre en grand et le premier garde du *manfi char* entre. On lui demande son nom et il dit Lotfali Baradaran.

Je reconnais tout de suite mon tourmenteur principal et ma respiration se bloque dans ma poitrine. C'était le plus brutal des trois. Celui qui avait coupé mon tee-shirt et m'avait taillardé le côté de la gorge, lui qui m'avait arraché mes jeans, qui m'avait pincé le bout des seins si forts qu'ils en étaient restés meurtris pendant deux semaines, qui avait été le premier à me violer et qui, après que les deux autres en avaient eu fini avec moi, m'avait sodomisée et ensuite frappée sur la plante des pieds. Il est jeune, de mon âge et peut-être même plus jeune. Je ne comprends pas son expression. Méfiance ? Crainte ? Inquiétude ? Mépris ? Je ne peux m'empêcher de le dévisager. C'est une révélation de le voir et de comprendre, à travers la façon dont ses traits se présentent – avec ses sourcils triangulaires et ses yeux enfoncés dans leurs orbites –, que c'est là quelqu'un de naturellement cruel. Ce doit être le genre de personne qui prend un malin plaisir à torturer des animaux, comme dans l'histoire que j'ai entendue où des gosses des rues bloquent l'anus d'un chat avec du goudron, puis attendent le spectacle excitant de l'agonie et de la mort de l'animal. Combien de chats a-t-il tués de la sorte ? Combien de pierres a-t-il jetées à des chiens errants ? Combien a-t-il frappé de drogués étendus sur les trottoirs de Téhéran ou de misérables prostituées essayant de gagner trois sous ? Je ne représentais rien à ses yeux, j'étais juste bonne à tabasser, un amusement. Cela a été ma malchance qu'il me remarque lui.

Baradaran a les yeux fixés sur le sol et ne les lève pas un instant vers moi. L'employé du bureau du procureur s'adresse à moi :

— Khanom Afchar, vous reconnaissez cet homme ?

Je n'ai pas cessé de dévisager le garde.

— Oui.

— Vous êtes sûre ? Vous m'avez semblé hésiter.

— Non, pas du tout, dis-je avec force.

D'une voix parfaitement neutre, Baradaran dit au procureur qu'il ne me connaît pas, mais le fonctionnaire ne le regarde pas et me demande :

— C'était donc l'un des trois. Dans quel ordre ?

Je dis qu'il était le premier.

— C'est lui qui a déchiré mes vêtements, qui m'a coupé le côté de la gorge – je ne peux pas montrer à l'enquêteur la plaie pas encore tout à fait cicatrisée parce que ça ne serait pas correct étant donné son emplacement mais j'indique l'endroit sous mon foulard serré autour de mon cou et je poursuis.

» Il m'a frappée et il a été le premier à me violer. Il est revenu à la fin, après les autres, alors que j'étais à moitié morte et tombée par terre et il m'a attaquée par-derrière. C'est aussi lui qui m'a frappée sur la plante des pieds.

J'ai déjà raconté cette histoire plusieurs fois et m'étonne toujours moi-même de constater à quel point je peux conserver un ton calme, sans émotion. Sans doute que le tranquillisant de Homa m'aide aussi. Baradaran répète de cette voix étrangement neutre :

— Je ne la connais pas. *Hazioun migueh* – elle délire. Je ne l'ai jamais vue.

Puis il me regarde pour la première fois et, grondant comme une bête, me dit :

— Retourne chez tes maîtres américains !

Puis il crache par terre.

On l'emmène.

Le Dr Kazemi me demande à voix basse si je tiens le coup et je réponds oui. La porte s'ouvre à nouveau et on fait entrer le deuxième homme. Je le reconnais aussi. En fait, ç'a été le dernier à me violer avant que Baradaran revienne et ne me sodomise. Sommé de dire comment il s'appelle, il répond Emad Karadji. Il est plus âgé que le premier. Comme dans les cauchemars à répétition que j'avais après ma libération, chaque instant de l'agression m'est resté à l'esprit, aussi précis que quand elle s'est produite, bien que je ne comprenne pas comment je peux me souvenir à un tel point de chaque détail alors que j'étais tout le temps sur le point de perdre connaissance. Que je puisse même me souvenir de leurs visages, sans la moindre hésitation, alors qu'un de mes yeux s'était fermé quand ma tête avait heurté le mur et que mes larmes n'avaient pas cessé de couler pendant tout l'épisode, est très mystérieux, mais les traits de ces gardes sont imprimés si profondément dans mon esprit que je crains fort de revoir leurs visages le jour de ma mort. Je me souviens à présent que Karadji m'avait prise après que Baradaran et l'autre garde m'avaient violée. Mon corps tout entier était déjà douloureux après les coups répétés et le viol qui m'avait laissée comme coupée en deux par un couteau. J'avais tellement crié et supplié que ma voix s'était presque éteinte, les mots ne sortaient même pas quand je voulais demander à Karadji de ne pas me toucher. Mais je me souviens quand même de lui comme moins brutal que les autres. Je me souviens aussi qu'il ne m'avait pas regardée et n'avait pas proféré les quolibets et les sarcasmes des deux autres. Il avait utilisé mon corps à peine quelques secondes avant de s'écarter. Là, il ne me regarde pas du tout mais se tient très droit.

Le fonctionnaire du bureau du procureur me demande si je le reconnais et je dis que oui, il était le troisième homme à me violer.

— Il vous a frappée ?

— Non.

— *Zajretoun dad ?* Il vous a fait mal ?

— J'avais déjà mal partout, je ne saurais donc pas mesurer le mal dont il a lui été responsable en particulier.

Il demande à Karadji s'il a quelque chose à ajouter, et le garde dit lui aussi qu'il ne m'a jamais vue. Il me jette un coup d'œil avant qu'on ne l'emmène, sans aucune expression dans les yeux. Puis arrive le troisième homme, tenant sa tête si bas sur sa poitrine que je ne peux même pas distinguer son visage. L'homme du bureau du procureur lui demande son nom mais il murmure quelque chose que nous n'entendons pas. L'enquêteur lui enjoint sèchement de parler plus fort. L'homme émet encore ce murmure quasi inaudible mais j'entends quand même son nom, Rahmatollah Tchaitchi. L'enquêteur me demande, comme il l'a fait pour les deux autres, si je le reconnais, à quoi je réponds que je ne vois pas son visage.

— *Sareto bala kon* – lève la tête.

L'homme relève un peu la tête et je sais qui il est, malgré son expression bien différente de ce jour dans la cellule de la prison. C'est le deuxième violeur. Ce dont je me souviens le plus précisément, c'est de son ricanement imbécile pendant tout le temps où ces hommes s'amusaient avec moi. Je me souviens aussi qu'outre son rire ininterrompu, il n'arrêtait pas de lâcher les obscénités les plus odieuses, des descriptions de ce que j'étais, d'après lui, et de ce que lui et ses complices étaient en train de me faire, disait que c'était tout ce que des putains comme moi méritaient. Non seulement il était un violeur et une brute mais il avait aussi un problème avec mes cheveux, il n'arrêtait pas de les tirer à grands gestes saccadés et de me taper la tête contre le mur. Je dois avoir un crâne bien solide pour ne pas avoir eu de séquelles cérébrales. Aujourd'hui, il ricane moins, ça c'est sûr. Il continue à baisser la tête jusqu'à ce que son menton s'enfonce dans sa poitrine, de sorte que je ne vois que le sommet de son crâne, et l'enquêteur doit tout le temps lui dire de lever la tête. Il le fait un peu mais ne me regarde jamais, pas une seule fois. Quand le fonctionnaire me demande si je le reconnais, je réponds, Oui, bien sûr.

— Vous a-t-il fait mal ?

— Il m'a violée.

— Vous a-t-il fait mal autrement ?

— Il m'a tiré les cheveux.

L'homme qui s'occupe de l'enregistrement pouffe, puis s'arrête et a l'air gêné quand je lui lance un coup d'œil. Je ne peux pas m'empêcher de lui dire :

— *Baleh, kheili mozheke* – c'est effectivement très drôle.

— C'est vrai ? demande l'enquêteur au garde, qui dit qu'il ne m'a jamais vue, qu'il ne travaillait même pas ce jour-là.

Les deux autres avaient menti quand ils avaient dit qu'ils ne me connaissaient pas. Celui-ci affirme qu'il n'était même pas au *manfi char*. L'enquêteur a sorti une feuille de papier d'un dossier qu'il a devant lui et l'agite en l'air :

— Ceci est la copie de la carte de présence indiquant que tu as travaillé ce jour-là de sept heures du matin à trois heures de l'après-midi. Ton nom se trouve là.

Il agite la feuille de papier plus vivement.

L'homme lève la tête. Je suis écœurée de voir qu'il bave, qu'un filet de salive pend sur le côté de sa bouche ouverte. Je me souviens de son insistance à m'embrasser pendant le viol, de ses dents sur mes lèvres qu'il ne cessait de frotter de ses propres lèvres molles et mouillées, de ce gros globule de salive qui m'était tombé dans la bouche. Le souvenir m'en tord le ventre de dégoût mais je lutte contre, comme pendant toute cette confrontation je lutte contre le chagrin, les larmes, et surtout la colère. Sa salive coulant dans ma bouche, c'est un des aspects les plus répugnants de moments qui l'étaient de toutes les façons.

— Je n'étais pas là, répète-t-il.

— Tu es en train de me dire que tu n'as pas travaillé ce jour-là et que quelqu'un a utilisé ta carte pour faire croire le contraire ?

— Oui, ils mentent. C'est *ghollabi* – un faux.

La morve de ses narines lui arrive presque à la bouche. Je ne peux même plus le regarder.

— Et pourquoi ferait-on ça ?

— Je ne sais pas, dit l'homme, éclatant en un fort sanglot. Demandez-lui, à elle. Peut-être qu'ils avaient un *naghcheh* – un plan.

Il s'essuie le nez sur la manche comme on l'emmène.

— *Astakhforellah*, dit l'enquêteur, exaspéré – Dieu nous protège !

Après le troisième garde, le Dr Kazemi demande au fonctionnaire si c'est une bonne idée de placer les trois hommes ensemble, si c'est une procédure correcte, puisque cela leur permet de coordonner leurs histoires. L'homme, qui a été courtois jusqu'ici, lui rétorque :

— *Khanom vakil* – madame l'Avocate – faites votre travail et laissez-moi faire le mien. Ce n'est pas comme si ces hommes ne s'étaient pas vus depuis ce jour-là. Ils sont collègues.

Après quoi il nous remercie d'être venues et dit que le procureur nous contactera. Le Dr Kazemi et moi disons au revoir et nous dirigeons vers la porte. L'homme appelle mon nom et je me retourne.

— Raha Khanom, dit-il encore. J'ai une fille de votre âge.

Je sais d'expérience depuis ces dernières semaines que je peux toujours contrôler mes émotions quand c'est nécessaire, que je peux toujours présenter un front solide et faire face à une situation difficile. Mais à la minute où on me montre de la compréhension, de la compassion ou de la sympathie, je perds toute contenance et l'attitude parfaitement neutre que j'essaie de cultiver. Je deviens un bébé pleurnichant, quelqu'un que je ne peux pas me permettre d'être si je veux mener cette affaire à une conclusion satisfaisante. Là, incapable de parler de peur de perdre la maîtrise de moi, je me contente de hocher la tête et nous quittons la pièce, le Dr Kazemi me tenant le bras bien serré pour m'aider à être forte, comme elle le fait ces jours-ci où elle est devenue beaucoup plus amicale.

— *Afarin bar to dokhtar* – bravo, mon enfant, dit-elle. Tu t'es bien débrouillée.

Je parviens à continuer à me contrôler jusqu'à ce que

nous nous soyons éloignées de l'immeuble, puis me laisse aller à sangloter. Elle me prend dans ses bras et me tient, me tapotant le dos jusqu'à ce que je cesse de pleurer.

Et voilà, c'est fait. Je suis en train d'apprendre que l'anticipation d'un événement peint en général un tableau beaucoup plus puissant de ce qui va arriver que ce qui se produit en réalité. Je me souviens qu'un philosophe ou un écrivain quelconque disait que le présent n'existait pas, qu'il n'y avait en fait que le futur et c'était tout, que ce que nous appelions le présent n'était que du futur en train de glisser dans le passé. C'est peut-être pour ça que l'anticipation comme les souvenirs sont beaucoup plus forts que ce qui se passe au moment où on le vit. Revoir ces hommes après m'être souvenue d'eux et de l'attaque pendant toutes ces semaines ne m'a pas secouée comme je m'y attendais. Cela a été dur mais pas du tout aussi terrifiant ou traumatisant que je le craignais. La confrontation a été pour moi comme un film d'horreur face auquel on éprouve des émotions fortes mais dont, même si on est très investi, on sait que ce n'est qu'une fiction.

Atossa m'appelle le lendemain pour me dire que quelqu'un a créé une page de groupe Facebook à mon nom et que le buzz augmente autour de moi, qu'une recherche sur « Raha Afchar » amène de plus en plus de liens, surtout des Iraniens de l'étranger mais aussi des mentions sur les blogs qui surgissent ici tous les jours et sont régulièrement supprimés pour être aussitôt remplacés par d'autres, aussi bien que des liens vers des sites pornos et d'autres choses encore du monde entier, certaines dans des langues qu'aucun de nous ne peut identifier, et encore moins lire, qui m'indiquent souvent « erreur » quand je clique dessus. Mes parents sont exaspérés. Le

Dr Kazemi appelle pour me dire que tout ceci n'est pas bon, que cela va impacter les autorités judiciaires de façon négative, ce qui me paraît plutôt ironique parce que je n'avais pas l'impression qu'ils regardaient cette affaire avec une attitude particulièrement bienveillante. C'est une des fois où je me mets à pleurer, me sentant tout à fait impuissante à empêcher tout ça de circuler sur la toile. Les noms des trois gardes sont aussi postés sur différents sites, accompagnés de photos floues qui pourraient être celles de n'importe qui. Je ne sais pas quoi faire. Le Dr Kazemi répète que ce n'est pas bon, que toute cette activité sur l'internet n'est bien sûr pas ma faute mais qu'elle va avoir des répercussions. Elle dit encore espérer que les autorités ne vont pas tout bonnement renoncer aux poursuites.

Karroubi publie sur son site un communiqué disant que les noms des victimes de torture et de meurtre à Kahrizak et d'autres prisons circulent librement et où il recommande instamment que chacun respecte le judiciaire dans ce moment difficile et fasse confiance au système pour prendre les mesures qui s'imposent. Je ne peux pas m'empêcher de me demander si lui-même croit ce qu'il dit.

Sur ces entrefaites, Kian m'appelle de façon tout à fait impromptue – la dernière personne au monde dont je m'attendais à avoir des nouvelles. Ce qui est encore plus surprenant que son appel, c'est de constater à quel point je suis peu touchée d'entendre sa voix. Pendant notre brève conversation, je m'auto-examine sur le plan émotionnel comme je vérifierais après une chute si tous mes membres sont intacts, et je n'éprouve rien. Je suppose qu'il télé-phone pour manifester son soutien. Il dit effectivement que sa mère le tient au courant des développements juridiques de mon affaire, qu'il m'admire d'être si courageuse et que si davantage de gens étaient comme moi, les choses seraient différentes. Je le remercie et dis que je dois partir et que nous parlerons bientôt. Il hésite.

— Raha, dit-il.

— Oui ?

L'idée me passe par la tête qu'il veut peut-être que nous reprenions notre relation, une impossibilité en ce qui me concerne. Il dit qu'il voudrait me voir et demande si je veux bien le rencontrer à notre café habituel sur Vali Asr. Deux heures plus tard, je le retrouve là, assis à une table à l'écart. Il se lève en me voyant. Nous ne pouvons pas nous embrasser en public, il me serre donc la main et nous nous asseyons. Il recommence avec son baratin, combien il admire mon courage et comme tout le monde devrait être fier de moi. Je l'interromps en lui disant qu'il se répète.

— Excuse-moi, dit-il. J'ai déjà dit ça ?

J'ai compris qu'il ne veut pas me demander de renouer. Il veut autre chose, mais je n'imagine pas ce que ça peut être.

— Raha djoun, j'aimerais te demander un petit service.

Je me souviens d'avoir été assise avec Hossein dans ce même café, quelques tables plus loin, quand il disait que nous demandions toujours un « petit » service quand nous allions en demander un vraiment grand, pour ne pas avoir à subir de *mennat* – nous trouver redevable à quelqu'un.

— Bien sûr, je réponds quand même.

— Mon nom est-il jamais mentionné dans ces discussions ?

Je n'ai aucune idée de quoi il parle.

— Quelles discussions ?

— Tu sais, avec tous ces gens. Les gens qui ont lancé la procédure, qui s'occupent de ton dossier.

— Tu veux dire mon avocate ?

— L'avocate, les juges, les gens du *dadsetani* – du bureau du procureur.

Je suis sidérée. C'est de ça qu'il voulait me parler, savoir si son nom était mentionné ou non dans cette procédure ?

— Je ne pense pas, dis-je.

— Tant mieux. Je voulais te demander si tu pouvais faire en sorte qu'on ne le mentionne pas.

— Pourquoi est-ce qu'on le mentionnerait ?

— En fait, parce que…

— Parce que nous étions fiancés et devions nous marier ? Parce que tu as décidé que ce qui m'est arrivé en prison était ma faute et que tu avais honte de moi et que tu as rompu nos fiançailles ?

Je me lève.

— Tu n'as pas à t'inquiéter. Tu n'existes pas pour moi. Pourquoi est-ce que moi-même ou quelqu'un d'autre mentionnerions ton nom ?

Il essaie de se lever mais sa chaise heurte le mur et il se retrouve dans une position incommode, à moitié debout, à moitié assis, alors que je m'en vais.

Je trouve mes parents étonnants. Ils sont aussi solidement à mes côtés que j'aurais pu souhaiter. Il m'arrive parfois de me demander si je leur apparais différente après ce qui est arrivé. C'est sûr que je ne suis pas la personne que j'étais, il est donc logique que les autres, même des gens aussi proches que mes parents, ne me voient plus comme la Raha qu'ils connaissaient. Notre perception des gens peut changer selon les événements directement ou indirectement liés à leur vie. J'ai été moi-même témoin du phénomène au moins une fois. À l'école, je devais avoir neuf ou dix ans quand le père de deux de mes camarades, deux sœurs, avait été tué dans un accident. Quand les deux petites filles étaient revenues à l'école quelques jours plus tard, tout avait changé. Elles étaient différentes et leurs camarades, y compris moi-même, nous comportions autrement avec elles. La meilleure explication que je puisse trouver quand j'y pense est que c'était comme si elles savaient à présent quelque chose de la vie que nous ignorions et que cela mettait une distance entre elles et nous. Jusqu'à la fin de l'année scolaire, nous n'avons plus jamais joué avec elles comme avant. Bien que nous ne les ayons pas rejetées, ce que nos institutrices n'auraient pas permis, elles ne faisaient plus partie d'aucun projet ou d'aucun groupe pendant la récréation dans la cour de l'école. Nous les invitions à jouer mais elles comprenaient sûrement que nous n'avions pas vraiment envie d'être avec elles. Elles se sont retirées. Elles s'asseyaient ensemble dans un coin écarté de la cour, se chuchotant parfois quelque chose à l'oreille. Je me demandais si elles partageaient des souvenirs de leur père mort. Je ne pouvais pas m'imaginer continuer à vivre si quelque chose arrivait à mon père ou, pire encore, à ma mère. Je voulais leur demander si leur père leur manquait mais je n'osais pas. D'ailleurs, personne ne leur adressait beaucoup la parole.

Après ma libération de prison, je vois bien que la perception que mes parents ont de moi n'a pas changé à l'extérieur, mais j'ignore ce qui se passe dans leurs cœurs même s'il est facile d'imaginer leur chagrin et leur difficulté de continuer à vivre comme si de rien n'était. Amou Djamchid s'exprime davantage. De même que Khan djoun, il insulte à présent le régime et le système tout entier et est en colère permanente contre l'islam et contre notre iranité dont il dit qu'elle nous condamne. Ma mère, l'esprit préoccupé par notre affaire, ne répond pas aux diatribes de mon oncle comme elle le ferait d'ordinaire. Elle s'affaire, allant aux courses, s'assurant que nous faisons de bons repas à une table joliment dressée, garde l'appartement si propre qu'entre les deux jours par semaine où vient la femme de ménage, il a parfois l'air de sortir d'une revue de décoration ou d'être arrangé pour des acheteurs éventuels. Des choses compliquées doivent lui passer par la tête pendant qu'elle frotte et astique, même après que la femme de ménage est partie. Plus d'une fois, je la surprend à faire des travaux tout à fait inutiles, comme vider les placards de la cuisine et en nettoyer l'intérieur.

Amou Djamchid ne lâche pas. Il exige que nous lui décrivions la moindre entrevue, la moindre réunion, se mettant chaque fois en colère contre notre avocate qu'il trouve incompétente, furieux quand nous lui racontons la scène avec le juge, la confrontation avec les trois gardes.

— *Adjaba* – merveille des merveilles ! Nous ne pouvons jamais cesser de jouer à nos jeux, quel que soit le contexte, est la réflexion qu'il répète le plus souvent.

À chaque fois, mon père insiste : les gens ont posé les bonnes questions, ont fait ce qu'ils étaient supposés faire.

— Tu ne vois pas ? demande mon oncle. La seule chose qui les inquiète, c'est leur image, la perception que l'on a d'eux. Il n'y a que cela qui compte, l'apparence. À l'intérieur, il n'y a rien. Tu te souviens du concert où nous sommes allés l'autre soir et de la façon dont les gens se comportaient ?

Il parle d'un concert de Shajarian que nous sommes allés entendre à la salle Vahdat il y a quelques mois.

— Comment est-ce que nous ferions pour ne pas nous en souvenir ? dit ma mère. Tu le mentionnes dix fois par jour.

— Parce que toi, le comportement du public ne t'a pas gênée ? Tous ces gens qui attendaient dans le hall que le concert commence pour gagner leurs sièges, en faisant le plus de bruit possible ? Si je répète cette histoire, c'est que pour moi elle symbolise tout ce que nous faisons. Qu'est-ce qu'ils cherchaient à prouver ? Qu'ils étaient plus importants que les musiciens, au-delà de la musique ? Et tous ces portables qui sonnaient tout le temps, ces personnes qui se déplaçaient, qui faisaient des signes de la main à leurs amis. Était-ce trop leur demander que de rester assis et d'écouter le concert ? Et ceux qui écoutaient ne cessaient d'aller devant la scène et de tendre aux musiciens des petits bouts de papier avec le nom des morceaux qu'ils voulaient entendre. C'était à se demander pourquoi ils se donnaient la peine d'assister à un concert.

— C'est comme ça, dit ma mère. Tu sais bien que c'est toujours comme ça. Pourquoi est-ce que tu y vas si ça te gêne tant ?

— Je ne sais pas, à chaque fois j'espère que ça va être différent, que les gens auront appris la politesse. Mais les mauvaises manières, nous trouvons ça tout naturel.

— Bon, ils n'apprennent rien. Nous avons compris. Franchement, je ne vois pas en quoi ça concerne l'affaire de Raha.

Je ne comprends même pas pourquoi ils entrent dans des discussions de ce genre, toujours les mêmes.

Donc, la perception. Je ne sais pas si mes parents, tout

chagrinés et désolés qu'ils soient, ont eu leur vie chamboulée autant que la mienne mais ils sont plus doux et affectueux que jamais. Ils ont toujours été des parents aimants, mais maintenant c'est comme si leur vie entière tournait autour de moi. En tant qu'enfant unique, j'ai bien sûr été chérie, chouchoutée, portée dans leur cœur, j'ai été la joie de mes parents et leur préoccupation la plus importante, ce qui n'aurait sans doute pas été le cas si j'avais eu une fratrie, mais je pense qu'ils n'ont jamais perdu le sens des proportions en me gâtant. Les rares fois où je pense à Kian, également enfant unique, je vois que Homa djoun, l'élevant toute seule, bien qu'elle soit chirurgienne et hautement éduquée, n'a pas fait grand-chose pour l'empêcher de penser qu'il est le centre du monde même s'il geint souvent en disant qu'il la trouve indifférente, prise par son travail et d'autres préoccupations. À la base, Kian a un caractère solide sur lequel il pourrait bâtir mais en fait rien ne l'intéresse à part lui-même. Il a peut-être cru éprouver des sentiments pour moi, mais à voir comme il a vite pris ses distances, je me dis qu'il aimait surtout l'idée d'être fiancé à quelqu'un de pas trop moche, pas trop ennuyeux, et de bonne famille. N'importe qui doté de ces caractéristiques aurait fait l'affaire.

Ce n'est pas juste de lui en vouloir pour cela. Nous sommes peut-être tous pareils en ce sens, nous laissons les circonstances décider pour nous. Si j'avais rencontré quelqu'un d'autre au lieu de Kian, si lui avait rencontré quelqu'un d'autre, l'histoire n'aurait pas été la même mais une histoire parallèle. Et ça n'aurait fait aucune différence. Kian n'a pas pu se relever de ce qui m'est arrivé. À ses yeux, c'était lui qui était touché, pas moi. Sans doute que si je n'avais pas mis fin à une situation impossible, il aurait trouvé difficile d'essayer de rester avec moi. Je ne peux pas dire que j'admire sa réaction. Avant même cet événement, quand il parlait de son demi-frère, Zal, disant qu'il était horriblement gâté, je voulais lui dire, pas tout à fait en blaguant, que je le trouvais lui tout aussi gâté. Peut-être que seuls les autres peuvent voir clair en nous, peut-être que ce que nous voyons de nous-même n'est qu'une partie de ce que nous sommes. Si je pouvais mettre ensemble toutes les images de moi qu'ont les autres, est-ce que cela me rapprocherait de ma propre réalité ?

En tout cas, maintenant que Kian n'est plus là, à qui est-ce que je peux parler ? J'ai encore mes amis mais je sais qu'eux aussi me voient différemment. Même Atossa, qui ne m'a jamais questionnée directement sur l'agression, semble parfois en train de chercher je ne sais quoi. Une explication ? Un indice ? Une indication de ce que je pense, de ce que je ressens ? Je n'apprécierais pas ce genre de curiosité mais de toute façon, elle ne pose pas de questions. En général, elle est accompagnée de Mazyar. Je vois aussi Bardia et Mardjan mais à vrai dire, le seul contact qui m'apporte quelque chose, qui me donne envie de parler et de partager mes pensées est, dans une certaine mesure, celui de Hossein. Il n'appelle pas souvent. Au départ, il n'appelait pas du tout. Puis, au fur et à mesure que le cas progresse, nous parlons plus souvent, et en fait il est venu plusieurs fois à la maison. D'abord il est passé prendre le thé et ça démarrait mal parce que je l'attendais plus tard et étais en train d'aider ma mère à l'appartement, la tête découverte, quand il a sonné. Il était gêné de me voir comme ça et nous avons tous fait comme s'il ne s'était rien passé. Une autre fois, il est venu dîner.

Heureusement que je me suis rendu compte avant qu'il n'arrive qu'amou Djamchid avait l'intention de prendre sa vodka habituelle d'avant-dîner et mon père son whisky, et que ma mère avait préparé une bouteille de vin au cas où. Au cas où quoi ? Où Hossein, un pieux musulman, aurait décidé soudainement de boire de l'alcool ? Ou bien se disaient-ils que ça ne le gênerait pas de voir les gens boire devant lui, ce qui ne lui était sans doute jamais arrivé. En tout cas, je leur ai demandé de ne pas le faire. Amou Djamchid qui était d'humeur taquine et railleuse, ce qui m'agace encore plus que sa sempiternelle attitude sombre et négative, a dit qu'avoir un *sepahi* dans la maison signifiait que nous pouvions boire l'esprit tranquille parce que personne n'aurait idée de venir sonner chez nous pour vérifier si nous n'étions pas en train d'enfreindre la loi. J'ai été contrariée et ai dit que s'ils ne pouvaient pas montrer d'égards envers Hossein, qui est la personne la plus correcte et polie que je connaisse, j'allais l'appeler et lui dire de ne pas venir. Mon père a désamorcé la situation en disant que c'était une blague, que personne n'avait l'intention de boire devant Hossein, mais je n'étais pas sûre que ç'ait été vrai.

Ce qui l'est, c'est que Hossein est correct et respectueux des autres. J'admire beaucoup le fait qu'il soit si inquiet que nous nous croyions ses obligés que, quand il veut nous offrir de l'aide, il emploie les mots les plus neutres. Ainsi, il demande ce que nous voulons qu'il fasse au lieu d'employer les mots, « puis-je vous aider ? ». Je suis curieuse de lui. Je n'ai jamais connu quelqu'un de son milieu et avec sa façon de penser, ni d'ailleurs personne issu du sud de Téhéran. J'ai entendu dire que l'organisation des Gardiens de la Révolution est riche mais ça ne veut pas dire que tous les *sepahi* le sont aussi, et la famille de Hossein ne m'a pas du tout l'air de l'être. Lui n'a que son bac et une formation technique et il ne connaît rien du monde. Moi non plus, je n'ai jamais voyagé hors d'Iran mais il est sûr que dans notre milieu nous entendons et voyons des choses que Hossein ne verra et n'entendra jamais. Une autre différence est que parmi les gens de notre famille et ceux que nous fréquentons, la religion ne joue aucun rôle. Si nous y accordons une pensée, c'est bien pour nous confirmer qu'elle ne sert à rien. Moi-même, je ne crois pas en Dieu, ou plutôt je n'y croirais pas si je me posais la question, ce qui n'arrive pas. Si je pense parfois à l'islam, c'est à cause des contraintes qu'il m'impose dans ma vie quotidienne. Mais je vois bien que Hossein croit en Dieu et au Prophète, ainsi que sa famille et, j'imagine, son entourage.

Son frère Mortéza doit être la pire espèce de fanatique. Hossein ne le dirait jamais et ne penserait même pas à lui en ces termes puisqu'il a été élevé dans le respect de son frère aîné, mais il le mentionne souvent dans le contexte de la croyance absolue en ce que disent les mollahs les plus conservateurs. Pour ma part, je ne sais même pas ce que signifie le *velayate faghih* – la Tutelle du juriste –, sauf que ça établit un gouvernement religieux. D'après amou Djamchid, beaucoup de gens dans le gouvernement et même dans des milieux plus éclairés non seulement croient au *velayate faghih* mais même à l'*umma*, un monde islamique global. Pensent-ils que cela donnerait au peuple la liberté ou la démocratie ou considèrent-ils que la liberté et la démocratie ne sont pas importantes ?

Hossein est gêné et n'a pas l'air content quand je l'entreprends sur ces questions qui surgissent de temps en temps.

J'aimerais penser que c'est parce qu'au plus profond de lui-même il est d'accord avec moi sans pouvoir l'admettre mais la vérité est plus probablement qu'il a été élevé à croire en tout cela et qu'il serait incapable de jamais remettre ces croyances en question.

Mes parents et moi parlons parfois de l'Amérique, nous nous demandons si je ne devrais pas quitter l'Iran. Je ne sais pas. L'idée me tente. Ma vie est ici mais bien que j'aie été libérée il y a maintenant plus de deux mois, je n'arrive pas encore à ramasser les morceaux et à me sentir à nouveau entière. Comme je me le répète souvent quand j'ai besoin de me sentir boostée par des pensées positives, les hématomes se sont effacés, les blessures ont guéri, j'ai eu mes règles plusieurs fois, les tests pour le VIH sont toujours négatifs. Mais ce qui se passe à l'intérieur, ça c'est une autre histoire. Je me sens vide, je ne sais pas ce que je dois attendre, ce vers quoi je peux tendre, ce que je peux anticiper, planifier. La seule réalité est le procès, si jamais il a lieu, et après ?

Plus rien ne me passionne ni même ne m'intéresse vraiment. Je regarde des films avec ma famille, nous allons à un ou deux concerts, dont l'un à un *farhangsara* – un centre culturel – et un autre chez Pari d'un groupe de folklore roumain qu'elle a déniché je ne sais où. Au *farhangsara*, il se produit un incident avec deux types qui foncent vers moi quand nous allons chercher des boissons gazeuses pendant l'entracte et commencent à m'insulter en élevant la voix. L'un d'entre eux se jette sur moi et s'apprête à me cracher au visage mais amou Djamchid l'écarte et nous partons. Je fais maintenant attention de n'aller seule nulle part parce que ce n'est pas la première fois qu'on me reconnaît. Il y a trop d'informations me concernant dans la presse et sur l'internet. Nous passons une semaine au bord de la mer Caspienne, dans une villa empruntée à un des amis de mon père. Le feuillage change déjà de couleur et l'air a cette légèreté vive du début d'automne. Mes parents n'aiment pas que j'aille me promener seule, alors je m'assieds sur le patio pavé devant la maison. Parfois, nous allons tous les trois nous asseoir sur le sable, ma mère apportant un tupperware avec des fruits pelés et en tranches à l'intérieur ou quelques *chirini*. Nos portables ne sonnent pas souvent. C'est un moment de répit.

De retour à Téhéran, nous recommençons à parler de mon avenir après le procès. La rentrée universitaire doit avoir lieu à la date prévue mais je ne suis pas sûre d'être prête à retourner en cours et à affronter la curiosité des professeurs et des élèves. Puis il y a les procès bidon de Hadjarian, Abtahi et des autres, et ça c'est trop. Je déteste voir ces hommes que l'on fait défiler tous les jours à la télé nationale, leur humiliation alors qu'ils sont assis dans la salle du tribunal, une centaine d'hommes dans leurs uniformes gris de prison semblables à des pyjamas. Ils sont pâles, ils sont maigres, ils ont l'air fatigués. Ils se lèvent un à un, reconnaissant facilement les crimes dont ils sont accusés, se rétractant, confessant qu'ils ont déclaré la guerre à Dieu, qu'ils sont des espions, qu'ils ont servi des intérêts étrangers – ceux des États-Unis, de l'Angleterre, et d'Israël – dont l'intention déclarée est de détruire notre pays bien-aimé.

Ils sont peut-être abjects de s'excuser ainsi mais personne ne doute un instant que ces confessions grotesques aient été obtenues sous la torture et la menace de représailles contre leurs familles. Nous entendons des histoires horribles. Les gens se délectent de rumeurs comme celle selon laquelle des membres du Hezbollah libanais joueraient un rôle dans la répression des manifestations. Les choses finissent toujours par se savoir. Que le gouvernement pense pouvoir faire ce qu'il veut sans que personne ne se rende compte de rien, cela me dépasse. On dit qu'Abtahi et plusieurs autres ont été obligés de regarder le viol de prisonniers par d'autres prisonniers. Sur YouTube, des gens qui ont pu s'enfuir à l'étranger racontent qu'ils ont été violés, sodomisés. À ces mots, une douleur aiguë me traverse le corps. Une autre fois, j'entends parler de prisonniers couchés sur le sol, menottes aux poignets, pendant que des gardes urinent sur leur visage. Nous parlons de tout ceci à la maison. Amou Djamchid dit que l'histoire des régimes répressifs est semblable partout. Les gouvernants utilisent tous les mêmes mots pompeux dont ils pensent qu'ils vont leur gagner les masses – « patriotisme », « vertu héroïque », dans le cas de l'Iran, « dévotion », ailleurs, un nom d'idéologie –, et en fait ils obtiennent l'effet inverse, rendant les peuples sceptiques vis-à-vis de tout ce que peut faire le pouvoir. Tout aussi semblable partout est le fait de diminuer et d'humilier « l'ennemi ». De tels régimes s'imaginent que leurs armes de prédilection – la censure, la torture, les exécutions, la répression sauvage – les protégeront, alors qu'en fait ils finissent tous par dégringoler précisément à cause de la répression. Les simulacres de procès, les confessions forcées, le fait de considérer comme criminelles des actions qui dans les sociétés civilisées participent de l'exercice de la démocratie, peuvent profiter à ces régimes dans le court terme. En attendant, les élections libres, le respect des lois et des droits de l'homme, un gouvernement qui fonctionne et agit au service du peuple, tout cela demeure des concepts totalement étrangers.

Gita

Djamchid m'emmène déjeuner dans un restaurant luxueux appelé La Cheminée. Il voulait faire les choses dans les règles et inviter aussi Zohreh chez qui j'habite mais heureusement, elle était prise par ailleurs. La famille de Djamchid ne pouvait pas venir non plus. Comme Nasrine organise un dîner pour moi demain soir, j'aurai l'occasion de dire au revoir aux Afchar, dont je me sens proche à présent. Si les plans pour l'instant assez vagues de Raha d'émigrer aux États-Unis après le procès se précisent, j'espère pouvoir l'aider à s'y installer.

Le décor du restaurant est impressionnant et la nourriture est bonne, me dit Djamchid tandis que nous mène à notre table un maître d'hôtel en smoking suivi par un garçon portant les menus et vêtu d'une chemise boutonnée jusqu'au col, d'une teinte abricot assortie aux belles nappes sur les larges tables rondes bien écartées les unes des autres. On nous place à une table d'angle, le garçon à la chemise abricot tend les menus au maître d'hôtel qui nous les présente avec emphase. Un troisième homme nous verse de l'eau, faisant tinter les glaçons ; il y a de prétentieux claquements de doigts pendant que divers garçons de moindre importance tournent autour de notre table, et nous pouvons enfin regarder le menu. Nous commandons tous deux des cheveux d'ange aux crevettes, suivis de filets mignons. Un autre garçon arrive avec le thé glacé, tenant la carafe avec autant de cérémonie qu'il le ferait pour un grand bourgogne. Je m'attends presque à ce qu'il fasse goûter le breuvage à Djamchid mais il y a quand même des limites au cérémonial possible dans un restaurant de la capitale de la république islamique. En attendant la nourriture, je regarde autour de moi et dis à Djamchid que c'est là une belle conclusion à mon séjour.

— J'aurais dû t'amener ici plus tôt. En fait, cet endroit a une histoire. Il y avait ici une grande propriété, Larak, qui appartenait à un personnage sortant tout à fait de l'ordinaire, un général iranien avec une mère russe. Il avait été page à la cour du tsar et fait général iranien à quatre ans.

— C'est étonnant.

— Attends, ce n'est pas fini. Sa femme, une Anglaise, avait été danseuse de ballet, je crois bien même avec Nijinski ou avec les Ballets russes à Monte-Carlo. Elle et le général s'occupaient de cet endroit ensemble, une ferme avec des vaches laitières – ils livraient la moitié de Téhéran à l'époque. Mon père m'y avait emmené une fois avec des visiteurs anglais de passage. Il n'y avait rien que des champs de blé à l'époque, des champs qui s'étendaient jusqu'aux montagnes dans le fond. Je me souviens bien de la maison, charmante, une vraie maison de campagne anglaise, avec des meubles recouverts de chintz et un piano et des chiens partout...

Nos plats arrivent.

— Donc, poursuit Djamchid, parlons de l'avenir. Tu

crois que tu reviendras bientôt, ou tu as l'intention de revenir un jour ?

— Absolument. Ce voyage a été une révélation. Tout était inattendu.

— Eh oui, ça c'est nous. Inattendus et imprévisibles, une fois que tu dépasses tout ce qui est évident, tout ce qui saute aux yeux.

— Comme quoi ?

— Tu sais bien, les obsessions typiques du Moyen-Orient. Notre propension à se sentir insultés, offensés, à prendre la mouche, notre complexe d'infériorité vis-à-vis de l'Occident...

— Il y en a un ?

— Oui, sans aucun doute. Nous le camouflons sous de l'arrogance ce que nous espérons présenter comme de l'assurance. Je sais qu'il y a une contradiction dans ce que je vais dire, mais nous avons en même temps un complexe de supériorité.

— C'est drôle comme nous voyons les choses différemment.

— Parce que c'est encore nouveau pour toi. Tu es arrivée il y a combien de temps ? Trois mois ? Ce n'est pas suffisant.

— Tout de même, ce n'est pas comme si je ne connaissais rien à l'Iran. Je vois beaucoup d'Iraniens aux États-Unis, je suis les nouvelles.

— Vivre sur place et entendre les choses de loin, ce n'est pas la même chose.

— D'accord, j'admets que ce que j'ai trouvé ici ne correspondait pas tout à fait à mon attente, c'est évident. Mais en même temps, c'est du connu. Aussi, et là je suis sûre que tu ne seras pas d'accord avec moi, je pense que malgré tout il y a une sorte de processus démocratique qui se déroule, ou à tout le moins une prise de conscience du processus démocratique.

— Tu penses ? Même après le fiasco des élections ?

— Ça c'est autre chose. Le système se sentait menacé, il s'est donc durci.

— Tout ça est un jeu, un simulacre, dit Djamchid. La soi-disant ouverture à l'époque de Khatami, les discussions sur un dialogue des civilisations, tout ce que nous faisons depuis des années, un pas en avant, deux en arrière... Le vrai pouvoir a toujours été entre les mains des ultra-conservateurs. Ils soutiennent Ahmadinéjad parce qu'il sait comment manipuler sa base.

— D'après ce que je vois, l'avenir de la république islamique ne se présente pas bien. Le régime touche à sa fin, ce qui ne veut pas forcément dire qu'un changement se produira bientôt. L'Occident et les Iraniens eux-mêmes, d'une certaine façon, ont toujours cru que des circonstances défavorables rallieraient le peuple au gouvernement, tout comme pendant la guerre avec l'Irak. Mais ce n'est pas du tout le cas. Il existe une vraie division entre le peuple et le système. Je me souviens qu'il y a encore quelques années les gens réclamaient l'*enerjiyé hastéyi* – l'énergie nucléaire – comme leur dû. Maintenant, ils ne sont même plus d'accord là-dessus. Je n'en entends plus beaucoup se demander, comme c'était le cas avant, pourquoi l'Occident se permettait de décider que nous ne pouvions pas avoir l'énergie nucléaire, ou même l'arme nucléaire ? J'ai l'impression que les Iraniens sont fatigués d'être considérés comme irresponsables et dangereux par le reste du monde.

— Nous sommes une cause perdue, dit Djamchid. Les élections du 12 juin étaient notre dernière chance pour ce gouvernement d'obtenir une légitimation. Les gens ont voté et ils ont cru que le système allait fonctionner. Mais là, après la fraude évidente, ils ont compris à quel point il était défectueux. En fait, c'est l'arrogance qui a produit ce résultat. Ce crétin d'Ahmadinéjad a cru qu'il allait mener son coup à bien en proclamant sa victoire absolue après le premier tour. Cela aurait été plus intelligent de présenter des résultats serrés, avec Moussavi comme finaliste avec lui, puis de faire un deuxième tour avec un minimum de fraude, juste assez pour obtenir la victoire avec une petite marge. Personne n'y aurait trouvé à redire.

— Oui, mais ça ne s'est pas passé comme ça… Enfin… Moi je retourne aux États-Unis mais crois-moi, l'Iran va être désormais dans mes pensées comme il ne l'a pas été depuis… je ne sais pas, moi, des décennies.

— Dans l'ensemble, tu es contente de ton séjour ?

— Ah oui, très. Ce qui m'a surtout étonnée, c'est à quel point la vie est plus facile que je ne m'y attendais. Je sais que le moment était mal choisi, que si j'étais venue il y a trois ou quatre ans, les choses auraient été plus agréables. Mais je suis quand même surprise par la liberté. Je ne m'attendais pas à ça. Les gens sont si critiques du régime, ça ne les gêne pas du tout de parler ouvertement.

— *Ina*, ces gens-là, les gouvernants, sont malins. Ils savent qu'il n'y a aucun danger à laisser les gens parler. Tant qu'ils n'écrivent pas, tant qu'ils ne critiquent pas dans la presse, et tant qu'ils ne deviennent pas violents, ils peuvent dire ce qu'ils veulent.

— Je ne sais pas, Djamchid. Tu présentes toujours les Iraniens comme des personnes qui sont totalement manipulatrices ou totalement manipulées. Moi, je trouve qu'il y a quelque chose au-delà de cela, j'ai le sentiment que ce pays sera un jour là où il doit être. Nous ne le verrons peut-être pas de notre vivant mais nos enfants le verront. Les gens y croient. Ils ne disent pas qu'ils sont prêts à donner leur vie pour que ça arrive mais ils sont prêts à essayer. L'autre jour, j'ai accompagné Zohreh au ministère de la Justice parce qu'elle a une procédure en cours à propos d'une propriété. Ce que j'y ai vu... C'était étonnant ! Des femmes, même des *tchadori*, qui engueulaient les fonctionnaires parce qu'elles attendaient toujours le résultat de leur affaire et que rien n'avait avancé ou que leur dossier avait été perdu. Les gens se faisaient entendre. Il y avait une jeune femme habillée comme si elle sortait d'une revue de mode que l'employé de service a tutoyée, lui donnant du *to*. Elle a failli lui arracher la tête. Elle criait : « Tu me dis *shoma*, vous ! Je ne suis pas ta sœur, je ne suis pas ta femme, grâce à Dieu, et je ne suis sûrement pas ton amie ! » Le type ne s'est pas excusé mais il était rouge de gêne. Je ne peux pas imaginer un fonctionnaire d'un autre régime répressif acceptant qu'on lui parle sur ce ton.

Djamchid dit :

— Tu es là à la fin d'une évolution, après trente ans de ce régime. Les choses ont changé, les relations entre les hommes et les femmes ont évolué. Tu imagines, au départ, quand on faisait une lessive dans une laverie, on n'avait pas le droit de mettre les vêtements des hommes et des femmes dans la même machine ? Et écoute ça, il paraît qu'Ahmadinéjad avait suggéré que l'on fasse marcher les hommes sur un trottoir et les femmes sur un autre. Les gens ont tellement ridiculisé son idée qu'il a vite renoncé.

— Je ne peux pas croire à ce que ce pays a traversé. Imagine un peu le choc pour quelqu'un comme moi. Je n'avais que huit ans quand mes parents ont émigré. Il m'était resté quelques souvenirs précis mais il s'agissait surtout d'odeurs, de goûts, des changements de saison. La première chose que j'ai éprouvée quand je suis revenue a été ce sentiment étrange d'entendre tout le monde parler persan autour de moi. Je ne sais pas comment dire, c'était comme de vivre dans une pièce en pensant que c'est la seule pièce au monde, puis qu'un mur disparaisse et que tu voies qu'il y avait une autre pièce, et dedans d'autres gens. Et de découvrir qu'ils avaient toujours été là !

— Moi, j'ai toujours eu ce sentiment partout où je suis allé. Je n'arrive pas à me faire à l'idée qu'un endroit existe même quand je n'y suis plus.

La tension quitte son visage et il a un sourire nostalgique, redevenant un instant le Djamchid qu'il était aux États-Unis avant que sa Chadi bien-aimée ne meure, le Djamchid qui aimait encore son travail. Il y a vingt ans, il était un bel homme, il n'avait pas ces lèvres toujours serrées, cette expression critique en permanence.

— En tout cas, je dis, je crois que l'Iran doit être beaucoup plus difficile à supporter pour des jeunes qui veulent vivre comme des gens de leur âge. Pour les gens du mien, ce n'est pas un problème.

— Tu dis ça parce que tu ne vis pas ici, sinon tu verrais vite que les mille et un problèmes constants deviennent insupportables. C'est vrai que c'est plus difficile pour les jeunes mais souviens-toi qu'ils n'ont jamais rien connu d'autre. Quelqu'un de vingt, vingt-cinq ans, ne connaît que la république islamique. C'est comme ces études qu'on fait sur des gens qui ont grandi dans des pays toujours déchirés par des guerres et qui continuent pendant longtemps à dessiner la seule réalité qu'ils connaissent – des avions qui jettent des bombes, des cadavres par terre. Ils s'adaptent, les gens s'adaptent à tout. Je crois, moi, que c'est plus difficile pour ma génération parce que nous nous souvenons d'autre chose.

— Un âge d'or ?

— Non, bien sûr que non. Nous savons tous quels étaient les problèmes sous le chah. Sans ces problèmes, il n'y aurait sans doute jamais eu de révolution. Mais il faut quand même reconnaître qu'à l'époque, si on se gardait de toute activité politique et qu'on s'interdisait toute aspiration dans ce domaine, la vie en Iran était bien agréable. C'est vrai que même aujourd'hui, les gens arrivent tout de même à s'amuser, mais ils doivent toujours se cacher ou mentir, ce que nous savons d'ailleurs très bien faire.

— Pourquoi mentir ?

— Parce que c'est comme ça qu'ils ont été élevés. N'oublie pas combien le régime islamique était dur les premières années. Tout était interdit. On encourageait les enfants à raconter ce qui se passait chez eux, à rapporter ce que leurs parents lisaient, à dire s'il y avait de l'alcool, de la musique. Les choses sont plus faciles aujourd'hui mais pendant les dix, quinze premières années, les Gardiens de la Révolution ou la police des mœurs pouvaient débarquer chez vous n'importe quand. Les instituteurs disaient aux enfants de moucharder leurs parents, les parents disaient aux enfants de ne jamais parler de ce qu'ils voyaient à la maison. Les jeunes vivaient dans ces trois mondes parallèles, la maison, l'école, la rue... Les filles se couvraient la tête à l'extérieur, étaient tête nue à l'intérieur. Toute cette duplicité, le fait de devoir sans cesse s'adapter aux circonstances, ça ne peut pas ne pas avoir d'effet.

Le sujet de l'Iran reste inépuisable. Il vaut mieux que je rentre faire mes valises. Ce ne sera jamais assez tôt, étant donné la quantité de cadeaux que je rapporte, comme si je voulais donner à Ted et à mes enfants une vue d'ensemble de tout ce que j'ai découvert et que j'aime en Iran. Je dis à Djamchid que j'ai été faire des courses dans un grand magasin d'artisanat et que je n'imaginais pas tout ce qui s'y vendait se rapportant à la gloire de l'ancien empire perse, des statuettes des souverains Achéménides et des reproductions des bas-reliefs de Persépolis.

— C'est ça, l'Iran, dit Djamchid. Un tissu de contra-dictions. Khomeyni a bien essayé d'effacer notre histoire avant le septième siècle et la conquête arabe mais ça n'a pas marché, le peuple ne l'a pas accepté. Donc le régime a entrepris de glorifier le passé encore plus que le chah en son temps. Maintenant, on parle régulièrement des anciens rois de l'empire perse et on emmène les hôtes officiels visiter Persépolis. Incroyable !

Je ne me sens pas du tout détachée à l'idée de partir. Quand je repense aux trois derniers mois, je dois recon-naître que je n'ai souvenir d'aucune autre période de mon existence vécue de façon aussi intense. Je n'ai jamais été aussi fortement impliquée dans quoi que ce soit. Jusqu'ici, tous les événements de ma vie ont été ce que je peux appeler normaux, en ce sens qu'ils ont connu les hauts et les bas habituels, je dois dire surtout des hauts. Dans ma carrière, dans ma relation avec Ted, dans la naissance de mes enfants et leur croissance, tout a suivi un che-min connu. Mais le temps passé dans ce pays, le fait de retrouver ce que j'imaginais connaître, mon sentiment de découvrir une culture tout à fait différente – et je ne parle ni d'histoire, ni d'art, mais surtout de mentalité –, tout cela me laisse à la fois enchantée et dépassée. Pendant plus de quatre décennies, les circonstances m'ont toujours fait voyager dans des pays à l'intérieur de ce qu'il faut bien appeler la culture occidentale avancée, de sorte que je ne peux pas parler d'un pays semblable à l'Iran, étant donné que je n'en connais pas. Mais ici, me sentir à la fois parmi les miens et complètement étrangère me met dans un état second qui devient aussi la réalité la plus forte que j'aie jamais connue. J'ai essayé d'expliquer ça à Ted l'autre jour au téléphone mais quand, dans une de ses remarques si perspicaces, il m'a demandé si dorénavant tout aux États-Unis me paraîtrait fade, j'ai répondu non. Au contraire, je crois que tout me paraîtra beaucoup plus concret qu'avant.

« Et plus prévisible ? » a-t-il demandé.

Et là, j'ai dû répondre oui. C'est bien le mot. À l'intérieur de certains paramètres, les choses seront prévisibles. Ce temps passé en Iran s'est déroulé dans un monde de rêve. J'utilise l'analogie non pas au sens positif mais pour essayer de transmettre ce sens de l'absurdité des choses, des gens, des événements, des réactions, de rendre compte de ce monde irrationnel aux contours incertains, où deux et deux ne font quatre que de temps en temps, selon la disposition des astres.

Je dois ajouter que le pays découvert lors de deux voyages hors de Téhéran est d'une beauté poignante. Pour les Américains, un désert est un désert, mais le mot ne rend pas justice à l'étendue grandiose et sereine de sol et de ciel vide autour de Kerman et de Yazd. Si je n'avais pas fait ces voyages, une dimension essentielle m'aurait échappé, une dimension que je n'aurais jamais pu recréer à travers mes seuls souvenirs d'enfance. C'est seulement une fois sortie de Téhéran que j'ai éprouvé ce sentiment d'éternité, de poésie, de spiritualité si souvent associé à l'Iran. J'emporterai cela avec moi.

Raha

Comme je ne sais pas combien de temps je vais rester dans ce pays, ni même si je vais partir un jour, autant retourner à l'université. J'ignore dans quelle mesure cela sera facile ou difficile et quelle sera l'attitude des autres étudiants envers moi. Je ne me délecte guère de ma nouvelle image d'activiste et ne suis pas plus heureuse d'être devenue une sorte de célébrité, d'ordre tout à fait mineur mais ayant tout de même ses supporters et ses détracteurs – si l'on peut croire quoi que ce soit sur l'internet. Reprendre avec Atossa notre projet de centre de loisirs est encore le meilleur moyen d'occuper mon temps et mon esprit jusqu'à ce que les choses se décident. Nous travaillons séparément sur nos idées et nous retrouvons souvent pour des mises au point, sans savoir si ce projet sera jamais présenté. Personne n'a de nouvelles de notre professeur, il a tout simplement disparu. D'après certains de ses commentaires en classe, nous avions compris qu'il n'était pas un grand partisan de la république islamique, il est donc possible que ses idées lui aient coûté cher, il se peut aussi qu'il ait quitté le pays. En tout cas, le mieux que nous puissions faire, c'est de reprendre ce travail où nous l'avions laissé, d'autant plus que la rentrée est annoncée à la date normale, le 1er *mehr*, ou 23 septembre.

Me retrouver à mon bureau pour travailler après une si longue coupure me paraît bizarre. J'ai à peine mis en route mon logiciel CAD que j'entends le téléphone sonner dans l'autre pièce. Ma mère est partie faire des courses et amou Djamchid rend visite à des amis à la campagne pour quelques jours. J'entends mon père répondre, puis il frappe à la porte de ma chambre et demande s'il peut entrer. Il s'assied sur le bord du lit et me regarde d'un air abasourdi. Quelque chose est arrivé. Il lève une main comme pour demander une minute afin de reprendre son souffle, puis dit :

— C'était le Dr Kazemi.

Le sang me monte à la tête et je ne peux pas m'empê-cher de crier :

— Quoi ? On a rejeté mon cas ?

— Non, elle a appelé à propos du garde.

Je pense tout de suite à Hossein, et mon cœur saute dans ma poitrine.

— Quel garde ?

— L'un de ces gardes du *bazdachtgah*. Emad Karadji.

— Oui, et alors ?

— Il s'est tué, dit mon père.

C'est curieux comme nous réagissons aux nouvelles – les bonnes, les mauvaises, les terribles, même celles auxquelles nous ne savons pas comment réagir. Ça a quelque chose à voir avec l'air que nous inspirons. Là, il se bloque et notre respiration devient superficielle, ou bien il sort en un flot soudain et nous avons beau prendre de grandes inspirations pour remplir nos poumons, il n'y en a jamais assez. Quel que soit le choc, tout se passe au niveau du diaphragme. Je mets mes deux mains là, comme pour mesurer la quantité d'air qui entre et qui sort, comme pour vérifier si ma respiration se fait normalement. Je demande à mon père, « Comment ? » et ensuite, « Quand ? ».

— Il y a déjà un certain temps, paraît-il. Après la confrontation avec toi. Ses parents étaient venus lui rendre visite et repartaient chez eux au *shomal*, dans le Nord. Personne ne leur avait dit ce qui se passait, ils n'étaient au courant de rien, ni de l'agression au *bazdachtgah*, ni de l'enquête. Ce garde est rentré du travail, il a pris ses parents avec lui, et les a conduits comme prévu jusqu'à Babol, à trois heures d'ici. Une fois sur place, il a dit qu'il allait voir des amis et qu'on ne l'attende pas. Il a dit bonsoir, puis est sorti et est apparemment allé se noyer. La famille était couchée. Le matin, ils étaient étonnés de ne pas le voir, puis ils ont vu un mot sur la table disant, *Nemitounam* – je ne peux pas. Des gosses ont trouvé ses vêtements cachés derrière des roseaux sur la plage.

— On est sûr ? Ils n'ont pas trouvé le corps ?

— Le Dr Kazemi n'a entendu la nouvelle que ce matin. Elle essaie d'en savoir davantage. Elle a été au téléphone avec le chef de la police à Babol et a été surprise de son degré de coopération. Il lui a dit qu'il ne fait aucun doute que Karadji s'est tué et que la mer rejettera forcément le corps un de ces jours.

Mon père annonce la nouvelle à ma mère quand elle revient du supermarché et à amou Djamchid lorsqu'il rentre. Nous passons une soirée calme, chacun dans ses pensées, ne parlant pas beaucoup, regardant les nouvelles sur La Voix de l'Amérique sans y prêter autrement attention. Karadji avait beau être l'un des auteurs de mon agression, je suis quand même attristée par le gâchis de cette vie d'homme. Il m'avait fait une impression moins horrible que les deux autres, je n'ai pas souvenir qu'il ait été très enthousiaste. Plus tard, à la confrontation, j'avais regardé ce visage inexpressif sans la moindre lueur d'intelligence dans les yeux grands ouverts. Malgré toute l'émotion du moment, je m'étais étonnée rétrospectivement que l'on puisse être capable d'imiter les actions de ses camarades comme ça, pour le principe, sans conviction aucune. Il avait suivi pour rien, puis s'était peut-être senti trop coupable. À quoi pensait-il quand il a nagé vers le large dans la Caspienne, voulant laisser derrière lui ce moment où toutes nos vies avaient basculé dans une autre dimension ?

Quand amou Djamchid rompt le silence et dit que tout ceci est le résultat de ce régime *la'nati* – pourri –, mon père, prenant position pour une fois, dit que ça n'a rien à voir avec le régime et que les gens profitent des circonstances. Comme mon oncle dit que ce n'est pas vrai, que ces actions ont lieu parce que les gens pensent qu'ils peuvent les commettre impunément, mon père, toujours étonnamment ferme, rétorque :

— Et pourtant, quelque chose leur est arrivé. Ils sont en train d'être punis et le seront sans doute encore plus. Ce *djavan* – ce jeune homme – n'a pas pu assumer les conséquences de son acte.

Hossein appelle un peu plus tard. Il a lui aussi entendu la nouvelle mais il n'en est pas plus heureux que nous. Il ajoute quand même que l'un des trois a payé pour ses actions. Je réponds que je ne voulais pas de vengeance, que tout ce que je demandais était la justice et que c'était bien pour cela que j'avais décidé de poursuivre ces hommes, que j'espérais ainsi pouvoir éviter à d'autres ce qui m'était arrivé, que je voulais voir ces violeurs punis et non pas morts.

— Tu ne voudrais pas qu'ils soient exécutés ?

— Sûrement pas. Je ne veux voir personne mourir. Mais je veux qu'ils soient punis, évidemment. S'ils allaient en prison pour le reste de leurs jours, je n'en serais pas autrement touchée. Mais que celui-là se soit tué, c'est...

Je suis trop bouleversée et dois mettre fin à la conversation.

Retourner à l'université n'était pas une bonne idée. Mes parents, qui connaissent la vie davantage que moi, insistent pour m'y conduire eux-mêmes et me déposer devant les grilles. Ils ont décidé de rester en ville afin que je puisse les appeler dès que je voudrai qu'ils viennent me prendre. Je descends, plutôt vexée, en répliquant que je ne suis pas une enfant. Mon père démarre, tandis que ma mère lance un dernier « appelle-nous » par sa vitre baissée. À la minute où j'entre, on commence à me dévisager, certains des regards sont amicaux, d'autres beaucoup moins, et tous brûlent de curiosité. Deux filles s'approchent de moi et me demandent si je suis Raha Afchar. Quand je réponds par l'affirmative, elles me serrent dans leurs bras et me disent que je suis une *ghahréman* – une championne. Elles m'accompagnent jusqu'à ma classe et s'en vont vers la leur. Je reconnais la plupart des têtes, la plupart des étudiants étaient là l'année dernière, mais peu parmi eux me font signe. Je ne sais pas s'ils désapprouvent mon action ou ne veulent pas être associés à mon nom. Atossa arrive en retard et vient tout de suite s'asseoir à côté de moi. Elle me chuchote que notre professeur principal, celui que nous aimions tous, n'est toujours pas revenu. La femme qui donne ce cours est aussi désagréable que possible. Dès ses premières phrases, nous comprenons qu'elle est du style islamiste militante. Il est clair qu'elle sait tout de suite qui je suis et elle détourne le regard quand ses yeux rencontrent les miens, sans déguiser son hostilité. Lorsque je lève la main pour répondre à une question qu'elle pose, elle feint de ne pas me voir. Puis elle fait une allusion très claire aux ennemis du régime qui ne réussiront pas dans leurs noirs et pervers desseins. Je mets un point d'honneur à rester à l'université toute la journée, à aller de classe en classe en faisant semblant de ne remarquer ni les rires sous cape, ni les commentaires désobligeants, ni les silences soudains. Je rends leur sourire aux gens que je connais, je prends des notes, me mets sur la liste pour un nouveau projet puisque celui sur le centre de sports a été écarté, comme tout ce qui avait été entrepris avec l'autre professeur. Je vais même à la cafétéria avec Atossa et une ou deux autres, faisant face à une salle pleine d'yeux curieux qui ne cessent de me fixer comme s'il m'était soudain poussé des écailles sur le corps et des cornes sur la tête. Quand mes parents passent me prendre l'après-midi, je leur dis que je ne retournerai pas à l'université.

Curieusement, les événements qui se sont produits en prison, s'ils ont créé en moi une distanciation, une froideur, que je constate sans me l'expliquer, m'ont donné aussi une plus grande tendance à éprouver des émotions intenses, de sorte que les gens autour de moi me semblent plus insensibles que la normale. Après le suicide de Karadji, Mazyar et Atossa me suggèrent d'aller voir une pièce au *teatre chahr,* une comédie montée par une troupe qui a quitté Los Angeles pour revenir s'établir à Téhéran, de façon permanente semble-t-il, comme certains acteurs exilés l'ont fait ces dernières années. Quand je dis aux *batchéha* que je ne suis pas d'humeur, ils me taquinent et se moquent de moi. Ils pensent peut-être que leurs blagues à propos de suicide et d'exécutions vont me faire rire. Sans comprendre pourquoi cela me contrarie, ils finissent par s'excuser.

Pour se faire pardonner, ils acceptent de me suivre un soir à un concert de musique classique persane dans l'un des *farhangsara* principaux, le centre culturel construit il y a quelques années près du quartier des abattoirs et où nous avons parfois vu des spectacles intéressants. Atossa ne cesse de pleurnicher et de se plaindre. Comme les autres, elle n'aime ni les films iraniens ni notre musique. En fait, ce soir, Atossa n'a pas tort, le concert est assommant. Il n'y a que trois musiciens, avec un *tar*, un *dombak*, et de longs morceaux de *kamantché*, un instrument qui m'a toujours agacée. Nous partons au bout d'une demi-heure nous promener un peu mais l'endroit est mort. Il n'y a plus ni les programmes d'avant, ni les cours proposés dans différentes disciplines – sauf la danse, mais en de rares occasions, et seulement pour les filles. J'avais pris des cours de montage vidéo avec un excellent professeur et des camarades doués et qui s'investissaient beaucoup.

Si les gens vont encore au concert ou voir des expositions, c'est parce que le gouvernement d'Ahmadinéjad autorise si peu d'activités culturelles que n'importe lesquelles sont bienvenues. Avant, on allait voir non seulement des expos mais des documentaires, des pièces, des événements au contenu social auquel nous pouvions nous associer. Plus maintenant. La peinture est ou bien abstraite, ou bien si neutre qu'on ne voit pas trop ce qu'elle représente, ou encore il s'agit de variations sur des miniatures – ayant pour sujet des hommes, des plantes, des animaux, jamais de femmes.

De temps en temps, il y a bien de la musique classique à Vahdat – comme le concert récent d'un orchestre symphonique tchèque –, mais ça n'arrive pas souvent, tant le gouvernement se méfie de tout ce qui est occidental.

Heureusement qu'en *bahman* prochain – en février – aura lieu le festival de cinéma de Fadjr, où les films seront *ekran* – projetés dans quelques cinémas en ville, comme l'Esteghlal ou l'Azadi. Mais la sélection n'est plus intéressante depuis qu'Ahmadinéjad est président. Les bons films partent directement pour les festivals étrangers. On les voit à peine à l'intérieur du pays, où on montre plutôt des comédies banales ou des drames sociaux dont les metteurs en scène évitent toute controverse, et avec toujours la même poignée d'acteurs. Sans doute est-ce mieux que rien mais en attendant nous allons avoir Moharram et Safar, et encore une fois la vie va s'arrêter. Du coup, il faudra oublier l'art et la culture puisque tout sera interdit pendant ces mois de deuil, sauf le *ta'zieh* – ou les représentations religieuses et qui a envie de voir ça ?

Hossein

Les *dasteh*, les processions religieuses de l'Achoura, vont être importants cette année, plus importants même que l'année dernière. On sent dans l'air comme la crainte que les choses tournent mal. Quand Agha Chahrvandi discute avec ses collègues des dispositions à prendre, j'entends dire que les forces de sécurité risquent de se révéler insuffisantes. Depuis les élections de *khordad* – juin –, la plupart des manifestations antigouvernementales ont eu lieu à Téhéran, et pas trop dans le *chahrestan* – les provinces –, ce qui permettait auxdites forces de sécurité d'être concentrées dans la capitale. Mais la commémoration des jours de deuil religieux, qui ne peut bien sûr pas être interdite comme un rassemblement politique, aura lieu partout et nous n'aurons pas autant de renfort que nécessaire à Téhéran puisque des troubles sont susceptibles d'éclater ailleurs. Nous ne pouvons ramener que mille hommes au lieu des quatre ou cinq mille qu'il faudrait.

De plus en plus de *mo'men*, les hommes pieux des *hosseinieh* – les centres religieux islamiques –, se présentent chaque jour pour être inscrits sur la liste des organisateurs de *dasteh*. Tous ces chefs de *hosseinieh* connaissent le nombre exact de personnes de leur groupe, puisque au cours des années ils ont recruté de façon régulière tous les bons musulmans, tous les hommes de cœur sur qui on peut compter. Les choses sont bien organisées, il n'y aura pas de spectacles gênants comme on a pu en voir les années précédentes, avec tous les drogués et les sans-abri du sud de Téhéran venant pour les repas gratuits et l'argent distribué. Les *batchéha* s'amusaient de voir les gens arriver ivres ou sous influence. Moi je ne vois pas ça comme matière à plaisanterie mais comme une insulte envers la sainte occasion que nous commémorons. Il y a des gens qui sont prêts à donner leur vie pour nos martyrs bien-aimés et puis il y a ces pitres qu'il faudrait écarter avant que la procession se mette en marche. L'an dernier, un ou deux types à côté de moi avec les manches remontées avaient tant de cicatrices et de traces de piqûres sur leurs bras que ça me rendait malade rien que de les voir.

Le *bonyad* – la fondation – s'est arrangé pour qu'on vienne prendre les gens comme Mortéza assez tôt, donc, au matin, je pousse son fauteuil roulant jusqu'au minibus. Il est de méchante humeur, je ne sais pas pourquoi et ne le lui demande pas. Il ne répond même pas à mon *salam* ni ne me regarde pendant que j'aide à les charger, lui et son fauteuil, dans le bus. Quant à me remercier, je ne sais plus s'il l'a jamais fait. Le conducteur m'indique le lieu de rendez-vous au bazar afin que je l'y retrouve.

Quand tout le monde est prêt, avec des milliers et des milliers de participants présents, beaucoup, comme moi, portant des chemises noires marquées sur le devant des deux empreintes des mains du *hadji* qui les a plongées dans la cendre avant de les appliquer sur la poitrine, des pénitents, la commémoration du martyre de l'Imam Hossein commence. Le *alam*, les décorations avec tous les symboles religieux marquant l'occasion, est porté haut en tête de chaque *dasteh*, immense et illuminé avec goût. L'instant est si *ba obohat* – impressionnant – que je ne peux pas m'empêcher de sangloter. Beaucoup des *mo'men* – les croyants présents – sont tout aussi émus, et le bruit de tous ces hommes pleurant de tout leur cœur résonne autour de moi. Je tiens ma main sur mon cœur et de temps en temps me frappe la poitrine. Je n'aime pas trop marcher avec le groupe des *zandjir zan* où les hommes se frappent avec des chaînes, juste assez fort pour que cela devienne quand même désagréable au bout de quelques heures. Je trouve ça ostentatoire, je préfère le *sine zani*, quand on se frappe la poitrine. La procession démarre dans l'ordre mais assez vite il y a des gens partout, les spectateurs se mêlent aux pénitents, les gens prennent des vidéos, d'autres crient dans leurs portables. Beaucoup ont des morceaux de tissu vert autour de la tête ou de la taille et je me demande si les forces de sécurité des deux côtés de l'avenue ne vont pas réagir, mais que peuvent-elles faire ? Le vert n'est pas seulement la couleur du mouvement réformateur mais aussi celle, sacrée, de l'islam, en ce jour qui est le plus grand de tous nos deuils pour nos martyrs, cette terrible bataille de Karbéla où le petit-fils du Prophète – que la paix soit avec lui – est mort avec toute sa famille et ses disciples, soixante-douze personnes massacrées par l'armée du monstre Yazid. J'avance avec mon groupe de pénitents pas loin derrière Mortéza et les autres vétérans invalides de la guerre. Mon frère a refusé mon aide et a donc besoin de ses mains pour faire rouler son fauteuil plutôt que de s'en frapper la poitrine, mais c'est son choix.

Les cris de *ya Hossein* autour de moi me paraissent parfois différents, jusqu'à ce que je comprenne que ce que j'entends c'est en fait *ya Hossein, Mir Hossein*, le premier pour l'Imam martyr et le second sans aucun doute pour Mir Hossein Moussavi, mais je ne vois toujours pas de réaction de la part des forces de sécurité. Au bout d'un certain temps, mon exaltation du début se dissipe. J'espère que des provocateurs ne vont pas profiter de l'occasion pour créer du désordre. Tout a l'air normal, malgré des incidents – une bagarre vite calmée, des gens qui se bousculent, d'autres qu'on jette hors du *dasteh* quand ils ne respectent pas la préséance, bref, la confusion habituelle. C'est seulement plus tard dans la soirée que j'apprends qu'il s'est déroulé pas mal de choses ailleurs dans la ville. Sept personnes ont été tuées, ce qui est déjà mauvais en soi, et l'une des victimes était le neveu de Moussavi. Le mouvement réformateur, qui avait déjà ses martyrs, en tient maintenant un directement relié à leur leader. Je ne sais pas ce qui va sortir de tout ça, sans doute rien de bon.

Raha

— Qui veut aller voir les *dasteh* ? demande un des *bat-chéha*.

Pas moi. J'ai toujours eu peur des processions de deuil durant l'Achoura, et je ne suis pas la seule. Khan djoun m'a souvent raconté les cauchemars qu'elle faisait, enfant, après avoir vu les sinistres et sanglantes processions de l'Islam chiite portant le deuil de l'Imam Hossein. Chaque année en ce jour, d'aussi loin que je m'en souvienne, elle me raconte comment, quand elle était enfant et habitait avec sa famille à Gholhak, les domestiques l'emmenaient avec ses frères et sœurs sur le bord de la vieille avenue Chemiran pour attendre les *dasteh* qui arrivaient depuis le bazar. Khan djoun, que j'ai du mal à me représenter enfant, cachait sa tête dans le *tchador* de sa *naneh* – sa bonne –, en voyant le sang couler de la tête des péni-tents qui se frappaient la tête avec le *ghameh* – le sabre court – ou les chaînes s'écrasant sur leur dos à travers une fente découpée dans leurs chemises noires.

— Allons-y, allons-y, crie Atossa, fappant des mains, comme toujours pleine d'enthousiasme.

Mazyar s'y met aussi, d'accord avec Atossa, comme

toujours, et Bardia de même, je dis donc à contrecœur que j'irai aussi.

Le soir à table, comme je parle de notre projet, amou Djamchid dit :

— Allons-y tous. Ça fait des années que je n'ai pas vu de *dasteh*. Je veux voir le fanatisme à l'œuvre.

Khan djoun parle à nouveau de ses cauchemars d'enfant mais ajoute qu'à cette époque il ne s'agissait pas de fanatisme.

— Les *dasteh* faisaient partie de la vie normale des musulmans croyants. Une fois par an, devenir un pénitent et faire du *sineh zani* - se frapper la poitrine - ou du *zandjir zani* avec les chaînes était la chose à faire. À l'époque du chah, tout était strictement réglementé, des trajets et des horaires bien définis pour les processions, l'interdiction d'utiliser le *ghameh*, bien qu'il y ait toujours eu des gens qui aient continué à les utiliser. Les bons musulmans, surtout des camionneurs et des marchands du bazar, faisaient leur devoir en marchant dans la procession de l'Achoura, jeûnaient pendant le ramadan, et le reste de l'année ils pouvaient boire leur bière et leur vodka et écouter la musique de Haydeh et de Homeyra, voir des films avec toutes ces actrices *lavand* – voluptueuses –, aller dans des boîtes de nuit où se produisaient des danseuses du ventre, et personne n'y trouvait à redire.

J'écoute Khan djoun comme j'écoutais les contes de fées qu'elle et Banou me racontaient quand j'étais petite. J'ai du mal à croire que l'Iran ait jamais été comme ça.

Le lendemain, nous allons assez tôt prendre place sur les trottoirs encombrés par la foule venue regarder passer les processions. Tout a l'air bien organisé. Pour nous expliquer le déroulement de la cérémonie, mon père a fait venir un de ses anciens employés qui s'y connaît.

Au départ, je suis fascinée par le spectacle des *dasteh*, chacune avec leur *alam*, décoration spectaculaire, à sa tête, par corps de métier, nous dit notre guide. Mais cela devient vite répétitif. Ce n'est qu'une longue marche d'hommes en noir se frappant la poitrine au rythme du chant d'un type haut perché sur une sorte de plate-forme portée par des pénitents et braillant dans un microphone des invocations à l'Imam Hossein, à Zahra et à d'autres personnages, la plupart inconnus de moi. Nous repartons. L'expérience a été intéressante mais je dois avoir trop changé pour apprécier le spectacle. Et aussi, peut-être à cause de ce qui m'est arrivé, je ne vois rien de spirituel dans ce qui m'entoure. Ce ne sont là que les manifestations les plus primitives de la religion.

L'hiver est arrivé avec une rigueur renouvelée. Il fait froid dehors. Je ne sais pas encore si nous irons à Dizine cette année. D'habitude j'adore skier mais je ne suis pas sûre que, dans mon état d'esprit actuel, cela me plairait encore. Mes pensées sont fixées sur le procès qui aura ou n'aura pas lieu et sur sa conclusion, sur mon avenir et la décision à prendre quand le moment viendra pour moi de quitter l'Iran – si jamais ce moment arrive.

Le procès ne s'annonce pas. Je n'ose pas appeler le Dr Kazemi trop souvent. Les rares fois où je lui parle, je comprends qu'elle aussi se sent frustrée. Je lui demande une ou deux fois si je ne devrais pas abandonner, oublier le procès et partir sans regarder derrière moi mais elle, au départ si réticente à accepter mon dossier, dit maintenant que ce serait décevant. Elle n'utilise pas le mot « lâche » mais je comprends bien que c'est comme ça qu'elle me verrait si je me défilais. Donc je reste et j'attends.

Autrefois, le *eyd* était toujours mon moment préféré de l'année. C'était le monde renouvelé. Je me délectais par anticipation des achats de pâtisseries, des préparatifs pour le *haft sin* – la table traditionnelle –, des vêtements neufs, des maisons repeintes, des meubles astiqués, tout brillant de propreté. L'odeur des fleurs de printemps, les jacinthes, le *gole yakh*, ma préférée entre toutes pour son parfum entêtant, le duvet vert pâle sur les arbres annonçant les jeunes pousses, les oiseaux se réveillant et commençant à gazouiller, les rues pleines de gens à l'air heureux, portant des bouquets et des piles de boîtes de pâtisseries attachées avec des rubans aux couleurs de fête, je ne me fatiguais jamais de tout cela. Cette occasion m'enchantait pendant des jours et des jours. J'adorais même les visites que nous faisions aux personnes plus âgées de la famille, des cousins, des oncles et des tantes que nous ne fréquentions pas le reste de l'année, comme j'adorais les pièces d'or qu'elles me glissaient comme étrennes.

Mes parents racontent que Khomeyni avait bien essayé d'interdire le *eyd* parce qu'il ne voulait que des fêtes islamiques – celles-ci réduites aux *ghorban*, *ghadir*, et *fetr*, tout le reste n'étant que deuil et lamentations. Il haïssait tout ce qui était iranien à l'origine, particulièrement le *eyd*, qui remontait à vingt-cinq siècles ou plus, aux racines même de l'histoire de la Perse, bien avant l'invasion arabe du septième siècle, et qui n'avait donc rien à voir avec l'islam. Mais il avait vite compris que les gens n'accepteraient pas de se voir interdire leur fête préférée. Nous avons donc gardé toutes les traditions reliées au *eyd*, même le *char chanbeh souri*, quand nous sautons par-dessus les flammes le mardi soir avant le *eyd*, un rituel qui est supposé brûler et faire disparaître tout ce qui est mauvais. Cette coutume n'est pas officiellement autorisée mais tout le monde saute quand même par-dessus les flammes. Il y a encore peu de temps, en fait jusqu'au *eyd* de l'an dernier, 1388, il n'y avait rien à quoi je prenais davantage plaisir. Je ne savais pas alors que ce serait la dernière fois. J'étais insouciante, j'étais sans tache, j'avais une âme d'enfant. Ça, c'était l'an dernier. Plus le temps passe et plus je me rends compte à quel point l'agression que j'ai subie a tiré un grand trait noir de séparation dans ma vie, l'a coupée entre « avant » et « après. » À présent que quelques mois ont passé, je sais que plus rien, jamais, ne me reverra joyeuse, sans souci et pleine d'entrain comme je pouvais l'être avant. Ce qui a eu lieu n'a pas seulement causé une perte d'innocence, de confiance et d'amour-propre mais a éveillé la conscience qu'il n'y avait aucune sécurité, que tout pouvait arriver, que rien ne pouvait être considéré comme acquis. N'importe qui possédant plus d'expérience de la vie que moi aurait appris cela, mais moi, dans toute la force de ma jeunesse, je pensais que l'existence ne pouvait m'apporter que des cadeaux. C'est dire à quel point j'étais naïve.

L'année 1389 approchant, j'accompagne ma mère faire ses courses. Elle dit :

— Tu te souviens comment c'était pour le *eyd* avant que nous ne déménagions à l'appartement, comme nous faisions peindre tout l'intérieur et tout l'extérieur de la maison ?

— Bien sûr. Je m'en souviens bien, cette odeur de peinture fraîche me fera toujours penser au *eyd*.

— Nous envoyions faire laver les tapis à l'extérieur, puis il y avait toutes ces courses, nous remplissions la voiture de boîtes de pâtisseries, de fleurs, de fruits, tu te souviens des queues dans les magasins ?

— Mais nous faisons encore tout ça, *mamy djan*, nous faisons laver les tapis, nous avons encore des fleurs et des fruits.

— C'est vrai, mais ce n'est pas la même chose que dans une maison. Tu te souviens comme nous faisions retourner tout le jardin ?

— Sauf les roses. Vous disiez qu'il y avait là des rosiers qui avaient cinquante ans, même cent.

Ma mère rit :

— J'exagérais peut-être un peu. Dire que cette maison a été démolie…

— Oui, il y a ce grand immeuble à la place.

Dans la pâtisserie, ma mère fait son choix puis me demande si le *noun nokhodtchi* est encore mon préféré.

— Oui, mais n'achetez rien spécialement pour moi. Vous savez que je n'en mangerai pas plus d'un ou deux.

— Ah là là, vous autres les filles et votre obsession du poids ! L'autre jour, Atossa se plaignait qu'elle avait pris deux cents grammes !

— Je sais bien. Après ça, elle n'a rien mangé pendant trois jours.

Voilà. Nous nous souvenons, nous parlons de comment c'était avant et comment ça sera plus tard, mais il y a dans mon esprit cet arrière-plan sombre qui ne disparaîtra pas, qui ne changera jamais. Ma mère et moi n'en parlons pas. Elle aussi a été très secouée, bien sûr. Je la trouve épuisée, pâle, renfermée. Elle fait clairement un effort pour écarter les pensées sombres mais n'y arrive pas toujours. Je ne suis pas la seule à être incapable de me réjouir autant que les années précédentes de nos préparatifs pour le *eyd*. Comme nous rentrons, je dis que ça me ferait vraiment plaisir de pouvoir un jour porter une jupe ou une robe au lieu de pantalons.

— Tu portes bien des jupes et des robes quand nous allons chez les gens.

— C'est vrai, mais c'est fatigant de devoir se changer quand on arrive. Ça n'en vaut presque pas la peine.

Ma mère dit que la blouse que nous venons d'acheter sera très bien avec un pantalon noir et mes sandales à semelles compensées.

— Quand j'étais jeune, adolescente, j'étais comme tous les jeunes obsédée par les vêtements. Une fois, je venais de voir un film américain, je ne sais plus lequel, et j'avais tant aimé la tenue de la star que je l'avais fait copier. C'était *ghadima* – autrefois –, et ma mère – *rouhach chad*, que son âme soit en paix – faisait venir une couturière à la maison. Mes copines achetaient leurs vêtements dans des magasins où on vendait le dernier cri en matière de mode mais ma mère faisait les choses à sa façon. Ça me plaisait assez de dessiner mes propres vêtements mais mes copines étaient toujours à crâner avec leurs tenues. Bon, à l'époque, ce n'étaient pas des marques. Ce *eyd*-là j'ai commandé cette jupe cloche en velours côtelé noir, avec une taille qui montait haut, comme un corset, et des agrafes dans le dos, tu sais, comme les larges ceintures que les hommes portent – portaient – avec le smoking. J'avais la taille fine à l'époque…

— Elle l'est toujours.

— Non, beaucoup plus fine que maintenant. J'étais une très jeune fille, je commençais à peine à me développer.

Cette jupe, je ne te dis pas... Je la portais avec une blouse jaune canari, une belle couleur chaude, avec des petits boutons devant, et des escarpins vernis noirs avec un soupçon de talon. C'était spécial, personne n'avait rien de semblable. C'était le dernier *eyd* où nous avons pu nous habiller comme ça dehors. 1357. Le *eyd* suivant, 1358 – mars 1979 –, ça faisait déjà un mois que Khomeyni était revenu en Iran, la révolution avait eu lieu, les exécutions avaient commencé...

Je demande à ma mère si elle croit que le jour viendra où nous pourrons porter à nouveau ce que nous voulons.

— Toi, oui, si tu pars en Amérique.

— Et ici ?

— Je ne sais pas. Je ne peux pas imaginer l'avenir de l'Iran. Ni même le nôtre.

Je porte ma nouvelle tenue chez Pari. Pari qui donne évidemment la parfaite réception de *eyd*. Elle nous a demandé de venir tôt, comme chaque année, parce qu'elle distribue les cadeaux de la famille avant que les autres invités n'arrivent. Elle a fait monter un grand cerisier en fleur dans le hall de son appartement – l'année dernière, c'était un grenadier. C'est ravissant au point de m'en donner les larmes aux yeux. Comment une personne aussi antipathique et déplaisante peut-elle avoir des idées si étonnantes ? Ou est-ce le fait des organisateurs professionnels de réceptions qu'elle paie des fortunes ? Les cadeaux sont empilés sous l'arbre, des montagnes de cadeaux, deux ou trois portant une étiquette à mon nom, des bouteilles géantes de parfums Hermès ou Saint Laurent, des sacs Prada, des foulards Burberry. J'ose à peine regarder ma mère, connaissant bien ses réactions devant cet étalage si ostentatoire. Elle aussi reçoit des tonnes de choses, son visage pâlissant et ses remerciements s'affaiblissant au fur et à mesure que les cadeaux s'empilent dans ses bras, son ressentiment grandissant au point que je crains sérieusement qu'elle ne finisse par tuer Pari.

Le *haft sin* occupe une grande table de salle à manger réservée à cet effet. Il va alimenter les conversations à Téhéran, cette ville où chacun se doit toujours de surpasser tout le monde – en tout cas dans nos quartiers, je suppose que les choses ne sont pas pareilles dans les quartiers pauvres. La table est couverte d'un magnifique *termeh* ancien brodé à la main, rouge foncé avec des fils d'argent. Posés dessus il y a tous les objets traditionnels commençant par un « s » – ou *sin* –, et une profusion de plats antiques et de verrerie supportant des piles de *baghlava* ou de *noun nokhodtchi* et d'autres *chirini*, du *gaz* – ou nougat – et du *sohan*. De grands pots de fleurs contiennent des jacinthes de toutes les couleurs, il y a bien sûr du blé germé et des centaines de minuscules poissons rouges nageant dans un haut cylindre en verre qui arrive à mi-hauteur du plafond.

Après le *sizdeh be dar*, le treizième jour suivant le *eyd* où les familles font leur pique-nique traditionnel, le Dr Kazemi appelle enfin pour nous donner la date fixée pour le procès. Il aura lieu le 21 *farvardin* – le 10 avril – au *dadgahe enghelab, cho'beye pandj* – au cinquième district du tribunal révolutionnaire, au *kakhe dadgostari* – le bâtiment principal du ministère de la Justice. Le juge sera, comme s'y attendait le Dr Kazemi, Aghaye Salavati.

À partir de ce là, une obsession visuelle ne me lâche plus, comme si une vitre où était photographiée une scène de tribunal recouvrait tout ce que je vois et même mes pensées. Avant le procès, je rencontre mon avocate encore trois fois, une fois seule et deux fois avec mes parents. Le Dr Kazemi pense que je serai appelée à la barre. Nous nous préparons donc à cette éventualité, travaillant dur à trouver les mots qui conviennent pour décrire ce que j'ai subi. Elle dit que l'équipe du procureur aura des questions.

— En principe, ils sont là pour condamner les deux hommes, mais ils ne vont pas te rendre les choses faciles. Sois prête à faire un récit détaillé.

À plusieurs reprises, quand elle insiste pour que je sois plus précise, je lui dis que je préférerais mourir que d'expliquer certaines choses devant une salle pleine. Nous devons donc trouver un moyen de contourner la difficulté. Selon elle, le juge Salavati n'est pas très aimable mais peut se montrer juste, quoique avec lui ce soit toujours l'intérêt de la république islamique qui prime, plutôt qu'une stricte interprétation de la loi. D'après elle, cela signifie qu'il ne laissera pas se prolonger un témoignage qui montrerait les autorités sous un jour trop négatif. À moins, ajoute-t-elle, que les plus hautes instances décident que faire un exemple dans ce cas en particulier apaiserait l'opinion publique en démontrant que le gouvernement est du côté des victimes. Tout cela n'est qu'un *bazi* – un jeu –, dit le Dr Kazemi, et tout dépend de la façon dont ils auront décidé de le jouer quand le procès commencera.

Ce n'est pas rassurant mais nous discutons quand même stratégie, au cas où nous pourrions en utiliser une pour contrer les tours que voudrait nous jouer le ministère de la Justice. Tout cela étant dit, mon avocate pense que nous avons une bonne chance et que le procès pourrait bien en être un vrai. Nous parlons de l'importance du témoignage de Mina. Le Dr Kazemi m'a déjà expliqué que dans la loi islamique une femme n'est pas crédible comme témoin – rien là de surprenant – et que son témoignage, par exemple en cas d'adultère, ne vaut rien. S'ajoute à cela le manque de précédent, ou de jurisprudence, car il est fort rare qu'un procès pour viol ait lieu en Iran. Mais le Dr Kazemi, qui a interviewé Mina à deux reprises, dit que son témoignage influencera tout de même l'issue du procès. À part le fait qu'elle s'exprime fort bien sur ce qu'elle a vu et donne l'impression d'une personne honnête, elle est elle-même une *zendanban*, une gardienne de prison, et cela sera pris en considération. Si elle peut faire bonne impression en restant posée et en étant précise sur ses dates, ses horaires de travail et d'autres faits, son témoignage sera plus qu'utile.

Quand je rends visite au Dr Djavahéri, il est satisfait que l'attente touche à sa fin et que les choses progressent mais il craint aussi que le stress soit dur à supporter. Il suggère que je demande à mes parents de partir quelques jours dans un endroit tranquille afin de prendre du recul et de me reposer l'esprit. Nous décidons de suivre son conseil. En fait, à la minute où nous dépassons Ab Ali pour aller au *bagh*, le verger où se trouve la propriété d'un des parents de Khan djoun, je me détends et me surprends à espérer que les choses iront bien. Nous quittons Téhéran assez tard et n'arrivons à destination qu'à la tombée de la nuit. Nous sommes accueillis chaleureusement par la famille qui nous reçoit. Ils nous ont préparé un grand repas et insistent pour que nous mangions tous beaucoup plus que nous n'en avons l'habitude. En général, ce genre de *ta'arof* – d'amabilités exagérées – m'agace, surtout que je n'aime pas manger plus qu'à ma faim, mais ces gens sont bons et je ne veux pas les vexer.

Au matin, mon père veut rester lire et le genou de ma mère lui fait mal, donc, après le petit déjeuner, je pars faire une longue promenade avec amou Djamchid. Nous marchons le long d'un petit ruisseau qui coule entre de jeunes peupliers. Il n'y a personne aux alentours et je peux enlever mes socquettes et mes baskets et marcher sur les cailloux, l'eau gargouillant autour de mes orteils. Puis je m'assieds à côté d'amou Djamchid sur une grande pierre plate pour laisser mes pieds sécher au soleil.

— Nous venions souvent ici quand j'étais jeune, me dit-il. C'était *basafa* – plaisant.

— Vous ne trouvez plus cela *basafa* ?

— C'est différent, Raha djoun. Tout est différent. Quand nous regardons en arrière et nous nous souvenons de cet autre temps... Tu es trop jeune. Tu n'as jamais connu l'Iran comme il était.

— Moi, je l'aime comme il est, mais je sais que vous ne l'aimez pas.

— Comment peux-tu dire cela ? Tu sais que je l'aime, mais il me fatigue.

Comme j'ai souvent l'occasion de m'en rendre compte depuis ce qui m'est arrivé en prison, je vois les choses différemment, je sens les gens comme je ne les sentais pas avant. D'une façon contradictoire, des choses qui me touchaient autrefois me laissent à présent indiffé-rente, alors qu'à d'autres moments mes réactions et mes émotions acquièrent une intensité qu'elles n'avaient pas jusque-là. Je prends la main d'amou Djamchid et la tiens. Je ne sais pas grand-chose de son passé, et même s'il me le racontait en détail, je ne pourrais pas imaginer ce que *basafa* pouvait signifier pour lui dans le contexte d'il y a trente, quarante, cinquante ans. Même quand l'air est aussi léger, le soleil aussi chaud, comment puis-je imaginer l'Iran qu'il a connu, sinon à travers les histoires que j'entends ?

— Tu vois, dit-il, il y a une minute, tu avais envie d'être pieds nus. Mais quand tu as enlevé tes chaussures et tes chaussettes et as remonté les jambes de ton jean, tu as tout de suite regardé autour de toi pour t'assurer qu'il n'y avait personne pour te voir. Tu as grandi avec ces interdictions, alors comment peux-tu savoir comment c'était quand il n'y en avait pas ?

— C'est pour ça que vous êtes malheureux, amou djoun ?

— Suis-je malheureux ? Je ne sais pas, *dokhtaram* – mon enfant. Je pense parfois à la façon dont je me sens maintenant et je me demande comment ce serait s'il n'y avait pas eu de révolution, si nous ne vivions pas sous le poids de ce terrible régime religieux. Est-ce que je sentirais autant le poids des années ? Est-ce que tous mes souvenirs seraient aussi amers parce qu'ils ne correspondraient à rien de ce qui existe maintenant ? Ou bien le problème est-il simplement de vieillir ?

Je me lève, tenant toujours la main de mon oncle, et le fais se lever aussi, puis mets mes pieds nus dans mes baskets sans me donner la peine de défaire les lacets. Nous marchons vers la maison. J'aspire à fond l'air des montagnes, je me sens aussi légère que les coquelicots s'agitant sur un coin d'herbe un peu plus bas. Je dis :

— Quelle bonne idée c'était d'aller nous promener ensemble. Je n'ai jamais l'occasion de vous entendre parler de ce qu'il y a dans votre cœur ou de votre vie autrefois. *Bébakhchid* – excusez-moi de dire cela –, mais il me semble que le plupart du temps, tout ce que vous faites, c'est critiquer les Iraniens, et ça me paraît si négatif.

— Je sais. Ça me paraît négatif à moi-même, alors que ce n'est pas du tout l'impression que je veux donner. Mais ça me fait de la peine de voir un peuple si intelligent et talentueux tomber dans tous ces pièges mentaux, n'utilisant pas du tout son cerveau mais répétant les modèles qui ont détruit ce pays et peut-être même la région entière depuis des siècles... des siècles... J'ai des tas d'idées sur la façon dont tout ceci est arrivé et puis... À dire vrai, c'est surtout notre perception qui me gêne, le fait que nous soyons toujours dans le déni. Nous disons que nous adorons l'Iran et les Iraniens mais la façon dont nous nous comportons les uns avec les autres raconte une histoire bien différente. Tu n'as jamais été à l'étranger mais crois-moi, les Iraniens à l'étranger reconnaissent tout de suite leurs compatriotes et font tout ce qu'ils peuvent pour les éviter. Ou bien ils se parlent tout bas pour que personne n'entende ce qu'ils disent.

— Comment est-ce qu'ils peuvent savoir si quelqu'un est iranien ?

— Ça se voit tout de suite.

Comme nous revenons sur nos pas, je dis qu'il donne l'impression de ne même pas nous trouver civilisés alors que nous avons eu une si grande civilisation. Mon oncle dit que ce que nous avons eu il y a des centaines ou des milliers d'années n'est pas important.

— C'est comme si quelqu'un disait, Autrefois j'étais riche, ou puissant, ou beau, ou jeune. C'est ce qu'on est maintenant qui compte.

Il change de sujet.

— Tu as raison, c'était bien d'aller se promener ensemble. En fait, il a eu une bonne idée, ton Dr Dja-vahéri, de te faire quitter Téhéran quelques jours. Ça t'aidera à affronter ce qui va arriver. Je te trouve bien courageuse. Je n'aurais jamais pu faire ce que tu fais. Je ne connais personne d'autre qui l'aurait fait.

Je ris :

— Donc, je suis maintenant une vraie *ghahréman* – une championne.

— Tout à fait.

Mes parents, assis près des plaqueminiers où pointent des bourgeons nous font un signe de la main quand ils nous voient arriver, leurs visages reflétant calme et satisfaction. Je ressens moi aussi une paix intérieure, une sérénité que je n'ai pas connue depuis quelque temps déjà. Le reste du séjour se passe bien, je m'amuse à jouer avec un gamin, le petit-fils de nos hôtes. Avec ses grandes boucles et sa voix musicale, il est adorable et m'empêche de trop penser au cirque qui nous attend à Téhéran. Je parle à Bardia et à Atossa. Hossein appelle une fois mais, comme d'habitude, n'a pas grand-chose à dire, sauf demander de mes nouvelles. Il me dit aussi qu'Agha Chahrvandi lui a interdit d'assister au procès.

Le procès doit débuter un samedi, le premier jour de la semaine. Nous rentrons à Téhéran le jeudi soir nous préparer, mentalement au moins, pour ce qui va suivre. Nous arrivons tôt au tribunal. Le Dr Kazemi, qui est déjà là, s'occupe des formalités, après quoi nous nous installons tous dans une salle d'attente – mes parents, amou Djamchid, le Dr Kazemi et moi-même. On nous apporte du thé. J'entends un brouhaha dans le couloir, le bruit des spectateurs qui arrivent. Je demande au Dr Kazemi combien de gens il va y avoir, elle me dit que c'est une salle de taille moyenne et que je dois m'attendre à une cinquantaine de personnes.

On nous appelle. Je prends place sur un banc au premier rang, mon avocate à mes côtés et mes parents derrière moi. Sur un autre banc à l'avant mais de l'autre côté de la travée sont assis les deux gardes avec des hommes qui, j'imagine, sont leurs conseils. Les prisonniers sont vêtus des mêmes pyjamas d'épais tissu gris que nous avons vus portés par les dissidents lors des procès télévisés de masse. Cela ajoute à l'absurdité de la scène, comme si les hommes jugés aujourd'hui avaient été attrapés au saut du lit. Les gens du bureau du procureur, trois hommes flanqués d'un mollah, sont assis en face de nous. Le Dr Kazemi me murmure à l'oreille que le procureur principal Djafari n'est pas présent mais s'est fait représenter. Personne ne me regarde. Le juge Abolghassem Salavati entre, suivi par ses assistants. Le juge est un homme carré, renfrogné, avec un fond de barbe foncé et des cheveux très noirs taillés comme une perruque mal adaptée, couvrant ses oreilles et une partie de son front bas. Il entame la procédure avec un *besmellaho rahman o rahim* – au nom de Dieu miséricordieux –, puis fait signe à un clerc de lire les détails du chef d'accusation. Deux hommes, Lotfali Baradaran et Rahmatollah Tchaitchi, sont accusés d'avoir violé et torturé Raha Afchar à la prison du *manfi char* du ministère de l'Intérieur le 29 du mois de *tir* 1388 – 19 juillet 2009. Un troisième participant, Emad Karadji, a mis fin à ses jours.

De longues questions judiciaires et légales sont ensuite traitées en grand détail. Quand le juge annonce une coupure pour le déjeuner, ma famille et moi n'avons pas envie de sortir manger, aucun d'entre nous n'a beaucoup d'appétit. Nous nous installons dans la même salle d'attente et mon père envoie quelqu'un chercher des kababs et des tomates grillées.

Ce n'est qu'après deux journées de procédures accablantes d'ennui que les deux hommes sont appelés, l'un après l'autre, au pupitre situé devant le tribunal. Faisant face au juge, chacun déclare ne m'avoir pas vue de sa vie. Là, il y a encore des délibérations et des discussions et on m'appelle finalement pour témoigner. Je ne sais pas combien de temps je me tiens à mon tour debout à ce pupitre. J'ai l'impression que cela passe vite mais mes parents me disent plus tard que mon témoignage a duré presque deux heures. Comme durant la confrontation précédente avec les gardes – sans tranquillisant cette fois –, je reste calme, ma voix ne se brise pas, les larmes ne me montent pas aux yeux, je me tourne et regarde chacun des deux violeurs pendant que je décris en détail ce que chacun m'a fait subir. Le public écoute en silence. Tout le monde est sérieux, il n'y a pas d'interruptions, même les quelques *sepahi* qui sont assis contre le mur du fond, remplissant je ne sais quelle fonction, ont l'air sévère, comme je le remarque une ou deux fois, quand j'ai l'occasion de regarder derrière moi. Tout le monde dans la salle écoute attentivement pendant que je décris sans détour comment on m'a frappée, tiré les cheveux, cogné la tête à plusieurs reprises contre le mur, tailladé le cou avec le couteau, heurté la cheville contre le tuyau, et frappé violemment mes plantes de pied avec un bâton, ou un autre objet dur que je n'ai pas pu voir. Pour le reste, les euphémismes et les périphrases discutées et répétées avec le Dr Kazemi me sont d'un grand secours. Sans entrer dans les détails, je parviens à décrire le viol par les trois hommes, les bouts de mes seins pincés si fort que les hématomes ont mis des semaines à s'effacer, ma sodomisation par Baradaran et le langage obscène et humiliant utilisé par les gardes durant l'agression. Tout du long, j'entends derrière moi des spectateurs reprendre leur souffle ou soupirer, ce qui indique, je pense, que mes efforts pour transmettre la réalité de ce qui s'est produit dans cette prison servent à quelque chose. Puis les photos prises à l'hôpital sont produites comme pièces à conviction par le bureau du procureur. Le juge y jette un regard, le visage impassible, puis demande à mon avocate et aux avocats des deux hommes de s'avancer afin de leur montrer les photos, que le reste du public n'a pas le droit de voir. Je suis atterrée, furieuse et stupéfaite que ces gens puissent avoir accès à un matériau de nature si intime et si humiliant pour moi. Le Dr Kazemi me dit que mon visage a été flouté et que les blessures et les hématomes étaient trop importants pour qu'on puisse percevoir mes parties génitales ou mes seins comme tels. Je veux bien la croire mais le fait est que ces photos montrent mon corps.

La procédure continue à se dérouler dignement, sauf quand l'avocat de Baradaran m'accuse d'avoir eu une conduite provocante qui aurait excité les hommes. Le Dr Kazemi prend la parole, disant que quand des gens voient leur maison cambriolée et leurs biens volés, personne n'accuse les propriétaires d'avoir attiré les voleurs.

L'avocat dit que ce n'est pas la même chose.

— Les filles *bi haya* – éhontées – comme elle provoquent ce genre d'attitude.

Le Dr Kazemi rétorque rudement :

— Ce n'est pas Khanom Afchar qui est jugée ici.

Mais l'homme ne lâche pas.

— Mais mon client, si. Khanom Afchar a suscité la situation qui nous a tous amenés ici.

Le juge est sur le point de dire quelque chose mais le Dr Kazemi, outrée, intervient et dit que la ligne de défense n'a pas l'air cohérente parce que dans une phrase nous entendons que l'accusé ne m'a jamais vue de sa vie et dans la suivante que je ne dois m'en prendre qu'à moi-même et à mon comportement impudique, alors il faudrait savoir.

Le juge se racle la gorge et fixe l'avocat, un homme à bajoues qui devient rouge, en fait pourpre, étant donné son teint basané, dit qu'il doit avoir mal compris, sans préciser ce qu'il a mal compris, et s'affaire avec les papiers qu'il a devant lui.

Cela continue ainsi, jour après jour et semaine après semaine, en discussions techniques prodigieusement ennuyeuses. Des experts sont appelés les uns après les autres, des officiels de la prison, la gynécologue qui m'a soignée à Chariati, le chirurgien qui a posé les points de suture, quelqu'un du *pézechki ghanouni* – le bureau de médecine légale –, qui exprime en un curieux mélange de jargon médical et de vagues invocations islamiques une défense passionnée de toutes les institutions de notre pays sacré jusqu'à ce que le juge le remercie et fasse venir un autre employé du même bureau présenter un rapport plus concis et plus scientifique. Il y a aussi des témoins de moralité – un enseignant du lycée de Baradaran, des voisins de Tchaitchi qui décrivent une serviabilité démontrée à maintes reprises le rendant incapable de commettre le crime dont il est accusé. Quand le mariage d'une jeune fille a failli ne pas avoir lieu parce que la famille du fiancé, plus fortunée et cherchant un meilleur parti pour le jeune homme, considérait la jeune fille de haut et commençait à répandre de méchantes rumeurs sur son compte, c'était Tchaitchi qui y avait mis fin, témoignant de la modestie et des mérites de la fiancée et ne lâchant pas prise jusqu'à ce que les noces aient lieu, et ainsi de suite. Je dois me faire violence pour ne pas intervenir et déclarer que je me suis sans doute trompée et que je me rends compte que les trois hommes qui m'ont violée, brutalisée et brisée à vie sont en fait des citoyens modèles dont notre société se doit d'être fière.

Je ne suis pas toujours tous les détails, surtout quand le processus devient trop juridique et technique, mon esprit vagabondant et ne s'éveillant que lorsqu'on arrive à quelque chose de plus intéressant. Je me trouve dans une situation étrange, à voir ainsi un événement si central de ma vie disséqué et analysé de cette façon si publique tout en me sentant parfois distraite au point d'oublier de quoi il s'agit.

Quand on appelle l'homme responsable des fiches de présence de la prison, un fonctionnaire du bureau du procureur lui tend les copies des fiches en question datées du jour du viol. Il les regarde attentivement et lit les horaires à voix haute quand on lui dit de le faire. Ce sont les cartes des trois gardes – quoique le juge n'autorise pas à considérer celle d'Emad Karadji comme pièce à conviction puisqu'il est mort – et la carte de Mina ce jour-là, de onze heures du matin à huit heures du soir. Lorsque l'homme lit l'horaire indiqué sur cette dernière carte, le représentant du bureau du procureur explique que la pertinence de celui-ci sera démontré plus tard. Après que l'employé des prisons a certifié que ces copies sont bien celles des cartes originales et que rien n'y a été modifié, on les renvoie sur la table du procureur.

Finalement, le bureau du procureur fait appeler Mina. Elle a tellement changé que je la reconnais à peine. Quand je l'avais brièvement vue le jour de la confrontation avec les gardes, je l'avais déjà trouvée bien différente de la femme tendue aux sourcils froncés que j'avais connue au *manfi char*. Là, elle s'avance vivement vers le pupitre, se tenant beaucoup plus droite qu'auparavant. Ses yeux sont perçants, sa peau a l'air plus souple, maintenant qu'elle s'est débarrassée des années de stress et d'inquiétude pour son fils aujourd'hui sain et sauf au Danemark. Je me souviens de Hossein me racontant que la première fois qu'il l'avait revue après le départ de son garçon, il l'avait trouvée heureuse, même si elle ignorait si elle le reverrait jamais. *Madareh digueh* – c'est une mère –, avait-il dit. Je me retourne et jette un coup d'œil à ma propre mère qui se penche en avant, absorbée d'avance par le témoignage qu'elle va entendre, et qui elle aussi sacrifierait sans doute son bonheur au mien, puis je prête à nouveau attention à Mina. Comme l'a dit le Dr Kazemi, le cas tout entier repose sur ce témoin qui, bien qu'étant une femme, est aussi gardienne de prison et fait donc partie du système, y gagnant en crédibilité. Pendant tout son témoignage, Mina, tout en semblant intimidée par le tribunal, reste inébranlable dans ses réponses aux questions que lui posent le juge, le procureur et les deux avocats. Elle commence en déclamant avec emphase son nom, son adresse, le numéro de sa carte d'identité et sa date de naissance, comme si elle lisait un document officiel. Poursuivant sur le même ton, elle dit qu'elle était gardienne au lieu de détention dit *manfi char* et était de garde le 29 *tir*, comme cela peut être vérifié sur sa carte poinçonnée. Vers une heure de l'après-midi, Lotfali Baradaran, qui se trouvait dans un des bureaux, l'a fait appeler ainsi qu'une autre gardienne, Zahra Khodabandeh, et leur a dit d'aller chercher la *bazdachti* Raha Afchar et de l'amener dans une salle d'interrogatoire, ce qu'elles ont fait. Elle ajoute que ce couloir en particulier et les cellules y attenante étaient vides de prisonniers. Quand on lui demande qui d'autre peut attester cela, elle dit sans doute personne parce que ces quartiers étaient toujours laissés vides, bien que les prisons aient été pleines à craquer après les manifestations – pour lesquelles elle emploie l'euphémisme habituel de *nabésamani* – manque d'ordre.

Le procureur lui demande si elle sait pourquoi.

— Non. Certaines des cellules utilisées pour des visites conjugales contenaient des lits.

— Y avait-il un lit dans celle-là ?

— Non.

— Avez-vous demandé au garde pourquoi vous deviez amener la *bazdachti* ?

— Non, mais je me doutais de quelque chose.

Cette fois, c'est l'avocat de Tchaitchi qui se lève d'un

bond et dit que rien ne peut être basé sur du ouï-dire et des rumeurs. Le procureur a un geste d'impatience et, sans regarder l'avocat, dit qu'il s'agit ici de la réputation du système judiciaire iranien et qu'il ne faut rien négliger dans cette enquête. L'avocat se rassied.

— Aviez-vous entendu des accusations précises au sujet de ces gardes, Baradaran, Karadji et Tchaitchi ?

— Précises, je ne dirais pas. J'avais entendu parler de mauvais traitement des *bazdachti* incarcérés après les élections.

C'est au tour de l'avocat de Baradaran de se lever, dans l'état de fureur qui semble être sa condition permanente, mais le juge dit au procureur de continuer.

— Savez-vous en fait si ce genre d'incident s'est produit avec d'autres prisonnières ?

— Je n'ai moi-même connu que ce seul cas.

— Donc vous n'aviez jamais été personnellement chargée d'amener une autre prisonnière aux gardes avant cette unique fois ?

— Non, mais, comme je l'ai dit, il y avait des rumeurs. Et aussi, quand nous avons laissé Raha Khanom avec les gardes, j'étais si *narahat* – malheureuse – que Zahra, l'autre gardienne, m'a dit que ce n'était pas la première fois et que ce ne serait pas la dernière.

Le juge se tourne vers le greffier pour lui dire de supprimer la remarque du procès-verbal, ajoutant que ce que le témoin avait entendu et non pas vu de ses yeux n'était pas recevable. Je dirais la même chose de tout ce que j'entends, mais qu'est-ce que j'y connais – mes maigres notions de droit me viennent des séries télévisées américaines.

Puis Mina dit qu'après m'avoir emmenée dans cette

cellule, elle et l'autre gardienne avaient reçu l'ordre de partir et s'étaient déplacées un peu plus loin dans le couloir. Le procureur demande si elle et l'autre gardienne avaient parlé de ce qui se passait et elle répond non.

— Quand les trois gardes sont entrés dans la cellule et que cette enfant a été projetée contre le mur par cet homme – elle se retourne et indique Baradaran –, je lui ai dit, *be in batché rahm kon* – aie pitié de cette enfant –, mais il m'a crié de sortir. Zahra était furieuse contre moi. Elle m'a dit que j'avais pitié de ces gens mais que c'étaient eux qui répandaient la corruption dans notre société, eux qui nous volaient, nous, les pauvres, et qui espionnaient pour le compte de l'Amérique et d'Israël. Nous n'avons plus parlé après cela.

Le juge dit au Dr Kazemi qu'elle peut interroger le témoin.

— Avez-vous jamais eu l'impression que Khanom Afchar consentait à ces actes ?

Mina jette la tête en arrière et fait claquer sa langue.

— *Vay khodayé man, abada !* Oh, mon Dieu, pas du tout. Elle hurlait et suppliait tant que ça me brisait le cœur, puis elle pleurait, puis elle se calmait, avec parfois un gémissement terrible, puis elle hurlait de nouveau, des hurlements qui résonnaient dans le couloir. Une fois, c'était si fort que j'ai dû mettre mes mains sur mes oreilles.

— Quand êtes-vous retournée dans la pièce où elle se trouvait ?

— Une fois que les hommes ont été partis et Zahra aussi, me disant que puisque *delet barach misouzeh* – j'avais de la peine pour elle –, je pouvais la ramener toute seule à sa cellule, je suis rentrée dans la pièce.

— Qu'avez-vous vu ?

— Je l'ai trouvée par terre, comme morte. Son visage était en sang, de même que devant et, excusez-moi, derrière. Son œil droit était très enflé, il y avait là une bosse de la taille de mon poing. Elle était couverte de meurtrissures et de blessures. Elle avait sur le cou une plaie qui saignait beaucoup et sa cheville gauche saignait aussi. Les plantes de ses pieds avaient été frappées avec un manche à balai qu'ils avaient laissé par terre après l'avoir utilisé. Elles étaient gonflées comme des coussins. Ses vêtements étaient déchirés et ne pouvaient plus servir. J'ai dû trouver quelque chose pour la couvrir. Elle restait par terre, sans bouger, les yeux fermés, mais je voyais les larmes couler sur son visage. J'ai cherché du thé que je l'ai forcée à boire, puis je l'ai aidée à aller jusqu'à la douche, dans un autre couloir. Je savais qu'il n'y aurait personne à cette heure-là. Elle pouvait à peine marcher, donc elle avançait comme elle pouvait, s'appuyant sur moi, s'asseyant parfois par terre avant de pouvoir continuer. J'ai pu lui faire prendre une douche, sachant que ça lui ferait du bien de se laver. Elle était tout ensanglantée et *ba arze ma'azerat* – veuillez m'excuser – était couverte du sperme de ces hommes. Je suis restée avec elle pendant qu'elle s'est lavé le corps et les cheveux, puis je l'ai ramenée à sa cellule.

— L'avez-vous vue depuis ? demande le Dr Kazemi.

— Seulement une fois, quand j'ai été au *dadsetani* le jour où elle était confrontée aux trois gardes.

La défense semble avoir changé de stratégie. Quand on appelle de nouveau Baradaran à la barre et que le procureur lui demande s'il a eu des rapports avec moi, il dit oui. Le procureur lui demande s'il m'a violée, et il dit non, ajoutant :

— J'ai prononcé la formule rituelle pour un *sigheye aghd* – un mariage temporaire –, et moi-même et les autres gardes avons eu des relations intimes avec elle parce que nous savions qu'elle le voulait. Elle avait été avec d'autres gardes auparavant.

Le mollah assis à la table du procureur intervient :

— Vous savez qu'il y a là une impossibilité *char'i* – de loi islamique.

Il explique l'impossibilité pour trois hommes de faire d'une femme leur *sigheh* si rapidement l'un après l'autre.

— Je voulais faire les choses *dorost* – comme il convient.

— Vous qualifiez ce que vous avez fait de *dorost* ?

Quand la session de ce jour-là se termine, on nous dit de revenir à huit heures le lendemain matin. L'avocat de Baradaran présente longuement sa défense. Il a encore une fois changé de position. Tout en admettant la participation de son client au viol et à la torture, il entreprend de raconter l'enfance difficile du garde dans la grande fratrie d'une famille dans la misère, parle de la situation critique des prisons en ces temps de trouble, des cellules surpeuplées, du *fechareh kari* – la pression du travail. Ses arguments me semblent plutôt incohérents, et j'ai l'impression que ni le juge ni le procureur n'ont l'air convaincus.

C'est ensuite au tour de Baradaran de parler pour sa propre défense. Lui aussi prend son temps pour expliquer pourquoi il a fait ce qu'il a fait. Bien qu'il parle de moi en mentionnant mon nom et évoque le chagrin de ma famille, il s'arrange pour ne jamais s'excuser ou dire qu'il regrette ses actes. Le pupitre est à l'avant de la cour, face au juge, et je ne vois donc pas son visage mais à sa voix brisée et aux mouvements de ses bras, je comprends qu'il essuie des larmes. La séquence se répète ensuite avec Tchaitchi. L'avocat de celui-ci utilise les mêmes arguments que celui de Baradaran, mentionnant un environnement dangereux et une période de tension dans l'histoire actuelle de notre pays bien-aimé. Il présente son client comme un garçon doué qui a sacrifié son rêve de faire des études supérieures parce qu'il devait subvenir aux besoins de sa famille. L'avocat ajoute aussi que Tchaitchi était malheureux de devoir participer au viol et à la torture mais que les deux autres l'y ont poussé. Lorsque le juge interrompt, demandant comment on peut être poussé à commettre un viol, l'avocat donne pour réponse peu convaincante que, pris dans le feu de l'action, on peut perdre tout contrôle.

Quand Tchaitchi témoigne, il confirme ce que son avocat a dit, insistant sur le fait que Baradaran lui a dit deux fois, *nobate to*, à toi. Je me souviens vaguement avoir entendu ces mots mais j'avais l'impression qu'ils avaient été adressés à Karadji, le garde qui s'est suicidé. Tchaitchi dit qu'il n'a jamais voulu participer, qu'il a lui-même des sœurs et une jeune épouse, qu'il garde la scène dans les yeux, qu'il a honte et comprends pourquoi Karadji s'est suicidé, que lui-même y a pensé. Contrairement à Baradaran, il me présente ses excuses ainsi qu'à ma famille à plusieurs reprises et dit qu'il donnerait n'importe quoi pour pouvoir repartir dans le temps et effacer ce qui est arrivé. Ses mots me laissent froide, je ne me sens pas du tout concernée par ce qu'il peut ressentir ou ne pas ressentir.

Le procureur se montre très dur dans son réquisitoire. Il dit qu'il n'y a aucune circonstance atténuante pour les accusés, même s'il est clair que je suis une *chourechgar* – fomentatrice de troubles – arrêtée et emprisonnée pour avoir participé à des manifestations contre le régime et sans doute à la solde d'intérêts étrangers cherchant à déstabiliser notre pays. Après avoir lancé toutes ces accusations contre moi, il dit que cela n'excuse pas la conduite des gardes, qu'ils font honte à l'héritage de *hazraté emam*, sa sainteté l'imam – il veut dire Khomeyni – et à tous nos *moghadassat* – les vertus sacrées que représente la république islamique –, que le monde a les yeux fixés sur l'Iran et qu'il faut faire un exemple. Il poursuit en disant que ces trois gardes ont apporté le déshonneur au pays, que leurs mères doivent être maudites pour leur avoir donné le jour.

— L'un d'entre eux a déjà payé en se donnant la mort. Je demande à la Cour de condamner ces deux hommes également à mort, afin de purifier notre pays de ces actions immorales.

Le juge remercie le procureur et suspend la séance pour le déjeuner. Nous ne sommes pas d'humeur à commander quoi que ce soit et nous contentons de boire le thé qu'on nous apporte dans la salle d'attente. Je demande au Dr Kazemi si elle pense que ces hommes peuvent vraiment être condamnés à mort. Elle dit qu'elle n'en a aucune idée mais que le juge Salavati est connu pour ne montrer aucune réticence à prononcer des sentences de mort.

— Il me semble qu'ils ne peuvent pas se permettre d'être indulgents. Cette histoire a pris de telles proportions qu'ils se voient obligés de faire un exemple.

Amou Djamchid ajoute que l'autre aspect à prendre en considération est que le procès distrait le public des préoccupations de ces derniers temps, tels le mouvement réformateur ou les manifestations de rue.

— Ça ferait bien voir le gouvernement, ça indiquerait qu'il est du côté du peuple et de la défense des droits de l'homme.

Je jette un coup d'œil aux deux gardes quand nous rentrons dans la salle. Bien que ne se ressemblant guère, ils ont maintenant une apparence similaire. Ils sont aussi pâles que possible, leurs yeux sont écarquillés, leurs bouches pincées, ils ont l'air terrorisés. Lorsque les yeux de Baradaran rencontrent les miens pendant une seconde, il se déplace, gêné, sur le banc, presque comme s'il allait se lever devant moi. Cet homme dont le visage revient dans mes cauchemars, qui fera désormais toujours partie de ma vie, qui m'a montré ce qu'il peut y avoir de pire chez un être humain, a peur. Je voudrais lui transmettre quelque chose dans cet échange de regards mais je ne sais pas quoi, aux prises que je suis avec tant d'émotions contradictoires, mon cœur éclatant de chagrin pour moi-même mais aussi pour lui, pour l'autre garde, et pour le troisième qui s'est donné la mort. Je n'ai jamais compris la violence ni l'humiliation. Qu'est-ce que je pourrais transmettre, là, sinon ma terrible tristesse de tout ce gâchis de nos vies à tous ? Est-ce que Baradaran et Tchaitchi pourraient même comprendre ?

Une fois que nous avons pris place, le juge revient dans la salle. Il condamne Baradaran à être pendu et Tchaitchi à huit ans de détention. Quelqu'un crie son indignation, plusieurs personnes applaudissent brièvement puis s'arrêtent. Alors qu'on l'emmène, ainsi que Tchaitchi,

Baradaran supplie en hurlant, *ghalat kardam, goh khor-dam, mano bebakhchid* – que je bouffe de la merde, pardonnez-moi ! Ses cris continuent à résonner long-temps. Je laisse tomber ma tête dans mes mains, atter-rée, complètement vidée. Mes parents me rejoignent sur mon banc et s'assoient, un de chaque côté, le Dr Kazemi s'écartant pour leur faire de la place. Je pleure dans les bras de ma mère, répétant sans cesse que c'est horrible. Le procureur, suivi de son groupe, ne me jette même pas un regard quand ils quittent tous la salle. Je sens son antipathie, son mépris et sa désapprobation, pas forcément envers moi mais envers ce que je représente, quoique j'aie du mal à imaginer ce que je peux repré-senter pour quelqu'un comme lui. C'est aussi bien que je n'aie pas à le remercier. Il m'a accusée d'intentions diaboliques alors que tout ce que j'ai fait, ç'a été de manifester pour des droits qui sont la norme dans les pays civilisés. Quant au juge Salavati, il est déjà parti, sans un signe pour moi ou ma famille.

La tension a été si grande que quand nous rentrons, je file au lit et dors plus de dix heures. Je laisse mon portable au salon. Au réveil, le lendemain matin, ma mère me dit que Hossein a téléphoné. Je le rappelle.

— Tu as appris ?

— Oui.

— Je ne voulais pas que les choses prennent cette tournure, dis-je. Un homme est déjà mort et l'autre va bientôt être pendu. C'est terrible !

— Je sais bien, dit-il, *vali kheili aziat chodi* – tu as beaucoup souffert.

— Ça ne veut pas dire que je souhaite que quelqu'un le paie de sa vie.

Je m'attends à ce qu'il propose qu'on se rencontre mais il dit au revoir et raccroche. Avoir changé de numéro de fixe il y a quelque temps n'empêche pas le téléphone de sonner tout le temps. Nous avons pris l'habitude de laisser sonner jusqu'à ce que le répondeur se déclenche et de ne décrocher que quand nous reconnaissons la voix. Les autres appels viennent des médias ou sont des messages de haine, certains si menaçants et porteurs d'une telle violence que j'ai du mal à croire que des gens soient capables de s'exprimer ainsi. Quand j'en fais la remarque à mon père, il secoue la tête.

— Tu es étonnante ! Tu as toi-même été victime de la violence la plus inouïe et tu ne crois toujours pas que les êtres humains puissent être aussi mauvais !

Je ne peux m'empêcher de rire.

— Non, ce n'est pas ça du tout, crois-moi. Je sais à quel point les gens peuvent être mauvais. Mais j'ai du mal à croire que tant de gens puissent être aussi mauvais !

Les journaux sont remplis de cette histoire, les chaînes de télé programment des débats, des tables rondes, ce n'est qu'un flot sans fin de commentaires exprimés et imprimés. Amou Djamchid dit à nouveau, comme il l'a fait au tribunal pendant que nous attendions la sentence, que tout ceci ne pouvait pas tomber mieux pour le régime, qu'il peut à présent démontrer qu'il respecte la loi et ne tolérera pas d'autres méfaits, qu'il considère comme un devoir sacré de protéger ses citoyens et de ne pas laisser bafouer leurs droits. En attendant, mon visage est dans toute la presse et partout sur l'internet comme il l'a été pendant le procès. Mes parents pensent que la vie va devenir intolérable pour moi pendant un temps et suggèrent que nous quittions Téhéran un moment, mais je leur réponds que je ne peux pas passer ma vie à m'enfuir.

Homa appelle plusieurs fois. Elle me dit que tout ce qu'elle souhaite pour moi c'est de ne plus jamais être triste. Une autre fois, elle ajoute, après coup, que Kian me dit bonjour. Je l'avais presque oublié, tant il est loin de mes pensées. Son souvenir appartient à une autre Raha. Je réponds tout de même poliment à sa mère de lui dire bonjour pour moi.

Hossein

J'ai vingt-cinq ans aujourd'hui. Je passe mon anniversaire à aider Mortéza à remplir des formulaires parce que cela fait sept mois qu'il n'a pas reçu la deuxième partie de ses allocations du gouvernement. Nous sommes déjà allés trois fois au *bonyadé chahid o mostaz'afan o djanbazan* – la Fondation des martyrs – et avons parlé à différents fonctionnaires qui à chaque fois nous donnent de nouveaux formulaires à remplir. Ils prennent tout leur temps, même avec la secrétaire d'Agha Chahrvandi qui a dû leur téléphoner une ou deux fois. Mon frère a beau bénir sans cesse le nom de l'imam et marmonner des slogans contre les ennemis du régime – les sionistes, les Anglais, les Américains –, il doit se sentir floué et n'est jamais content. Mais je n'ai jamais vu Mortéza content depuis mon enfance, avant la guerre avec l'Irak. Je ne reconnais pas la personne qu'il est devenu. Dans notre ferme à Abadan, il me soulevait sur ses épaules et cavalait en criant, *tikitam, tikitam,* s'arrêtant de temps en temps pour relever la tête et hennir, gratter le sol du pied, comme un cheval. Son imitation était si parfaite qu'en fermant les yeux on aurait juré qu'il y en avait bien un vrai. Je n'avais pas vu beaucoup de chevaux, là où nous vivions, il y avait

surtout des ânes, mais je pouvais reconnaître le hennisse-
ment d'un cheval. Oui, il était content à l'époque. Il était
le premier dans notre famille à passer son bac. Il avait
toujours des vingt sur vingt et pleurait si on lui donnait
un dix-neuf. Puis il a été à l'école technique et a appris
à devenir mécanicien. Il aimait ça. Quand il rentrait à la
maison le soir, il faisait ses devoirs, s'asseyant avec ses
livres pour apprendre le nom des différentes parties des
moteurs de voiture. Il me montrait les images et j'essayais
d'apprendre en même temps que lui. Il riait et disait que
nous ouvririons un garage ensemble et que tout le monde
nous amènerait ses voitures à réparer et puis que nous en
ouvririons un autre, et puis que nous vendrions des voitures
neuves et n'arrêterions jamais. Il a été appelé quand il a
eu dix-huit ans, la dernière année de la guerre. Ma mère
disait toujours que si Mortéza était né un an plus tard, il
n'aurait jamais été appelé et n'aurait pas perdu ses jambes,
mais je ne sais pas si naître plus tôt lui aurait été d'un
grand secours. Dans certaines parties du pays, les conscrits
avaient à peine dix ans.

Je n'ai pas vu Mortéza sourire une seule fois depuis qu'il
est revenu du front, les jambes amputées à mi-cuisse, après
avoir passé six mois à l'hôpital et ensuite quelque temps en
rééducation. Comme les prothèses qu'on lui avait données
lui faisaient trop mal, il les a mises de côté. J'ai fini par
m'habituer à ses jambes de pantalon repliées et épinglées
sur ce qui lui reste de jambes mais même après toutes ces
années, cela me gêne parfois et je dois détourner le regard.

Voilà en tout cas comment je passe mon anniversaire,
à vérifier des factures médicales et le nombre de coupons
auxquels il a droit avec le programme de distribution et
qu'il n'a pas reçus depuis plusieurs semaines. Le président

Ahmadinéjad tient toujours ses promesses avec les gens comme Mortéza, il est généreux et tient à s'assurer que les pauvres reçoivent ce qui leur revient, alors je ne comprends pas ce qui se passe et pourquoi tous ces programmes sont en retard. Mortéza dit que c'est la faute de l'Amérique qui détruit l'économie avec ses sanctions. Je ne sais pas si c'est ça la raison. Il dit peut-être vrai mais il oublie qu'il est supposé participer à toutes les manifestations progouvernementales et s'est fait un peu tirer l'oreille les deux dernières fois depuis les élections. Il n'est pas à l'aise quand il se retrouve au milieu de grandes foules dans son fauteuil roulant, même si on fait défiler les vétérans handicapés séparément, encadrés par des forces de sécurité pour les protéger. Bien qu'ils aient appelé pour dire qu'on lui enverrait un minibus, il a refusé de participer à la grande manifestation sur Vali Asr pour le président, deux jours après les élections. Après quoi il a reçu une convocation pour aller s'expliquer au *bonyad*. Je ne vois pas comment, avec les dizaines de milliers de participants, ils peuvent dire qui était là et qui n'y était pas. Mais il se trouve toujours des gens pour faire du *dochmani* – qui ont quelque chose contre vous et qui vous causent des problèmes s'ils le peuvent. En tout cas, ce jour-là, il est rentré furieux parce qu'on lui a dit que comme il avait été exposé aux attaques de gaz chimiques pendant la guerre, certains avantages ne pouvaient pas lui être accordés, pour une raison que j'ignore. Il n'a pas accepté cette décision, expliquant qu'il avait continué à recevoir ces avantages un certain temps avant qu'ils ne soient interrompus. Le *ma'mour* – le fonctionnaire – lui a dit de ne pas insister, sinon on pourrait exiger qu'il rembourse ce qu'il avait perçu jusque-là. Bien entendu, Mortéza n'explique jamais en détail. Il dit quelques mots par-ci, par-là et je suis supposé coller ces bribes d'information ensemble pour comprendre ce qui s'est passé. Mais je ne mettrai jamais en doute ce qu'il dit parce que je sais bien que c'est un homme pieux et sincère. D'ailleurs il ne se plaint pas directement et parle toujours avec respect de l'imam Khomeyni, du Guide et du président.

Nous étudions aussi les formulaires et les brochures concernant les aides à la famille. Mon salaire est tout ce que nous avons comme rentrée, et ce n'est pas suffisant pour nous garder au-dessus du seuil de pauvreté, donc nous devrions recevoir 790 000 tomans, mais là aussi il y a des problèmes depuis quelque temps. Le *majlis* – le Parlement – souhaite que ces subsides soient dispensés sous forme de coupons de nourriture mais le président préfère distribuer de l'argent. Cependant, d'après ce que j'entends, l'argent est en voie de manquer. L'autre jour, je passais du temps sur l'internet au *sepah*, en attendant Agha Chahrvandi. Sur un site iranien à l'étranger, ils disaient que quarante pour cent des Iraniens vivaient sous le seuil de pauvreté, alors qu'il n'y en avait que quatorze pour cent sous le président Khatami. Cela dit, nos ennemis répandent tant d'informations mensongères qu'il est difficile de démêler le vrai du faux.

C'est là le cadeau que je reçois pour mon anniversaire, passer du temps avec mon grand frère irritable et amer, au front marqué de grandes rides transversales, à l'expression morose. L'idée m'est intolérable qu'il puisse connaître ce qui se passe dans ma vie, l'arrestation de Raha, le procès, mes préoccupations, savoir que mon esprit se tourne si souvent vers elle, que j'ai un contact social, si limité qu'il soit, avec des gens comme elle et sa famille. Je sais qu'il verrait cela comme une transgression impardonnable, qu'il me bannirait de sa vie et ne me reconnaîtrait plus comme son frère.

Assis avec moi, il ne parle pas beaucoup mais ses lèvres remuent tout le temps comme s'il priait, et c'est peut-être ce qu'il fait. À moins qu'il ne soit en train de répéter les chiffres que je lui donne ou de préparer ses réponses aux questions que je lis sur les formulaires parce qu'il n'a pas la patience de le faire. Je ne sais jamais rien de ses pensées, elles doivent être sombres et inquiétantes. Mais j'essaie d'être juste et de me demander comment je serais à sa place, un invalide dans un fauteuil roulant, sans avenir, sans argent, et sans rien à faire. Il ne lit pas, nous n'avons pas la télé, tout ce qu'il fait, c'est écouter ses CD de sermons religieux. Il a même gardé de vieilles cassettes de l'imam Khomeyni d'avant la révolution et les expose comme des reliques sacrées bien qu'il ne puisse pas les écouter parce que son magnétophone est mort il y a des années. Je ne sais même pas pourquoi il les garde, il était encore enfant à l'époque de la révolution. Mais qu'est-ce que je sais de tout cela ? J'aimerais pouvoir parler à quelqu'un qui comprendrait. J'ai tant de choses en tête qui concernent ma propre vie, des événements extérieurs, et même parfois la façon dont on nous voit de l'extérieur. Est-ce que c'est vrai que tout le monde nous déteste, et pourquoi ? J'ai une pensée cachée dans la partie la plus secrète de mon esprit que je ne mentionnerai jamais à personne : est-ce qu'on ne nous déteste pas parce que nous le méritons ? Tout semble être en train de changer depuis les élections. Peut-être que notre pays a été un précieux *termeh* – un beau tissu ancien brodé – et que maintenant il est en lambeaux. J'aimerais bien pouvoir parler avec Agha Chahrvandi, il est la personne la plus intelligente que je connaisse, mais je n'oserais jamais dire ce genre de choses. D'ailleurs, il a bien assez de soucis comme ça. Durant les mois écoulés, depuis que la violence contre les manifestants arrêtés est devenue publique et avec tout le reste, les procès des accusés du mouvement réformateur, peut-être même celui des violeurs de Raha et toutes les différentes alliances et intrigues tout autour, je sais que pour lui aussi quelque chose s'est cassé. Il ne dit jamais rien mais il a vieilli. Ses yeux sont fatigués et il n'a plus l'énergie d'avant.

L'autre jour, parlant d'un de ses amis qui part habiter l'Allemagne avec sa famille, il a dit que c'était peut-être mieux pour les gens d'aller ailleurs. Je ne me souviens pas de ses mots exacts mais cela voulait dire que ni les autorités ni les gens ne vous embêtaient en Europe. J'ai été choqué et j'ai dit :

— *Dayi djan* – mon oncle –, est-ce que vous pourriez vivre ailleurs ? Vous pourriez quitter l'Iran ?

Il a dit que personne ne pouvait prédire l'avenir, puis a ajouté :

— Ni même dire s'il y a un avenir. Dieu seul le sait. Peut-être que tout s'arrête ici, aujourd'hui.

J'ai été étonné par son commentaire mais ne me suis pas permis de lui poser davantage de questions. Je ne voudrais pas aller trop loin et l'irriter. Je sais qu'il me protégera toujours ; il a beaucoup d'affection pour sa sœur, et donc pour Mortéza et moi, ses enfants, mais je me rends aussi compte que depuis que Raha est entrée dans ma vie, je lui demande souvent des faveurs, ce que je ne faisais pas avant. Récemment, quand je suis passé chez Raha pour une courte visite et que l'un de ses parents a mentionné qu'elle voudrait peut-être quitter le pays – ce qui a fait se serrer mon cœur –, son père, Agha Hormoz, a dit que ce ne serait pas facile pour elle d'obtenir un passeport. Il m'a jeté un coup d'œil, pensant peut-être que j'allais proposer de l'aider. Ils savent qu'Agha Chahrvandi est mon oncle et mon *parti* – mon contact haut placé. Parfois, je ne peux pas m'empêcher de penser qu'ils sont tous aimables avec moi, qu'ils m'invitent chez eux et me parlent comme si nous appartenions au même monde et partageons les mêmes intérêts parce qu'ils peuvent toujours se tourner vers moi quand ils ont besoin de quelque chose. Puis j'ai honte d'être si mesquin, quand ils ne m'ont jamais montré autre chose que du *mohebat* – de la bienveillance. Bien entendu, je n'ai jamais ce genre de pensée à propos de Raha, je sais trop qu'elle est incapable de calcul.

J'ignore ce que Raha pense de moi ni même s'il lui arrive de penser à moi. Mon principe est de ne jamais être *mozahem* – importun –, donc, si même j'ai envie de la voir, je ne la contacte pas si je n'ai pas une bonne raison de le faire et je n'inventerais jamais de bonne raison, même si je le pouvais. Si je peux utiliser une excuse qui justifie de la contacter et même le nécessite, je n'hésite pas, mais jamais je ne pourrais l'appeler et lui dire sincèrement ce que j'ai envie de dire : *delam tangueh* – tu me manques. Ou bien : j'ai envie de m'asseoir devant toi et de te regarder pendant que tu me parles de ta vie, de tes pensées quand tu ris de quelque chose que je dis et que je ne sais pas si tu as trouvé cela stupide ou vraiment drôle. Je voudrais m'asseoir avec toi dans ton café préféré, voir tes cils toucher tes joues quand tu baisses les yeux vers ton assiette et tes doigts fins s'enrouler autour de ton verre. Non, je ne pourrais jamais lui dire ces choses.

Comme je garde mes distances, je parviens à ne pas la mettre mal à l'aise ou à l'embarrasser, du moins je le pense. Dans mes moments les plus optimistes, je me dis qu'elle peut avoir besoin de me parler de choses qu'elle n'a pas envie de dire à d'autres. Je me fais peut-être des illusions mais je sens que sa terrible expérience en prison et ce qui a suivi a créé quelque chose entre nous, un lien qu'elle ne partage pas avec tout le monde. Nous ne discutons pas de ce qui s'est passé, sauf quand quelque chose s'y rapporte directement, comme tout ce qui a mené au procès ou quand elle était si triste après le verdict. Je pense à ce qu'elle a dit une ou deux fois, que je fais partie du système, ce qui n'est pas le cas. Je trouve déjà assez compliqué de savoir qui est de quel côté et qui a forgé de nouvelles alliances. C'est seulement en observant Agha Chahrvandi, en l'écoutant parler aux autres officiels du gouvernement et en essayant de comprendre les commentaires qu'il me fait directement que je peux avoir une idée de ce qui se passe. Je n'ai même pas souvent vu l'intérieur des prisons. Mais si Raha pense que j'ai des informations privilégiées, que je sais des choses que les autres ne savent pas, ce n'est pas plus mal ; ça me donne une certaine envergure à ses yeux. Ou est-ce que ce serait tout à fait négatif ? De toute façon, je ne pourrai jamais prétendre être quelque chose que je ne suis pas.

Quand je ne l'ai pas vue depuis un certain temps, j'essaie de trouver une raison de la contacter. Je l'appelle si je vois dans le journal une nouvelle dont nous pourrions discuter, un procès, un événement dans le *shahrestan* – en province –, quelque chose qu'un juge a dit quelque part, un changement dans la législation criminelle qui fait l'objet d'un débat au *majlis*, quelque chose qui pourrait l'intéresser étant donné son expérience. Ce que je ne fais pas, je l'ai dit, c'est l'importuner ou la gêner. Je ne m'autorise même pas à prendre une voiture ou ma moto et rouler dans sa rue, je ne vais pas du côté d'un des lieux de rencontre habituels de son groupe. En fait, je fais des détours pour les éviter. Quand ça devient trop dur de ne pas la voir, je me dis, Hossein, elle est avec toi de toute façon, elle est dans ton cœur, quelle différence est-ce que ça fait ? La différence, c'est qu'elle n'est pas avec moi, elle n'est pas avec moi comme une personne physique que je peux voir, entendre, presque toucher, à qui parler.

Je la vois quand même de temps en temps. Elle me parle de ses projets, de ses pensées parfois. Elle me pose des questions sur ma vie, sur mon parcours, s'il est satisfaisant. Comme toujours avec tout le monde, je sais bien qu'il y a beaucoup plus de choses que nous ne disons pas que de choses que nous nous disons.

Raha

Quand je rentre à la maison, j'entends des voix dans le salon ; mes parents ont des invités. Je ne suis d'humeur à voir personne et me dépêche de passer pour aller dans ma chambre mais mon père m'aperçoit et m'appelle. C'est là que je vois qu'il s'agit du Dr Kazemi. Je ne m'attendais pas à sa visite et suis tout de suite inquiète, d'autant plus que tout le monde est là – mes parents, amou Djamchid, Khan djoun, tous avec un air grave et me regardant fixement. Je salue le Dr Kazemi et demande, Il est arrivé quelque chose ?

— Assieds-toi, *azizam* – ma chère –, dit-elle.

Je m'assieds lentement, attendant je ne sais quelle nouvelle terrible.

— J'ai à te présenter une requête, dit-elle.

— Une requête ?

— Oui, de Lotfali Baradaran.

— Il me présente une requête ?

— Oui. Il veut te voir avant de mourir.

Je me penche en avant et pose la tête sur mes genoux. Ma mère vient à moi, s'accroupit à côté de mon siège et me tient, disant, *djaneh delam, djaneh delam*, mon cœur.

J'étouffe et j'ai besoin d'air, je suis donc obligée de

la repousser et de lui demander d'aller s'asseoir. Elle retourne à son siège.

— Pourquoi veut-il me voir ? je demande au Dr Kazemi.

— Pour te demander pardon afin de mourir en paix.

Je décide tout de suite.

— Il ne peut pas l'avoir. Je le verrai si je le dois mais je ne lui pardonnerai pas.

— L'exécution doit avoir lieu jeudi. Tu veux bien le voir demain ?

— Si tôt ? je dis, puis je hoche la tête et dis oui. Je demande qu'on m'excuse. Dans ma chambre, je reste longtemps assise, mon esprit pas tout à fait vide mais ne se fixant sur rien. Je ne vois même pas que la nuit tombe dehors jusqu'à ce que ma mère entre, allume et dise que je ne devrais pas être seule. Encore une fois, le dîner est morne. Nous ne disons pas grand-chose, sauf pour demander qu'on passe le plat, ou le sel, ou le *torchi* – la marinade d'herbes.

Amou Djamchid dit :

— Il faut toujours qu'il y ait quelque chose, n'est-ce pas ? Dès que nous commençons à reprendre notre souffle, une autre chose arrive. *Albateh* – bien sûr –, ceci est bien plus dur pour toi. C'est toi qui vas devoir voir cet homme de nouveau. Pourquoi as-tu accepté ? Tu as bon cœur.

— Je ne sais pas, amou djoun. Je n'ai aucune idée de la raison pour laquelle j'ai accepté. Ce n'est pas pour lui, c'est pour moi.

Ma mère demande ce que je vais lui dire, à quoi je réponds que c'est Baradaran qui a quelque chose à dire.

Le lendemain matin, je vais chez le Dr Kazemi sur Motahari. Le rendez-vous est pour onze heures. En route pour Evin, mon avocate me demande si cette requête m'a mise *narahat* – mal à l'aise –, et je lui dis que oui. Comme ma mère, elle me demande si je sais ce que je vais dire et je lui donne la même réponse, que c'est le condamné qui veut me parler.

Dans la prison, après les formalités, on nous emmène dans un bureau dont on nous dit qu'il est proche de celui du directeur, une précision dont je ne vois pas l'utilité. Il est clair et bien aéré, avec une grande fenêtre. Curieusement, je m'étais préparée à un cadre différent, peut-être quelque chose comme la pièce d'interrogatoire au *bazdachtgah* où j'avais été agressée. On apporte du thé, un verre est posé devant chacune de nous et un troisième pour la personne qu'on attend. L'employé met sur la table un petit bol en plastique contenant du sucre en morceaux et part. Tout de suite, la porte s'ouvre et Baradaran entre, non pas en uniforme de prison mais en jeans et polo, ses mains attachées dans le dos par des menottes. Il est quelconque, l'air tout à fait banal, cet homme qui me revient dans des rêves horribles. Il nous salue d'un *salam*. Le garde qui l'accompagne lui dit de s'asseoir et reste lui-même debout près de la porte. Le Dr Kazemi répond à son *salam* mais pas moi. Je me contente de regarder Baradaran. Ses cheveux sont plus courts et il a maigri. Il est assis en face de moi à cette table carrée au milieu de la pièce, sans trace de peur ou d'humilité mais pas non plus effronté ou débordant d'assurance. Ses yeux ne quittent jamais mon visage. Il ouvre la bouche une ou deux fois pour dire quelque chose mais ne le fait pas jusqu'à ce que le Dr Kazemi lui dise que sa demande de voir Khanom Afchar a mis celle-ci *narahat*, mais qu'elle a tout de même été assez bonne – *lotf kardand* – pour accepter, qu'il dise donc ce qu'il a à dire.

Baradaran, me fixant toujours, dit :

— *Sepas gozaram* – je suis reconnaissant. Ceci est le dernier acte de bonté que l'on aura envers moi en ce monde et je suis *sharmandeh* – honteux – que ce soit à cause de l'action la plus mauvaise que j'aie accomplie de toute ma vie. Dans trois jours, je serai parti pour toujours. Je n'ai plus peur, je mérite de mourir. Mais mes derniers instants seront plus faciles si je sais que Raha Khanom me pardonne.

— Vous êtes sérieux ? je demande.

Il est étonné. Il hoche la tête et répond, J'ai besoin de votre pardon.

— Aghaye Baradaran, je dis, la force de ma voix me surprenant moi-même. Vous vous souvenez de ce jour ?

— Oui, bien sûr.

— Vous vous souvenez de ce que vous avez fait ?

Il hoche encore la tête et dit, *baleh* – oui.

Sa voix résonne, très directe. Je me souviens de petites camarades à l'école élémentaire qui voulaient impressionner l'institutrice par leur sincérité, paraître appliquées et consciencieuses, des enfants désireuses de faire savoir que jamais elles ne perdraient leurs devoirs ou n'arriveraient en retard ou n'embêteraient leurs camarades et qui avaient cette même façon de vous regarder droit dans les yeux pour dire, Je suis bonne, je ne mens pas, je ne triche pas, je n'embête personne.

— Vous vous rendez compte du mal que vous m'avez fait ? J'étais une jeune fille *chad* – joyeuse. J'aimais la vie, un bel avenir m'attendait. Et je suis devenue quelqu'un qui a peur de tout. Je ne suis plus sûre de moi et je ne ferai plus jamais confiance à la vie, plus jamais je ne croirai quelqu'un. Le choc que j'ai reçu en tant que personne, je continuerai à en souffrir longtemps après que vous serez parti. Il restera là jusqu'au jour de ma mort.

Il a l'air moins sûr de lui, baisse les yeux, puis me regarde à nouveau et dit que tout ce qu'il veut, c'est mon pardon. Il n'a pas l'air de se souvenir que pour être pardonné, il faut regretter. Avant de partir, je veux la réponse à une question.

— *Tchera man ?* Pourquoi moi ? je lui demande.

Il ferme les yeux et serre les paupières, peut-être écarte-t-il des images qu'il ne veut pas voir, puis il me regarde directement et dit :

— Je ne sais pas. Vous étiez là.

Je me lève et dis au Dr Kazemi, *Berim* – partons.

Baradaran aussi se lève, maladroitement à cause des entraves.

— Raha Khanom, dit-il, avec cette fois dans la voix une trace de supplication qui n'y était pas auparavant, sachant que c'est là sa dernière chance.

— *Nemitounam*, je dis – je ne peux pas.

Il ramène ses mains menottées sur le côté et dit :

— *Aghalan*, au moins, voulez-vous me serrer la main ?

Je sors sans le regarder.

Il est pendu trois jours plus tard. Mes parents, qui entendent la nouvelle le matin, me l'annoncent dès que je me réveille. Ils ont jeté le journal et n'allument pas la télé mais malgré leurs efforts, dès la minute où je consulte mon mail, je vois que trois personnes au moins m'ont envoyé un lien vers YouTube. Incapable de ne pas regarder, je clique sur le lien et vois la vidéo terriblement nette de l'homme qui va être pendu et qui se tient debout sur la plate-forme d'un camion, face à une grue qui doit servir de potence. Me sentant avilie et honteuse mais quand même fascinée, je regarde quelqu'un arranger soigneusement autour du cou du condamné un épais nœud coulant bleu, comme un parent attentif mettrait une écharpe autour du cou d'un enfant avant de l'envoyer jouer dehors. Baradaran, qui ne porte pas de bandeau sur les yeux, est étonnamment calme, comme si ce qui se passait ne le concernait pas. Quand le camion se déplace, l'homme s'agite quelques instants, et c'est fini. Le corps de ce jeune homme barbare qui était si sûr de son pouvoir sur moi, qui ne savait pas qu'à un moment ou un autre nous devons rendre compte de nos actes, est à présent immobile. Cette vie est terminée. Je pose la tête sur mon bureau, luttant contre la nausée et une tristesse infinie. Il me faut un long moment avant de pouvoir relever la tête. Je ne sais pas pourquoi, je clique à nouveau sur le lien de YouTube. Ou il ne s'agit que de pur voyeurisme, ou je pense que retourner aux images de Baradaran vivant va renverser le cours de ce qui est arrivé. Il est là, respirant encore, du sang coulant dans ses veines, son cerveau conscient de ce qui l'entoure, de la foule de badauds, quelques-uns parmi eux criant des mots d'encouragement, disant qu'il ira tout droit au paradis, mais la plupart silencieux, se contentant d'attendre, massés autour du camion, tandis qu'un avion passe au-dessus dans le ciel d'un bleu profond. J'arrête la vidéo quand le nœud coulant est placé autour de son cou. Nous avons tous vu des vidéos de ces pendaisons par grue et entendu dire que ce n'est pas comme une pendaison ordinaire où les vertèbres cervicales se brisent instantanément, mais une lente strangulation. On peut faire confiance aux cerveaux malades de la république islamique pour trouver à améliorer le processus de pendaison.

Je continue à lire mes e-mails. Il y a un message de Kian, le sujet disant TOUT DROIT EN ENFER ! C'est une photo de Baradaran pendu, avec des flammes dansant autour de ses pieds. Je ne sais pas ce que Kian a utilisé comme logiciel mais l'image est assez frappante pour me faire trembler.

Dans un autre mail, Bardia me félicite, comme si je pouvais attendre des compliments pour cette horreur qui vient couronner toutes celles qui se déroulent dans notre pays. Quand je regarde en arrière la chaîne des événements qui nous ont menés jusque-là, les élections truquées, les gens se déversant dans les rues, remplis d'espoir pour quelque chose qu'ils n'atteindraient jamais, la répression des manifestants, l'agression que j'ai subie et, pour finir, la mort de ce garde pathétique, je trouve qu'il n'y a guère lieu de se féliciter ou de célébrer quoi que ce soit ; bien au contraire, tout cela me cause un profond chagrin. Je suis prostrée toute la journée. J'éteins mon portable, mon ordinateur et prends un livre sur l'architecture safavide. Les clichés, pris par un photographe de la revue *National Geographic*, sont superbes mais je ne peux pas me concentrer. Les images de l'homme pendu avec ce nœud coulant autour de son cou, les voix neutres des bourreaux occupés aux préparatifs : « Plus à gauche… attends, attends… Baisse, baisse encore, *khob* – bon… », comme s'ils étaient en train de travailler sur un chantier, continuent à se superposer aux mosaïques bleues de la Mosquée de l'Imam. Je vois de nouveau les badauds autour du camion, certains avec les lèvres étirées en un sourire dont je préfère penser qu'il est nerveux plutôt qu'une manifestation de vraie joie à voir un de leurs semblables tué devant leurs yeux. Les photos d'Ispahan me rappellent trop le fait que c'était durant le règne de la dynastie safavide du seizième siècle, la même qui a choisi la ville comme capitale et l'a suffisamment embellie pour que nous autres Iraniens l'appelions *nesfé djahan* – la moitié du monde –, que le répugnant chiisme a remplacé la religion sunnite officielle du pays.

Dans la soirée, comme je suis avec mes parents au salon, nous tous encore une fois d'humeur sombre et silencieuse, le téléphone sonne plusieurs fois sans qu'aucun de nous ne décroche, puis je le fais et j'entends la voix de Pari, joyeuse et satisfaite, disant, *Didi tché yarou ro darech zadan* – tu as vu comme ils l'ont pendu, le bonhomme ? Elle est déconcertée par mon manque d'élan, d'autant plus que ma mère, à qui elle demande à parler ensuite, ne partage pas non plus son enthousiasme. Quand je vais à la cuisine aider à apporter le dîner, je vois un journal qu'ils ont oublié de jeter. La première page ne contient qu'un titre, CHARMANDEH – honteux –, le seul mot que Baradaran a prononcé quand on lui a passé le nœud coulant autour du cou, et une photo de lui pendu. Peu après le dîner, Homa passe. Plus sensible que sa sœur, elle me connaît aussi mieux et se doutait que je ne serais guère heureuse de ce qui est arrivé aujourd'hui. Nous nous asseyons sur un sofa dans le living, elle me serre dans ses bras et me dit que c'est fini à présent, que je dois commencer à oublier. Je n'ai ni le cœur ni la force de lui rappeler l'évidence, à savoir que rien de tout cela ne sera jamais oublié.

Lorsque je retourne à ma chambre, ma mère vient me

dire que Hossein est sur la ligne fixe. Je rallume mon portable et lui dis de demander à Hossein de me rappeler sur mon numéro. Quand il le fait, il dit qu'il ne va pas me garder longtemps mais qu'il voulait juste s'assurer que j'allais bien et que tout ceci n'était pas trop dur pour moi. Lui aussi me connaît assez pour comprendre que l'exécution de Baradaran ne me procure aucune joie. Après quoi, il n'appelle plus pendant environ une semaine et quand il le fait, c'est pour me demander si je veux aller avec lui rendre visite à Mina. Elle est seule à présent, sans le bonheur des visites hebdomadaires de son fils mais soutenue par l'idée qu'il n'est plus en danger.

— *Tché ali*, je dis – quelle bonne idée !

Il vient me chercher une heure plus tard et nous conduit jusqu'à Salsabil. Il gare sa voiture sur l'avenue principale et nous continuons à pied jusqu'à la maison. C'est une rue avec un *djoub* – un ruisseau – au milieu. Je demande à Hossein si ça ne lui rappelle pas la rue où il m'a sauvée, la première fois. Il dit que oui mais qu'il y a beaucoup de rues semblables dans ces quartiers. Il est étonné que je m'en souvienne.

Comme nous allons vers la maison, lui portant la boîte de gâteaux que nous avons achetés en route, il me dit ce qu'il a déjà mentionné, qu'il avait vu Mina plusieurs fois avant le procès afin de discuter de la possibilité pour elle de témoigner si on pouvait trouver un moyen de faire sortir son fils du pays.

— Je ne lui ai jamais parlé d'Agha Chahrvandi. Tu sais comment c'est. Si les gens pensent qu'ils ont accès à un *parti* à même de les aider, les demandes ne cessent pas.

Il frappe à la porte et nous entendons les pantoufles de Mina traîner dans la cour. Elle ouvre la porte avec un grand sourire. Comme nous commençons nos salutations, nos voix sont couvertes par la pétarade bruyante d'une moto qui arrive à fond de train. Hossein me pousse contre le mur et s'y plaque lui-même pour nous éviter d'être heurtés. Je distingue confusément deux hommes avec des mouchoirs tirés sur le bas du visage qui s'arrêtent à peine devant nous, leurs pieds sur le sol pour stabiliser la moto, puis nous entendons trois coups secs et la moto repart. Stupéfaite, clouée sur place, je ne bouge pas jusqu'à ce que Hossein regarde par la porte entrebâillée et crie, *vay, vay kochtanech* ! Ils l'ont tuée !

Nous entrons et nous agenouillons à côté d'elle, la pauvre Mina, tombée sur le dos, là, dans sa propre cour, ses yeux ouverts fixés sur le ciel. Le bas de son pyjama d'intérieur et le tee-shirt décoloré qu'elle porte sous son *tchador* ouvert sont trempés du sang de ses deux blessures à la poitrine. Une troisième balle lui a frappé la tempe, mais cette dernière blessure saigne à peine.

Hossein appelle la police et parle quelques instants, puis me dit qu'ils arrivent. Pendant que nous attendons, je m'assieds sur les genoux à côté du corps de Mina, lui caresse le bras, murmure son nom, la remercie pour toute l'aide qu'elle m'a apportée après l'agression et pendant le procès. Qu'est-ce qu'une femme comme elle a eu dans sa vie tout entière, quels bons moments de satisfaction, de bonheur ? Tout ce qu'elle a connu, ç'a été la vie sous un odieux régime répressif, son fils unique rejoignant un groupe politique interdit, puis arrêté, passant des années en prison, risquant toujours la torture, ou même l'exécution, alors que sa mère ne pouvait pas trouver d'autre travail que celui, détesté, qu'elle faisait depuis des années et pour lequel elle se méprisait elle-même. Et à présent que son fils était parti et se trouvait en sécurité, à présent que les choses auraient pu changer, elle était assassinée. Hossein, qui essuie des larmes, dit qu'à son avis, c'est le frère de Baradaran et d'autres parents qui sont responsables.

— Tu peux essayer de savoir ? je lui demande.

— Personne ne voudra les toucher. Cette affaire est terminée, ils ne relanceront pas quoi que ce soit.

Nous entendons les sirènes. Comme les forces de sécurité entrent dans la cour, nous nous relevons. Hossein n'est pas en uniforme, il se présente donc aux hommes, leur montre sa pièce d'identité, leur dit que j'étais *mihman* – invitée – chez Mina –, qu'il va me raccompagner à la voiture et revenir leur dire ce qui s'est passé. L'officier principal et un ou deux des *ma'mour* me jettent un coup d'œil curieux, me reconnaissant peut-être puisque cela fait des mois que je suis sur internet et dans tous les journaux, mais personne ne dit rien.

Parfois, dans un éclair de lucidité, quand je ne suis pas prise dans le courant normal des jours, je me vois, je vois le changement qui s'est produit en moi, et cela me remplit de tristesse. Le mieux que je puisse espérer, c'est de m'accoutumer à ce nouveau moi. Mais il n'y a pas de doute, quelque chose y est mort. La plupart du temps, je ne veux même pas parler à quiconque, partager des souvenirs, des pensées sur le présent ou un espoir pour l'avenir. Je n'ai envie de rien faire, rien ne m'attire. De plus en plus, je ne me trouve pas d'humeur ou suis incapable de participer, d'agir, de faire des choses dans lesquelles je n'aurais pas hésité à me lancer, avant. Je suis devenue plus hésitante, je dois me forcer à quitter la maison, comme si je ne savais pas ce qui peut arriver d'un jour à l'autre. La politique ne m'intéresse plus. Je pouvais continuer à m'y intéresser tant qu'il existait une possibilité de changement, jusqu'à mon arrestation. Je sais à présent qu'il n'y aura pas de changement, ou que cela arrivera quand trop de temps aura passé et que je serai loin et que cela ne m'importera plus.

Des gens continuent à essayer de modifier le cours des choses, des journalistes courageux, quelques intellectuels, je suppose, des observateurs de la vie politique dans ce pays, si tant est que quelque chose mérite ce nom ; des gens qui s'y connaissent plus que moi ou qui sont plus âgés et qui ont connu davantage de hauts et de bas, des gens qui ont montré moins d'enthousiasme que moi au départ et qui sont maintenant moins défaitistes que je ne le suis devenue. Que je ne puisse plus croire en une cause n'est pas seulement le résultat de ce qui m'est arrivé personnellement. J'ai beau essayer de rester positive et de regarder vers l'avenir, je crois que c'est sans espoir, que nous ne pouvons nous battre contre le consternant système sous lequel nous vivons dans la république islamique, si l'on peut appeler cela vivre. Je ne parle pas de mon découragement, même pas avec les copains lors des rares occasions où je les vois. Ça, c'est encore autre chose. Je ne m'amuse plus avec eux et je sens bien qu'ils ne sont pas à l'aise avec moi. Il y a parfois une question, comme ça, en passant. Ils me demandent ce que j'ai, ou bien disent, Tu n'étais pas comme ça, puis s'excusent, se souvenant de ce que j'ai traversé. Je leur dis que ce n'est pas ça, que ce n'est pas personnel, puis je parle de mon sentiment de vide et ils disent, bien sûr que c'est ça, c'est à cause de ce qui est arrivé. Ils évoquent encore les mérites relatifs de Moussavi ou d'un autre. De temps en temps, ils parlent de moi, me disent que j'ai été très courageuse, que tout le monde m'admire, que j'ai fait ce que personne n'avait osé faire auparavant. Je ne me sens pas du tout courageuse et, étant donné toutes les histoires qui apparaissent sur l'internet et dans la presse, surtout depuis l'exécution de Baradaran, je crois qu'on peut dire que je ne fais pas l'objet de l'admiration universelle, loin de là. Je ne sais même plus qui je suis, ce que je dois être, ce que je dois faire. Ma route semblait toute tracée. Je voulais être architecte, c'est tout. L'idée de dessiner un projet, de voir construire une structure imaginée par moi, puis créée, et enfin de me voir moi, l'architecte, debout devant le projet réalisé et mené à bien, c'était tout ce que je voyais, tout ce que je voulais accomplir, tout le reste était secondaire. Mais maintenant ? Une fois en Amérique, si jamais j'y arrive, serai-je capable de reprendre là où j'ai arrêté ? Pourrai-je me payer des études supérieures ? Que deviendront ma vie, ma famille, mes amis ? Et si je ne pars pas, qu'est-ce qui reste ici pour moi ?

Atossa va avoir vingt-trois ans samedi prochain mais elle fête son anniversaire jeudi, pour que nous puissions dormir le lendemain. Avec d'autres amis, j'aide sa mère dans les préparatifs pour la grande fête. Nous cuisinons des tonnes de nourriture, ce qui est aussi bien, parce qu'il vient beaucoup plus de monde que prévu. La foule arrive tard, comme toujours, longtemps après neuf heures. La famille d'Atossa vit dans une de ces grandes belles maisons datant d'il y a plus de cent ans comme on en trouve encore parfois à Chemiran, dans les ruelles au bout de

Ferechteh, après les dernières tours. Toutes les pièces du bas sont bientôt pleines d'invités. Le volume élévé de la musique, les voix, les rires, tout cela fait beaucoup de bruit qui augmente exponentiellement au fur et à mesure que les gens boivent. Contre toute attente, je m'aperçois que je m'amuse. Je porte une robe que j'ai achetée pour l'occasion, une imitation d'un modèle Alexander McQueen que j'ai trouvée dans une boutique à Tandis, une robe sans bretelles avec une jupe ample rouge foncé, couverte de petits rubans de mousseline légers comme des plumes. Le dîner est servi tard, après onze heures et demie. Je meurs de faim. Je remplis mon assiette au buffet et me dirige vers Mazyar et Atossa qui sont assis à une table ronde avec leurs cousins mais je suis interceptée en route par Kian, que je n'avais pas vu jusque-là. Il m'embrasse sur les deux joues, disant *salam khochgueleh* – bonjour la belle. Je m'écarte et, plutôt pour dire quelque chose que par réel intérêt, je lui demande quand il est arrivé. Il dit :

— Là, à l'instant. J'allais ne pas venir, et puis je me suis dit que tu serais là et j'avais envie de te voir. Tu me manques.

Il a bu. Il sent fort l'alcool et son regard est vague. Il me dit, Viens, on va s'asseoir ensemble.

Je réponds que je suis avec les *batchéha* et lui suggère de se servir et de se joindre à nous.

— Je n'ai pas envie de manger. J'ai envie d'être avec toi, j'ai envie de te regarder.

La situation est on ne peut plus désagréable. Je n'ai pas du tout envie qu'il soit avec moi. Je lui dis encore de venir s'asseoir avec nous mais il insiste pour que nous restions tous les deux seuls. Je ne sais pas comment me débarrasser de lui et le suis donc vers des chaises vides où nous nous asseyons. Je commence à manger mais il me prend tout le temps la main.

— Ne fais pas ça, je dis. Je veux manger.

— Bon, d'accord. Si la nourriture est plus importante...

— Plus importante que quoi ? je dis, commençant à me fâcher. Que toi ?

— Que me parler.

— En fait, oui, je dis. J'ai vraiment faim, et de toute façon je n'ai pas grand-chose à te dire.

Il bat en retraite pendant une minute au moins, puis redevient tout enjoué.

— Est-ce que je te manque ? demande-t-il.

Je ne peux pas croire qu'il soit en train de flirter.

— Tu veux la vérité ?

— Bien sûr.

— Non, tu ne me manques pas.

— *Choukhi mikoni* – tu plaisantes !

— Non, tu ne me manques pas. En fait, je ne pense pas à toi.

Il n'a toujours pas l'air de me croire.

— Comment est-ce que tu peux ne pas penser à moi ? Moi je pense à toi, à comment c'était avant, comment ça pourrait être de nouveau, même mieux.

— Ça, ça n'arrivera pas, je dis, et je veux me lever.

— Tu ne devrais pas dire jamais, Raha. Tu dois te rendre compte que ça a été très difficile pour moi.

Comment ai-je pu ne pas le voir pour ce qu'il était ? Ou bien est-il devenu comme ça à cause de tout ce qui est arrivé ? Je n'ai pas de réponse ? Suis-je moi-même la Raha que j'étais il y a quelques mois ? Comment est-ce que nous pouvons savoir comment les gens réagiront dans des circonstances données, de quoi les gens sont faits – dans quelle mesure ils peuvent être forts, faibles, honorables ? Tout ce que je sais, c'est que Kian, qui était si important dans ma vie, n'est plus rien, est devenu la personne la plus ordinaire, la moins intéressante qui soit. Je ne veux pas le voir ni lui parler, ni même être consciente de son existence. Ce qu'il vient de dire me révolte.

— Ça a été très difficile pour *toi* ?

Aussi ivre qu'il soit, il a l'air de saisir à quel point ses mots ont été malavisés. Il me regarde, l'air indécis, puis s'enfonce encore plus :

— Quand un homme est *ba gheirat* – a un sens de l'honneur –, découvrir que sa fiancée est...

Je me redresse d'un bond, furieuse.

— Je ne veux pas t'entendre. Je m'en fous complètement que ç'ait été difficile pour toi. Et laisse-moi te dire qu'être *ba gheirat*, c'est rester aux côtés de la personne qu'il est supposé aimer.

— J'ai essayé, crois-moi, j'ai essayé.

Je suis si en colère que je ne veux qu'une chose, m'en aller. Je pose mon assiette toujours pleine sur une desserte, ne dis au revoir à personne, vais récupérer mes jeans, mon *manto* et mon foulard, me change, et pars. Dans la voiture, je retourne tout le temps dans ma tête quelque chose qu'il a dit et qui accroche. Je m'en souviens tout d'un coup et frappe le volant si fort que j'en ai mal aux mains. Quand il a dit que nous pourrions être ensemble, que ce serait même meilleur qu'avant, ce qu'il voulait dire, c'est que maintenant nous pouvons coucher ensemble puisque je suis abîmée, que je ne suis plus vierge. C'est ça qu'il voulait dire, le salaud ! Il n'était pas du tout en train d'essayer de réparer nos fiançailles brisées, tout ce qu'il cherchait, c'était une coucherie facile.

Hossein

Je continue à espérer contre tout espoir que Raha se rendra compte que sa vie est en Iran et se décidera à rester, et puis un jour elle me dit qu'elle veut partir. Elle a besoin d'un passeport. Ils ont ce parent, le mari de sa tante Pari, qui pourrait sans doute l'aider à en avoir un mais elle dit qu'ils préfèrent ne s'adresser à lui que s'il n'y a pas moyen de faire autrement. Donc, encore une fois, c'est sur moi que ça retombe, je vais devoir parler à Agha Chahrvandi. J'hésite pendant deux jours, ne sachant comment lui présenter une nouvelle requête concernant Raha. Je m'y force et, balbutiant, lui demande cette faveur. Je suis étonné et soulagé quand non seulement il ne montre pas la moindre irritation mais au contraire semble content.

— Ça, je peux le faire et j'en serais heureux. Je la veux hors de ce pays et hors de ta vie. Laisse-moi quelques jours, je te préviendrai.

À peine trois jours plus tard, il me donne le nom de quelqu'un à l'*edareye gozarnameh* – le bureau des passeports – qui attend la visite de Raha. Je le remercie plusieurs fois mais mon *dayi* est assez fin pour lire en moi comme dans un livre ouvert et, j'en suis sûr, il sait que si je suis content pour Raha, je veux aussi mourir à l'idée qu'elle va partir si loin. Il me dit :

— Ce n'est pas ce que tu voulais ?

— *Albateh*, je dis. Bien sûr. Ceci est un *kare kheir* – une bonne action. Raha et sa famille vont vous être très reconnaissants.

— Mais toi, tu ne m'es pas reconnaissant.

— Bien sûr que si, *dayi djan*.

Il veut que je l'accompagne à un meeting du *etela'at*, l'organisation de sûreté. Comme nous nous dirigeons vers la voiture, avec le conducteur et le garde derrière nous, il me regarde, mâchonnant sa lèvre inférieure, hésitant à parler, puis dit, *Ma ham djavoun boudim* – moi aussi, j'ai été jeune.

Je ne réponds pas. Il ajoute :

— Nous vivons dans un environnement difficile mais tu apprendras bien assez tôt, ou tu le sais déjà, que chaque bonne chose qui arrive est accompagnée de quelque chose de moins bon.

Il pose une main sur mon épaule :

— L'inverse du *ghazieh*, de la question, est également vrai. Avec quelque chose de mauvais arrive aussi quelque chose de bien.

Je sais que c'est malpoli de ma part, mais je ne peux m'empêcher de murmurer :

— *Bavar nekikonam* – je ne crois pas.

Dans la voiture, tout le long de la route jusqu'à l'avenue Ghaffary, il parle de sa philosophie de la vie, me donne des conseils, évoque ses souvenirs d'une autre époque. Puis nous sommes bloqués dans la circulation près de Seyyed Khandan et il se tait, regardant par la fenêtre.

Raha

Ma décision de quitter l'Iran se prend pratiquement toute seule. Je me demande si je dois le faire, puis je me persuade que ce n'est pas une bonne idée, et finalement je me réveille un matin en sachant que je vais partir. Mais j'ai besoin d'un passeport. Nous pourrions parler au mari de Pari, mais comme il n'est pas très ouvert aux requêtes, je me tourne encore une fois vers Hossein. Il m'appelle quelques jours plus tard pour me dire que je peux me présenter au bureau des passeports. Je pensais qu'obtenir un passeport prendrait longtemps, que j'entendrais cent fois le *boro, farda bia* – reviens demain –, la phrase bien connue de quiconque a affaire à l'administration. Mais en deux temps, trois mouvements, je tiens mon passeport et je planifie mon voyage avec l'aide de mes parents, après d'innombrables appels à nos relations aux États-Unis. J'irai d'abord à Istanbul, puisque les Iraniens n'ont pas besoin de visa pour la Turquie. Le consulat américain là-bas m'a fixé rendez-vous. Pour être sûre que tout est en ordre et que j'ai tous les documents nécessaires, nos parents américains ont pris un avocat spécialiste de l'immigration qui leur a assuré qu'étant donné mes antécédents, obtenir le statut de réfugiée politique aux États-Unis ne devrait pas poser de problème. Je vais rester quelque temps chez Gita, à Philadelphie, puis aller chez nos cousins. Nous avons aussi d'autres parents qui m'invitent chez eux, j'ai donc différentes options pour le proche avenir, jusqu'à ce que je décide ce que je veux faire et où je veux m'installer.

Nous avons tout le temps des visiteurs, certains accompagnés de gens que nous connaissons à peine, qui viennent nous marquer leur sympathie ou sont là par simple *fozouli* – curiosité. Amou Djamchid, plus triste qu'il ne veut le montrer à l'idée de me voir partir, dit que beaucoup de ces gens saisissent l'occasion de me voir de près parce qu'ils n'avaient pas d'excuses pour m'approcher après le procès et le cirque médiatique. Il a peut-être raison, mais dans l'ensemble les gens sont bienveillants, ils m'apportent des fleurs et des cadeaux, des vœux et beaucoup de conseils. À les entendre, on pourrait croire que chacun d'eux a subi les mêmes épreuves que moi mais en bien pire et a dû prendre ce genre de décision pour son avenir, mais beaucoup plus importante, plus réfléchie, et planifiée plus intelligemment. Bon, ne sommes-nous pas, tout un chacun, au centre de l'univers et ne sommes-nous pas, tout un chacun, le plus astucieux, le mieux préparé, le mieux informé, et bien entendu le plus sage des êtres ? Je remercie abondamment pour les fleurs et les cadeaux, montre ma reconnaissance pour ces conseils si utiles, aide ma mère à servir le thé et à disposer la nourriture sur la table, à éplucher des fruits et à les arranger joliment sur de grands plats, et en général n'écoute pas trop. Mon esprit est loin, en fait déjà en Amérique.

Homa vient souvent. Elle essaie de passer avec nous tout le temps où elle ne doit pas être à l'hôpital et rentre chez elle seulement le soir. Kian vient aussi une ou deux fois, avec Atossa et Bardia et le reste des *batchéha*, se montrant discret et réservé. Nous ne sommes jamais seuls et ni lui ni moins ne faisons allusion à sa tentative de séduction. Sa présence ne me gêne pas, en fait je n'y prête pas attention. Nous bavardons tous ensemble, mangeons et buvons et parfois regardons un film.

Quand j'ai mon billet, j'appelle Hossein pour le lui annoncer. Il me dit qu'il est content pour moi, mais je le connais suffisamment pour entendre dans sa voix le *khach* – l'enrouement – indiquant bien la différence entre dire qu'il est heureux pour moi et être heureux tout court. Je ne veux pas penser à ce que le fait que je quitte l'Iran signifie pour lui. Je ne veux même pas penser à ce que ça signifie pour moi à beaucoup de niveaux.

De plus en plus, j'entends les gens dire que les choses ne vont pas durer comme elles sont, qu'un changement radical s'annonce. J'entends aussi beaucoup parler de l'importance grandissante du *sepah* – les Gardiens de la Révolution –, et de ce que le pays deviendrait sous une dictature militaire. Amou Djamchid dit qu'il existait autrefois bien plus de dictatures et de régimes répressifs et que même si le monde nous apparaît en bien mauvaise voie, la direction générale semble mener vers une amélioration.

— Les choses changent, dit-il. Ça peut être notre consolation et notre espoir. Les mauvais régimes ne durent pas toujours, ils tombent. Un jour, il y aura un Iran dans lequel nous pourrons vivre. Ma génération ne le verra peut-être pas, mais la tienne sûrement.

Il pense toujours qu'à cause de la prise de pouvoir grandissante des Gardiens, les choses vont d'abord empirer avant de s'améliorer.

— Tu n'as pas entendu parler de régimes militaires mais

il y en avait beaucoup au vingtième siècle – en Amérique latine, en Afrique et même, brièvement, en Grèce. Mais au moins ils n'avaient pas de dimension religieuse, ce que le pays aura ici si les Gardiens prennent le pouvoir. Il ne faut pas oublier que les Gardiens sont également des islamistes. Peut-être pas virulents, mais assez pour servir leur but, qui est de garder le peuple soumis. Pendant un certain temps, donc, l'Iran ne sera pas seulement une dure dictature militaire ou paramilitaire mais aussi une dictature islamiste extrémiste.

Je dis à Hossein que je le retrouverai au parc. Avant de raccrocher, je dis :

— Hossein…

— Je sais, dit-il. Pas d'uniforme.

Je ris pour donner le change.

— Non, ce que j'allais dire, c'est que nous ne nous dirons pas au revoir. Pas plus que les autres fois. Pas un au revoir définitif.

La pluie qui est tombée toute la matinée, tout à fait hors de saison, s'est enfin arrêtée, laissant dans l'air une délicieuse odeur de terre mouillée et de feuilles, mais l'humidité s'évapore bien vite au soleil. Hossein est appuyé à un arbre, près du banc où nous nous asseyons d'habitude. Comme je m'approche, le soleil qui luit entre les branches éclaire son visage tourné vers moi et ses épais cheveux bruns, sans gel et sans apprêt, longs sur les oreilles. Là où les garçons que je connais passent des heures à travailler le look recherché, Hossein n'a aucune idée de ce que veut dire être conscient de la mode. Aujourd'hui, il porte un pantalon marron informe et brillant d'usure, une vilaine chemise gris foncé avec de minces rayures rouges et des chaussures éculées, déformées. Il me tend la main, pour la première fois, et je la serre, espérant que la police des mœurs n'est pas dans les parages, surtout qu'il tient ma main un instant avant de la relâcher. Mais ce ne serait pas forcément un problème si nous étions interpellés. Se promener avec un *sepahi* a ses avantages.

— *Khoubi ?* je lui demande. Tu vas bien ?

Il fait oui de la tête et me demande si je veux aller dans un café, mais je dis que je préfère rester ici, dans le parc. J'aime bien le fait que nous soyons presque seuls, que les rares personnes présentes soient assez loin. Nous suivons une allée, nos corps se touchent une ou deux fois, tout à fait par hasard, et nous nous écartons l'un de l'autre, mais sans embarras. Il m'interroge sur mes projets. Je lui parle de mes parents dans différentes régions d'Amérique et que je dois décider si je veux poursuivre mes études d'architecture. Il écoute attentivement mais il y a autre chose, un autre sujet que nous allons bien devoir aborder. Je ralentis le pas et dis son nom mais lui, se méfiant d'un changement d'humeur, lève la main à moitié et dit :

— Non, ne dis rien.

— Mais je dois parler. Je veux te dire que si tu n'avais pas été là, je serais morte, je ne serais pas en train de te parler, de me préparer à une nouvelle vie.

— Non, ne dis pas ça. C'est Dieu qui t'a sauvée. Tu es une personne trop bonne pour qu'il t'abandonne.

Je dis que Dieu m'a abandonnée moi et abandonné ce pays il y a longtemps. J'entends ma voix, aiguë et réduite à un filet, comme toujours quand je suis émue, mais je n'y peux rien.

— Il n'y a pas de Dieu, Hossein. Je ne crois pas en Dieu.

Si jamais j'y ai cru, j'ai arrêté quand j'ai atteint un âge où je pouvais voir ce que ce régime faisait en son nom.

Il devient pâle :

— *Kofr nagou* – ne blasphème pas ! Bien sûr que tu crois en Dieu, comment pourrais-tu ne pas y croire ?

— Hossein djoun, il y a beaucoup de gens au monde qui ne croient pas en Dieu.

Il est profondément choqué, j'en suis sûre, et m'a l'air tout à fait perplexe à l'idée que ce soit même possible de ne pas croire en Dieu. Nous faisons quelques pas en silence, puis je trouve des remarques à formuler sur les parterres de fleurs qui sont joliment disposés et il fait un effort pour participer, mais les fleurs n'ont pas l'air de l'intéresser. Il me pose des questions sur mon voyage, me demande combien de temps je serai à Istanbul et quelle sera ma destination finale en Amérique. Une bourrasque hors de saison secoue les arbres et je me sens frissonner malgré la température élevée.

— *Sardet shod ?* dit-il – tu as froid ?

Je ris et dis que non, c'est une chaude journée d'été.

— Tu as l'air d'avoir froid, dit-il, et il s'excuse de ne pas avoir une veste qu'il pourrait me passer. Puis il sourit et me dit qu'elle ne serait pas à ma taille, que je suis tellement *tarkei* – mince. C'est la première fois qu'il fait une remarque relative à mon physique, et je sens une vague de chaleur se répandre dans ma poitrine. Je suis déconcertée par ce sentiment et pendant une courte minute me demande s'il n'est pas possible qu'en fait ma place soit ici, si partir n'est pas une grave erreur. Je lui demande s'il pense que nous pouvons jamais, quand nous faisons un choix, savoir que c'est à cent pour cent le bon choix et aussi savoir que non seulement c'est le bon choix quand nous le faisons mais que ça le restera quand nous regarderons en arrière des décennies plus tard. Il dit qu'il ne comprend pas, et est-ce que faire un choix n'implique pas forcément écarter une autre possibilité qui pourrait être tout aussi bonne ? Nous continuons à nous promener, ne disant pas grand-chose ou pas grand-chose de ce que nous pourrions dire. Nous prononçons quelques mots sur le procès et l'exécution de Baradaran qui me hante toujours mais abandonnons vite le sujet, ne voulant pas que notre humeur assez spéciale change.

Hossein me demande si j'ai jamais été en Amérique, ce qui en fait ne m'est pas arrivé.

— Mais tu dis que tu as des *famil* là-bas – des parents.

— Oui. Le cousin de ma mère s'y trouve, et aussi des parents plus éloignés. Ils ont tous quitté l'Iran il y a longtemps et leurs enfants sont nés là-bas et ils ont mon âge maintenant, donc je ne connais même pas mes cousins.

— Il y a beaucoup de familles brisées comme ça, dit-il. Les gens vivent sur des continents différents. J'ai moi-même des parents en Autriche et en Suède.

— Mes parents me disent qu'autrefois, lors d'événements comme un mariage ou un anniversaire, il y avait tant de gens qui se réunissaient que la famille étendue comptait des douzaines, peut-être des centaines de gens. Maintenant, c'est juste quelques personnes. Tout le monde est toujours au téléphone ou sur Skype en train de parler à leur parentèle à l'autre bout du monde.

Il me demande si je reviendrai pour des vacances, peut-être, ou pour le *eyd*.

— Je suppose que oui, je dis. Un jour. Mais je ne sais pas quand. Mes parents viendront me rendre visite, je les verrai là-bas. Je recevrai un visa de réfugiée pour les

États-Unis, puis j'aurai ma carte verte, et après ça, ça prendra quelques années avant que j'obtienne la nationalité américaine.

— Donc tu ne seras même plus iranienne ?

— Bien sûr que je serai iranienne. Je serai toujours iranienne. Mais je serai aussi américaine et je ne me montrerai pas ingrate vis-à-vis d'un pays qui m'accueille quand il me devient impossible de vivre dans mon propre pays. Et puis, avec un passeport américain, je pourrai voyager n'importe où. Les gens me regarderont autrement. Pour l'instant, le monde pense que les Iraniens sont seulement à moitié civilisés, à moitié humains.

— Les Américains pensent ça ?

— Je ne sais pas. Sans doute.

— Comment peux-tu choisir de vivre dans un pays où les gens pensent ça ? demande-t-il. Tu ne trouves pas ça insultant ?

— Ils ne m'insultent pas moi. Ils ont une vue négative du régime, et ils ont raison. L'Iran ne leur donne pas, ni au reste du monde d'ailleurs, des raisons de penser autrement. De toute façon, d'après ce que j'entends, les Américains ne sont pas forts en géographie. Ils ne savent pas qu'il y a tous ces pays à part le leur, que l'Iran est un vrai pays avec un vrai peuple. En fait, ils ne pensent pas du tout à nous.

— Ils ne pensent pas à nous alors que nous pensons à eux tout le temps ? demande Hossein.

Il a l'air si abattu que ça me fait rire.

— C'est comme ça maintenant mais ça changera un jour. Écoute ça, je me souviens qu'une de nos parentes racontait avoir une copine qui travaillait à l'aéroport de New York

– il y a longtemps de ça, c'était avant la révolution –, et cette copine connaissait les horaires de la compagnie Iranair, alors chaque fois qu'un avion arrivait de Téhéran, elle et les autres employées femmes s'arrangeaient pour être présentes quand ces charmants jeunes gens, sophistiqués, riches et courtois, débarquaient, espérant décrocher un mari, ou tout au moins un petit ami. Après la révolution, c'était tout le contraire. Les gens évitaient de travailler là à cause de tous ces *vahchis* – ces sauvages – barbus et avec des expressions méchantes, l'air de terroristes, arrivant d'Iran. Et puis les vols d'Iranair n'ont plus atterri en Amérique.

Hossein devient rouge de colère :

— *Vahchi* ? Tu penses que cette femme avait raison ? Tous ces gens qui ont suivi l'Imam, qui ont soutenu la révolution, c'était des sauvages ? Toi aussi, tu crois ça ?

— Je ne sais pas. Je n'étais pas née, toi non plus. Mais quand j'entends parler d'Iraniens si attirants et élégants que ces filles étrangères voulaient sortir avec eux, c'est comme si on parlait de gens venus d'ailleurs.

— Les filles étrangères sont immodestes. Si j'avais une sœur et qu'elle pensait comme ça...

Il ne termine pas sa pensée mais poursuit :

— Tu aurais aimé vivre à cette époque ? Quand les Iraniens étaient *massalan* – soi-disant – civilisés ?

J'entends encore un peu de colère dans sa voix mais il ne reste jamais longtemps ébranlé ou fâché.

— Non, dis-je. Ça ne veut rien dire pour moi, imaginer d'autres époques, une vie différente... Comment savoir ? C'est maintenant que je vis.

— Mais tu n'aimes pas ce qui se passe.

— Pas vraiment. Il n'y a pas grand-chose à aimer.

— Je suis désolé, dit Hossein. Je sais. *Sakhteh* – c'est difficile –, surtout pour toi.

— Non, pas surtout pour moi. Pour tout le monde. Pourquoi, ça te plaît, à toi ? Mais c'est différent pour toi. Tu fais partie du système.

— Quel système ? demande Hossein.

Nous tournons l'un autour de l'autre en exécutant de petits cercles, exprimant en paroles des versions édulcorées de ce qui nous préoccupe, gardant pour nous beaucoup plus de pensées non exprimées. Nous vivons dans une société où existent trop d'impossibilités. Comme tout le monde ici, nous ne disons pas ce que nous pensons et osons parfois à peine penser, de peur des conséquences, de représailles, de châtiment. Nous transposons dans notre vie privée les habitudes que nous avons prises dans notre vie publique. Je me sens étouffer de ne jamais pouvoir exprimer ce qui est dans mon cœur. Je suis oppressée par toutes ces années à toujours faire attention, à toujours essayer de sentir les limites de ce que je peux dire ou être. Nous nous comportons tous comme ça, ça fait partie de ce que nous sommes devenus. Je comprends tout à fait ce que dit mon oncle Djamchid quand il parle de régimes répressifs ou totalitaires, ou de la dictature grotesque que nous avons ici. Qu'est-ce que ça voulait dire, dans ce contexte, ces manifestations, ces slogans ? Qu'est-ce qu'ils pensaient, ces gens portant du vert, qu'est-ce que je pensais, moi ? Que les choses pouvaient changer ? Que nous pouvions parler, écrire, agir sans avoir peur ? Ça ne marche pas comme ça. Pas pendant longtemps. Les gens sont réprimés parfois pendant des décennies, écrasés par un régime aussi stupide que dénué d'humanité. Puis, du jour au lendemain, la pression accumulée fait tout exploser, les portes des prisons s'ouvrent, les murs s'écroulent, un ordre impossible est détruit et disparaît sans qu'il en reste même la poussière. L'oppression est condamnée, je le sais. L'Histoire est notre assurance sur l'avenir.

En attendant, nous nous taisons, nous nous cachons nos pensées, aux autres comme à nous-mêmes, nous ne disons pas ce que nous voulons. Nous pensions devenir libres. Ce n'est pas arrivé et nous nous retrouvons là où nous étions, et même pire. Avant, le peuple avait peur du régime, maintenant ça va dans les deux sens et le régime a peur des gens, ne sachant pas jusqu'où il peut les pousser avant de risquer l'explosion, donc, contre toute logique, il les pousse encore davantage. Mais qui peut parler de ces choses ? Même là, avec Hossein, je ne peux pas discuter librement, parce que nos mondes sont trop différents. Nous ne pouvons pas parler de nous-mêmes, nous ne pouvons pas exprimer d'émotions, et je ne peux pas parler de grand-chose d'autre, de peur de lui faire du mal. C'est dans ce système que nous vivons, c'est ce qu'il a connu toute sa vie. Moi non plus, je n'ai rien connu d'autre, mais au moins je suis consciente qu'il y a d'autres façons de vivre.

Je lui parle de ses projets à lui. Il dit qu'il espère quitter le *sepah*. Quand je lui demande pourquoi, il dit que l'organisation devient trop puissante.

— Tu n'aimes pas la puissance ?

— *Aslan* – pas du tout. Tu sais que je n'aime pas ça. Je ne veux pas de pouvoir pour moi-même et j'ai peur d'être forcé d'agir pour les gens qui en ont, d'être obligé de faire des choses que je ne veux pas faire.

— Alors, c'est quoi ton avenir ?

— Je ne sais pas. Peut-être retourner à Abadan.

— Tu ne dois pas t'occuper de ton frère ?

Il me surprend en me disant que son frère devra trouver une solution.

— J'ai toujours pensé à mon devoir envers lui avant tout, dit-il, mais les choses ont changé. Je ne peux plus faire ça.

— Vous avez encore la ferme ? je demande.

— Quelqu'un s'en occupe pour nous, mais je ne sais pas s'ils me laisseront la reprendre.

Nous marchons encore un peu, puis je dis que je dois rentrer, qu'il se fait tard.

— Quand est-ce que tu pars exactement ? me demande-t-il.

Je lui dis le jour et l'heure, puis m'arrête et lui fais face. J'ajoute :

— Tu ne viendras pas à l'aéroport.

— Non, je ne viendrai pas. Je voulais le faire mais Agha Chahrvandi m'a fait promettre de ne pas y aller.

— Pourquoi ? je demande.

Je connais la réponse mais je veux quand même l'entendre me dire quelque chose que je pourrai emporter.

Il ne le dit pas.

— Je ne sais pas. Il pense que je me suis trop impliqué dans tout ce *bassat* – ces histoires. Il veut que je change de direction.

Il hésite, puis ajoute quelque chose dont je vais bien devoir me satisfaire :

— Je penserai à toi à l'heure où ton avion décollera. Peut-être que j'irai à l'aéroport le lendemain.

— Non, je dis. Ne fais pas ça.

Il baisse les yeux avec cette trace d'obstination que j'apprends à reconnaître mais j'insiste :

— Dis-moi que tu n'iras pas.

Il ne répond toujours pas.

— Tu veux me fâcher maintenant, alors que nous sommes en train de nous dire au revoir ? je demande. Ce ne serait pas *heyf* – dommage ? Dis que tu n'iras pas à l'aéroport. Dis *janeh Raha* – je le jure sur la tête de Raha.

— Je ne veux pas dire *janeh Raha*.

Je saisis son bras et le secoue.

— Hossein, dis *janeh Raha*.

Des larmes brillent dans ses yeux alors qu'il répète, me regardant cette fois, *janeh Raha*.

Je ne peux pas m'empêcher de demander :

— Tu penses que tu voyageras un jour à l'étranger ?

Il dit qu'il ne sait pas. Nous marchons jusqu'au parking et je clique sur ma clef pour ouvrir la portière.

— Tu as la voiture aujourd'hui ? je lui demande.

— Non, je suis venu à moto.

Je dis, *fe'elan khoda hafez* – bon, eh bien, au revoir pour le moment, mais ce n'est pas pour le moment. Il tient la portière ouverte pour que je monte et reste à côté de la voiture tandis que je baisse la fenêtre de mon côté et mets le contact. Je sais qu'il pleure. Je ne le regarde pas pendant qu'il touche mon bras à travers la vitre baissée et dit *khoda be hamrat*, que Dieu soit avec toi. Je démarre et vois dans le rétroviseur Hossein qui me regarde partir.

Remerciements

Tout d'abord, toute ma reconnaissance va à Mehranguiz Kar pour m'avoir guidée dans le dédale des questions juridiques et légales se rapportant au régime iranien. J'ai la plus grande admiration pour cette avocate des droits humains qui, bien que contrainte de choisir l'exil, continue inlassablement son combat contre la répression s'exerçant en Iran. Je suis aussi profondément redevable à Arash Sigarchi, avocat et journaliste, pour sa patience et les longues heures qu'il m'a accordées afin de me fournir des informations précises sur la vie politique, sociale et culturelle de l'Iran actuel. Je lui suis particulièrement reconnaissante d'avoir bien voulu me parler en détail de son expérience personnelle et hélas répétée des geôles de la république islamique, y compris de la brutalité y sévissant. Pour ses encouragements et son soutien sans faille, je remercie Ali Sajjadi. Pour des raisons évidentes, d'autres amis qui vivent encore en Iran et qui m'ont fourni des aperçus précieux sur leur vécu devront rester anonymes. À eux vont ma gratitude et mon profond espoir qu'un jour nous pourrons à nouveau être fiers de notre beau pays. Je remercie du fond du cœur mon éditrice Céline Thoulouze qui, avec son enthousiasme communicatif, a cru en *Azadi* alors que je m'étais résignée à ce que ce roman ne voie jamais le jour. Merci aussi à mon agent Steve Rassendi-rane pour son soutien et sa certitude jamais démentie qu'à travers ce roman j'ai donné à la jeunesse de mon pays une voix qui doit se faire entendre. Et enfin mais toujours avant tout, mon affection et mes remerciements infinis à mon mari et à mes deux fils qui rendent tout possible.

Éditions Belfond
12, avenue d'Italie
75013 Paris

Canada :
Interforum Canada, Inc.
1055, bd René-Lévesque-Est
Bureau 1100
Montréal, Québec, H2L 4S5

ISBN : 978-2-7144-6015-8

Composé par Nord Compo Multimédia
7, rue de Fives, 59650 Villeneuve-d'Ascq

Imprimé en France en avril 2015
par Jouve, 1, rue du Docteur Sauvé, 53100 Mayenne

Numéro d'impression : 2202011R
Dépôt légal : janvier 2015